Merelie Scott
127 Palmer 7a)

UNDER THE ADVISORY EDITORSHIP OF

Robert J. Clements

YEAR

ABROAD

DAVID M. DOUGHERTY
Professor of Romance Languages
University of Oregon

RENÉ L. PICARD
Professeur au Lycée Arago, Paris

LORETTA A. WAWRZYNIAK
Instructor in Romance Languages
University of Oregon

GINN AND COMPANY

BOSTON · NEW YORK · CHICAGO · ATLANTA
DALLAS · PALO ALTO · TORONTO

To the Memory of

RAYMOND WATSON KIRKBRIDE

Sometime Professor of Romance Languages

at the

University of Delaware

FOUNDER OF THE JUNIOR YEAR PLAN

Foreword

Year Abroad is designed to introduce the intermediate student to both the literary language and the conversational language of France and of French-speaking Switzerland, as well as to the life and culture of these two countries. This book grew out of themes written by members of a Junior Year Group, during their residence abroad, bearing on topics closely related to their day-by-day experiences. These genuinely representative themes have been modified only insofar as correct French usage demanded. An effort has been made to preserve their original tone, their spontaneous and at times unique *reportage* of the European scene.

Each one of the twenty-seven lessons can be dealt with adequately in two class periods. Exercise A is a *thème d'imitation.* Based largely on the French text, it also calls for the use of new words and expressions which are given in footnotes and in the English-French vocabulary. Exercise B is set on the informal level of conversational idiom; it is assumed, for example, that members of the Group use the familiar "tu" when addressing each other. Familiar phrases and expressions in wide current use are given in footnotes as translations for the highly idiomatic and colloquial passages. Such emphasis on everyday idiom should make the student realize that he is mastering, not artificial and bookish phrases, but the living tongue of the French-speaking peoples of western Europe.

Exercises C and D may be modified according to the needs of the instructor. Exercise C provides additional drill for the more important idioms in the French text. Exercise D should oblige the student to review and consider the salient facts and ideas to be found in this text. The questions of Exercise D, intended to stimulate classroom conversation, are in reality a set of suggestions for the instructor who may wish to prepare supplementary questions of his own.

We are happy to express our indebtedness to our friend Monsieur Jean Bonnerot, Conservateur de la Bibliothèque de l'Université de Paris, for having read the French texts and made many constructive criticisms. To our colleagues at the University of Oregon, Professors Carl L. Johnson and Jean Emile Guèdenet, Mademoiselle Raymonde Richard, Dr. Patricia M. Gathercole, and Mr. Thomas E. Marshall, we are most grateful for innumerable helpful suggestions. To the French Government Tourist Office and the Swiss National Tourist Office we extend our sincerest thanks for permission to reproduce most of the photographs that we have used.

We are indebted to Samuel Chamberlain for the photograph of Notre Dame used opposite page 1. The photograph on the front cover is used by courtesy of André de Dienes from Guillumette; the photograph on the back cover is by Wehrli.

D.M.D.
R.L.P.
L.A.W.

Le Centre De
PARIS
Arc de Triomphe
Place de L'Etoile
Gare Saint-Lazare
Église de la Madeleine
Obélisque de Luxor
Place de la Concorde
Palais de Chaillot
Tour Eiffel
Invalides
École Militaire
Jardins du Champ de Mars
Jardin des Tuileries
Seine
MONTPARNASSE
BOULEVARD PEREIRE
AVENUE DE VILLIERS
AVENUE DE WAGRAM
BOULEVARD DE COURCELLES
AVENUE DE LA GRANDE ARMÉE
AVENUE FOCH
AVENUE KLEBER
AVENUE DES CHAMPS ELYSEES
RUE LA BOETIE
RUE DU FAUBOURG SAINT-HONORE
AV. FRANKLIN D. ROOSEVELT
COURS ALBERT IER
QUAI BRANLY
QUAI D'ORSAY
QUAI DES TUILERIES
AVENUE DE LA BOURDONNAIS
BOULEVARD DE LA TOUR-MAUBOURG
BOULEVARD SAINT-GERMAIN
BOULEVARD RASPAIL
AVENUE DE BRETEUIL
RUE DE SEVRES
BOULEVARD DU MONTPARNASSE
RUE DE VAUGIRARD
QUAI DE PASSY

MONTMARTRE
Sacré-Coeur
de Montmartre
BOULEVARD DE CLICHY
BOULEVARD DE LA CHAPELLE
Place
Pigalle
RUE PIGALLE
BOULEVARD DE MAGENTA
LA FAYETTE
RUE
HAUSSMANN
QUAI DE JEMMAPES
Place de
L'Opéra
AVENUE DE L'OPERA
Bibliothèque
Nationale
Square
Louvois
BOULEVARD SAINT-MARTIN
QUAI DE VALMY
AVENUE PARMENTIER
Place
de la
République
RUE SAINT-DENIS
SEBASTOPOL
RUE DE TURBIGO
Place du
Palais-Royal
RUE
MARAIS
RUE DE RAMBUTEAU
BOULEVARD
BOULEVARD RICHARD-LENOIR
Louvre
Musée
Carnavalet
QUAI DU LOUVRE
RUE DE RIVOLI
Hôtel de Ville
Palais de Justice
ILE DE
LA CITE
Notre-Dame
Place
de la
Bastille
BOULEVARD
MICHEL
SAINT-GERMAIN
VAUGIRARD
SAINT
RUE DES ECOLES
Jardin du
Luxembourg
Sorbonne
QUARTIER LATIN
QUAI SAINT-BERNARD
Seine
BOULEVARD DE LA BASTILLE
BOULEVARD
RUE GAY-LUSSAC
RUE MONGE
Jardin des
Plantes

Contents

1

De Londres à Paris

C'est à regret que le 22 août, à Southampton, les étudiants qui allaient passer leur « Junior Year » en Europe faisaient des signes d'adieu à la *Queen Mary*.[1] Ce soir-là, alors que le train transatlantique[2] commençait à s'ébranler, j'évoquais les splendides après-midi[3] passées à regarder le sillage du navire disparaître à l'horizon. J'avais beau alors apporter sur le pont mon éternelle grammaire française, elle restait négligée sur mes genoux. L'accord des participes avait bien le temps d'attendre ![4] Le thé de cinq heures quotidien, le ton pincé des garçons, les promenades interminables sur les ponts et même les étroites couchettes m'étaient devenus familiers... Mais à quoi bon songer au passé? Nous avions la perspective de rester deux jours à Londres et nous tenions à en profiter le plus possible.

De ce séjour je me souviens particulièrement de notre hôtel poussiéreux qui annonçait avec orgueil ses « 777 chambres avec eau courante chaude et froide ». J'aurais volontiers passé tout mon temps dehors. Comme je maudissais les

---

1. la *Queen Mary*. Although names of steamers are usually masculine, official ruling recommends that, when a ship is named for a person, the gender be determined by the sex of that person.

2. *train transatlantique*. Special boat train which takes transatlantic passengers directly from quayside to London

3. Invariable

4. *avait . . . d'attendre* could very well wait

Thomas Airviews

Ile-de-France, *grand transatlantique français*

averses répétées, attendant en vain les « éclaircies passagères » annoncées par le bulletin météorologique du *Times*! Malgré le mauvais temps nous visitâmes le palais de Buckingham, la cathédrale Saint-Paul, la Tour et l'abbaye[5] de Westminster avec une rapidité étonnante. Les uniformes surannés et la raideur impassible des gardes postés devant le palais royal étaient pour nous autant de symboles de cette respectabilité et de cette dignité qui sont toute l'Angleterre.

Et déjà quarante-huit heures plus tard nous avions quitté Londres; nous étions tous dans le train de Newhaven[6] où nous prenions le thé rituel. Quant à moi, j'avais à peine terminé la lecture de *Punch* qu'une secousse et un bruit de tasses heurtées marquèrent l'arrêt du train dans la gare maritime de New-

---

5. [abei]

6. *le . . . Newhaven* the train for Newhaven. *de = for* in prepositional phrases expressing destination.

haven... Une fois embarqués pour Dieppe nous fûmes contents de trouver les éléments aussi favorables qu'ils l'avaient été sur l'Atlantique. Personne ne souffrit du mal de mer. Quelques membres du groupe jouèrent au bridge[7] avec des Français sympathiques. D'autres engagèrent la conversation avec de jeunes sportifs qui avaient participé à des courses à pied en Angleterre. Plus tard je parlai à un Français âgé, à l'air triste,[8] vêtu d'un complet de gros drap noir. Il me dit qu'il était allé en Angleterre pour se recueillir[9] sur la tombe de son fils, et il me montra avec fierté la photo d'un bel aviateur qui avait été abattu près de Londres pendant la guerre. Cette conversation et la silhouette déchiquetée de Dieppe, que nous pouvions maintenant apercevoir à l'horizon, furent de tristes rappels des blessures que la guerre avait infligées[10] à l'Europe.

Notre bateau entra silencieusement dans le port. Bientôt les cris des porteurs se firent entendre[11] dans le crépuscule. Je me souviens très bien qu'à ce moment Richard, un des jeunes gens du groupe, se tourna étonné vers moi et soupira: « Et dire que[12] tous ces gens-là parlent français! » Inquiétude justifiée! Si quelques membres du groupe parlaient déjà cette langue avec beaucoup de facilité, les connaissances des autres se limitaient à des expressions toutes faites, prononcées avec un fort accent américain.

Les jeunes sportifs entonnèrent quelques airs populaires que nous connaissions pour les avoir appris à l'école. Ceci nous

---

7. *jouèrent au bridge*. Compare *jouer à*, "to play (a game)," with *jouer de*, "to play (a musical instrument)."

8. *à l'air triste* with a sad look, sad-looking. *à* = *with* in prepositional phrases of description.

9. *se recueillir* to meditate. The expression stresses the French preoccupation with the memory of the deceased.

10. *infligées*. Agreement of past participle with preceding direct object

11. *se firent entendre* were heard. Reflexive construction often used as means of expressing passive voice

12. *Et dire que* And to think that. Elliptical construction with infinitive

mit de bonne humeur; les formalités douanières, le transport des bagages, tout se passa comme par enchantement.[13]

Notre voyage vers la Ville-Lumière fut mémorable. Dans le train de Paris, d'autres voyageurs avaient pris les places qu'on avait louées pour nous. Il ne nous restait en tout et pour tout que trois compartiments. C'était peu pour quarante étudiants fatigués. Cependant rien ne pouvait entamer notre entrain; nous ne voulions pas demander au contrôleur de faire respecter nos droits. Nous nous assîmes tant bien que mal[14] sur nos bagages dans le couloir du wagon, chantant et plaisantant. Nos chants surprenaient le contrôleur moustachu; il faut avouer qu'ils détonnaient quelque peu, accompagnés par le fracas du train et les sifflements de la locomotive... Plus tard quelques étudiantes firent leurs bigoudis et essayèrent de dormir, mais impossible! De temps en temps quelques-unes arrivaient à faire un petit somme d'une demi-heure. Tous les garçons et la plupart des jeunes filles bavardaient ou essayaient de percer les ténèbres pour voir les paysages de France qui, dans la nuit, défilaient devant eux pour la première fois.

A · Traduire en français

Reluctantly the forty members of the Junior Year Group waved good-by to the *Queen Mary*, thinking of the pleasant afternoons spent watching her wake disappear on the horizon. We had become used to five o'clock tea and to the clipped accent of the stewards, but we had great difficulty in concentrating on French grammar, which we had intended to review during the crossing.

Our first impressions of London were confused. In[15] forty-eight hours we could visit only its principal monuments and

13. *comme par enchantement* as if by magic
14. *tant . . . mal* as well as possible

15. En

observe its old-fashioned dignity.[16] We were shocked by the extent of the damage which the war had left in[17] London as well as in Southampton.

Our crossing of the Channel from Newhaven to Dieppe found the elements as favorable as they had been on the Atlantic. A few members of our group tried to play bridge with some French people; others engaged in conversation with a group of young athletes. Two of the boys were especially impressed by a sad-faced old gentleman, who confided to them that he was returning from a visit to the grave of his son, who had been shot down near London. The reconstruction that we could see near the dock[18] indicated how rapidly[19] part of Dieppe had been rebuilt.

After the customs formalities, we found that two of the five compartments reserved for us in the train for Paris had been occupied by other people, so that more than a dozen of us had to spend the night in the corridor, seated as well as possible on bags and suitcases. The conductor, harassed by the difficulty of moving about in the overcrowded train, was surprised by our efforts to sing and joke. No one succeeded in sleeping; most of us had to be content with short naps. Between times we tried to catch our first glimpse of the French countryside in the darkness. We were quite ready for rest[20] when our train reached the Saint Lazare station.

B · *Traduire en français*

PAUL. Well, are your impressions of London as blurred as mine?

JEAN. I guess so, Paul; we should need two weeks at least to see the city well.

---

16. *old-fashioned dignity* son allure digne d'autrefois
17. dans
18. quai *m.*
19. *how rapidly* avec quelle rapidité
20. *quite ready for rest* tout à fait prêts à nous reposer

PAUL. I had no idea that the bombing had caused so much destruction.

JEAN. Nor I. You can never get a very clear idea of things like that without seeing them. At least we managed to get all our baggage safely on board.[21]

PAUL. Yes, but there'll be an awful mess[22] when we dock.

JEAN. Let our Director worry about that. I suppose he will be at the dock to meet us.[23]

PAUL. No doubt... But we should be nearly half way across. What's that dark mass straight ahead?[24] Looks like a hill.

JEAN. I guess that's our first sight of France. Along the French coast there are many miles of cliffs. Let's see if we can go farther toward the bow.[25]

[*Later, as the steamer enters the outer harbor of Dieppe*]

PAUL. Why are we going so slowly?

JEAN. Because we are approaching the dock.

PAUL. That must be the dock over there. Can you see those people along the beach?

JEAN. Yes, they seem to be waving to us. Come, Paul, the Directress has asked us to assemble on the lower deck.

PAUL. Wait till I get[26] my radio. (*To himself*) Wonder if I'll get that thing through customs.[27]

JEAN. Hurry, Paul. Take my radio and Helen's tennis racket and save places for us on the train. Go down the other stairway so that you can get off the boat first. Hurry!

---

21. *we managed to get on board* nous sommes arrivés à faire monter
22. *an awful mess* un terrible désordre
23. *he will be at the dock to meet us* il viendra à notre rencontre sur le quai
24. *straight ahead* tout droit devant nous
25. *toward the bow* vers l'avant
26. *Wait till I get* Attends que je prenne
27. *if I'll get that thing through customs* si je vais arriver à faire passer ce machin-là à la douane

C · Employer chacune des expressions suivantes dans une phrase originale

faire des signes d'adieu to wave good-by
genoux (m. pl.) lap
à quoi bon what is the point in
tenir à to be determined to, to insist on
profiter de to take advantage of
le plus possible as much as possible
se souvenir de to remember
mal (m.) *de mer* seasickness
jouer à to play (a game)
participer à to take part in
se passer to take place, to happen
en tout et pour tout in all
tant bien que mal as well as possible, rather badly
faire un somme to take a nap

D · Répondre en français aux questions suivantes

1. Pourquoi est-ce à regret que le groupe a dit adieu à la *Queen Mary*?
2. Est-ce que les étudiants ont profité de la traversée pour revoir leur français? Expliquez votre réponse.
3. Que pensent les Américains de l'accent anglais?
4. Croyez-vous qu'un touriste pressé doive visiter le plus possible de monuments? Pourquoi?
5. Que pensez-vous de l'habitude française d'aller se recueillir sur la tombe d'un parent?
6. Doit-on s'efforcer de parler la langue du pays qu'on visite même si on la parle assez mal?
7. Quels sont les avantages de diviser un wagon de chemin de fer en compartiments?
8. Pourquoi si peu des étudiants ont-ils pu faire un somme pendant le trajet Dieppe–Paris?

2

Premières impressions de Paris

Les horloges sonnaient cinq heures quand nos regards endormis tombèrent sur de grands immeubles près de la gare Saint-Lazare. Je ne pouvais[1] croire que c'était réellement Paris, et il fallut un incident plutôt amusant pour m'en convaincre. Comme nos chambres d'hôtel n'étaient pas prêtes, à cause de notre arrivée matinale, nous nous étendîmes sans hésiter sur les banquettes de cuir fauve du restaurant de l'hôtel pour faire un petit somme avant de visiter la ville. Partout ailleurs je suis sûre qu'un tel spectacle[2] aurait choqué les habitants, mais le sourire sympathique et complice des gens qui nous voyaient là me donna la conviction que nous ne pouvions être qu'à Paris.

Après nous être reposés, notre première préoccupation fut de manger un peu. Le petit déjeuner à la française—c'est-à-dire une tasse de café au lait et une rôtie beurrée—nous parut bien frugal! Après le petit déjeuner, les plus fatigués retournèrent se reposer[3] un peu; les autres allèrent visiter Paris en autocar. Voilà bien une audace de touristes étrangers:

---

1. *Je ne pouvais.* The negative may be expressed by *ne* alone with *pouvoir*, *oser*, *savoir*, *cesser*.

2. *un tel spectacle* such a spectacle. Note French word order.

3. After verbs of motion the infinitive is often used without a preposition.

Ewing Galloway

L'arc de triomphe de l'Étoile, dans la perspective des Champs-Élysées

faire le tour d'une grande ville en une seule journée! Notre car nous conduisit aux endroits les plus connus, ceux dont tout le monde[4] parle, pour nous donner une idée générale de la ville. Nous étions très émus de voir de nos yeux tant de choses que nous avions si souvent regardées dans nos livres de classe ou vues en rêve.

Après un déjeuner rapide à l'hôtel, les plus résistants et les plus courageux repartirent à la découverte de Paris. Était-ce bien cela le Paris que nous imaginions? La silhouette de l'arc de triomphe de l'Étoile dans la perspective des Champs-

---

4. *tout le monde.* Requires singular verb.

Élysées, les rues montantes et sinueuses de Montmartre, les vitraux de Notre-Dame, les étalages de bouquinistes le long des quais, le tombeau impressionnant de Napoléon Ier aux Invalides. On n'en finirait pas d'énumérer tout ce qu'on aime.

Chemin faisant nous nous initiions à la vie de Paris. Les chauffeurs de taxi qui se glissaient à vive allure entre les files d'autos, les passants qui discutaient en gesticulant[5] et les agents au coin des rues—tous ces détails et bien d'autres nous rappelaient ce que nous avions lu sur la grande capitale. A la fin de l'après-midi et surtout après avoir gravi les rues qui mènent au Sacré-Cœur de Montmartre, nous étions rompus de fatigue. Le dîner fut expédié en toute hâte et tout le monde alla se mettre au lit.

---

5. *en gesticulant.* Remember that *en*, translated by "in," "while," etc., is the only preposition which may be followed by a participle.

Basilique du Sacré-Cœur à Montmartre

André de Dienes

Le directeur du groupe avait réussi à nous procurer des chambres dans des foyers d'étudiants où nous devions nous installer dès le lendemain. Puis, nous nous proposions de visiter Paris pendant deux semaines comme le font tous les touristes étrangers, armés d'un *Guide bleu*[6] et d'un appareil photographique. Nous avons entendu un Parisien se moquer des agences de voyage qui annoncent: « L'Europe en vingt et un jours ». Espérons qu'il ne nous en voudra pas trop[7] d'avoir la prétention de voir Paris en quinze jours.

A · Traduire en français

It was five o'clock when our train pulled into the Saint Lazare station and the forty-odd members of the Group began to unload the mountain of baggage which had been piled at the end of the car. Making our way along the platform through the swarms of porters and the crowds of people, who seemed to be running in all directions, we crossed the street to our hotel, where breakfast was soon to be served. Naturally, our rooms were not ready at that early hour, and before breakfast many of us took a nap on the leather sofas in the lobby. Since we were rather hungry from traveling,[8] we supplemented the frugal French breakfast, which consisted of rolls and coffee, by an omelet.

After breakfast we started our first trip around the city by sight-seeing bus under the expert guidance of Monsieur Alexandre Romain, for a long time a member of the Junior Year staff in France. Here was the Paris of newsreels, of picture post cards, and of our dreams. We did not expect to see in a single day more than the principal sights, but we

---

6. *Guide bleu.* Well-known tourist's guidebook to France; one of a series dealing with the principal European countries

7. *ne . . . trop* won't be too hard on us. *En* refers to *du mal* understood.

8. *from traveling* à force d'avoir voyagé

Photo Georges Viollon, French National Tourist Office

Étudiants au jardin du Luxembourg

managed to see[9] many of the most famous monuments: the Arch of Triumph, towering over the Champs Élysées, from the top of which we could see a vast section of the capital; and the Eiffel Tower, from whose top platform we could view in all directions this teeming center of eight million people.

Then we went along the river towards the Ile de la Cité to visit Notre Dame and the Sainte Chapelle. We walked along the quays and saw the old booksellers and their displays about which we had read in our French class. Crossing to[10] the Left Bank, we strolled through the Latin Quarter, past the Sorbonne and along the Boulevard Saint Michel, commonly known as the "Boul Mich," where there were almost as many students as during the school year. As American undergraduates used to tweeds and flannels, we were somewhat shocked by the nondescript attire of students in the Latin Quarter.

The rest of our day was spent visiting other well-known monuments. We crossed the Luxembourg Garden and visited a café in Montparnasse, the old artists' quarter. Then Monsieur Romain took us to Napoleon's tomb and back to the Louvre, where we spent an hour viewing the principal collections of painting and sculpture. Finally we climbed the steep, winding streets of Montmartre and viewed the city from the terrace of Sacré Cœur. Paris gripped us all, as has been the case with[11] students for centuries.

B · *Traduire en français*

[*Overheard in a sight-seeing bus*]

PAUL. What did you think of the breakfast, Jean?

JEAN. Lucky[12] they served so much. I hadn't eaten anything since we got off the boat, except Helen's chocolates.

---

9. *we managed to see* nous arrivâmes à voir
10. *Crossing to* Pour aller sur
11. *as has been the case with* comme cela a été le cas des
12. Heureusement

From now on I'll believe everything I have heard about French chefs; that omelet was really wonderful.

PAUL. The omelet was all right, but did you ever drink such coffee?[13] The waiter said that it's made with chicory.[14] I hope we shall have a real French dinner at the Foyer International—they're going to send us down there for lunch.

JEAN. Stop talking about food,[15] will you? We can't spend too much time in restaurants. Where's our first stop?

PAUL. Here we are now, at the Madeleine. No, we haven't time to stop, but we can get a good view of the outside of it. Monsieur Romain says it's three blocks straight ahead[16] to the Place de la Concorde.

JEAN. Look, Paul, there's the Obelisk and to the right, I think, the Champs Élysées. All my life I've heard about those places.[17] And there's the American flag—that must be our Embassy.

PAUL. Look, we're going up the avenue. I thought that New York traffic was bad. Why aren't there more traffic lights[18] here?

JEAN. I remember now, Paul. Monsieur Romain said that we were going first to the Arch of Triumph and then to the Chaillot Palace.[19]

[*Later, after the Group has visited the Arch and the Tomb of the Unknown Soldier*]

PAUL. Dick, do you think that we can get away from this gang?[20] I'd like to do a little sightseeing on my own[21] this evening.

---

13. *such coffee* un café pareil
14. Chicory is sometimes used in making French coffee.
15. *Stop talking about food* Ne parle plus de choses à manger
16. *three blocks straight ahead* tout droit devant nous, à trois rues d'ici
17. *I've heard about those places* j'ai entendu parler de ces curiosités-là
18. *traffic lights* signaux lumineux *m. pl.*
19. Palais (*m.*) de Chaillot
20. troupe *f.*, bande *f.*
21. *on my own* par moi-même, par mes propres moyens

French National Tourist Office

Obélisque de Luxor, place de la Concorde, Champs-Élysées

RICHARD. I'll ask the Director. I'll tell him we've heard about a few spots of highly cultural interest.[22]

PAUL. Yes, ask him, Dick. We're all with you.[23] Tell him that the men in the Group don't need to be chaperoned. Say, what's this big structure on the left?

RICHARD. That's the Chaillot Palace... Let's walk out to[24] that spot between the two large buildings to view the whole city.

JEAN. The girls want to take another bus tour this evening. Will all of you come along?[25]

PAUL. Er, hem. I don't know, Jean. Dick was going to take us to see some of his friends. Dick, maybe we ought to go along with the Group.

RICHARD. OK, if you insist.[26]

C · Employer chacune des expressions suivantes dans une phrase originale

à cause de because of
faire un petit somme to take a little nap, catch forty winks
à la française in the French style
voir de nos yeux to see with our own eyes
aller à la découverte de to explore
chemin faisant on the way
à vive allure at a rapid pace, full tilt
en toute hâte as quickly as possible
en vouloir à to have a grudge against, be hard on

---

22. *spots of highly cultural interest* endroits qui ont un très grand intérêt culturel
23. *We're all with you.* Nous sommes tous de cœur avec toi.
24. *Let's walk out to* Allons jusqu'à
25. *come along* être des nôtres
26. *OK, if you insist.* D'accord, si tu y tiens.

D · *Répondre en français aux questions suivantes*

1. Pensez-vous que les habitants d'une grande ville remarquent habituellement les touristes étrangers? Pourquoi?
2. Est-ce que les membres du groupe se sont fait remarquer seulement à cause de leur costume? Pourquoi?
3. Que pensez-vous de leur conduite à leur arrivée à l'hôtel?
4. Préférez-vous le petit déjeuner à la française ou à l'américaine? Pourquoi?
5. Ne peut-on empêcher les autos de rouler à vive allure en multipliant les signaux lumineux?
6. Quel est le premier monument que vous voudriez visiter si vous étiez à Paris?
7. D'après ce que vous avez lu ou entendu dire, pensez-vous que les étudiants américains vivent plus facilement que ceux du quartier latin?
8. Est-ce que vous auriez plaisir à aller bouquiner[27] sur les quais?

---

27. *bouquiner* to browse, to look at books on display

3

Comment on passe de la gastronomie à une page pénible de l'histoire de France

La cuisine française jouit d'une telle réputation aux États-Unis que nous étions impatients d'y goûter.[1] Bien entendu, il y a beaucoup de restaurants français en Amérique mais lorsque, à l'université, nous demandions à un professeur français ce qu'il pensait des[2] *French restaurants*, il répondait invariablement: « Ce n'est pas mal, mais ce n'est pas comme chez nous ».

Est-il vrai que les Français mangent des escargots, des cuisses de grenouilles et des sauces au vin[3]?, nous demandions-nous avec inquiétude. On nous avait conseillé d'aller déjeuner au restaurant Ruc, place du Palais-Royal, où, paraît-il, de nombreux acteurs de la Comédie-Française viennent con-

---

1. *y goûter* "to sample it"; cf. *goûter de* "to enjoy."

2. *penser des. Penser de* "to think of," "to have an opinion about"; cf. *penser à* "to think of," "to have in mind."

3. *sauces au vin.* The preposition *à* may introduce an adverbial phrase of manner; in this case the adverbial phrase denotes the manner of cooking or serving; cf. *châteaubriant aux pommes*, page 20, line 5.

Christian Baugey, French National Tourist Office

Café de Flore

stamment. Avouons que le premier essai a été des plus satisfaisants. Sans doute il n'y avait pas d'assiette spéciale pour le pain, pas de beurre (sauf avec les hors-d'œuvre), pas de glace dans le verre d'eau—mais les charcuteries[4] succulentes, le châteaubriant aux pommes soufflées, la salade bien assaisonnée et les pâtisseries provoquèrent des cris de satisfaction de la part de tous les membres du groupe. Nous avons tous protesté quand l'un de nous a émis l'avis que ces Français perdaient trop de temps à servir les plats l'un après l'autre.[5]

Les journaux avaient tant parlé, pendant si longtemps, des privations dont avait souffert l'Europe que nous étions curieux d'apprendre un peu comment le rationnement avait été organisé au temps des restrictions. On racontait tant de choses sur le marché noir et ses méfaits. Après avoir interrogé M. Langlois, notre hôtelier, qui était tout à fait au courant de ce qui s'était passé, nous avons mieux compris la situation alimentaire pendant la période en question.

Pour déjouer la fraude, le ministère du Ravitaillement avait imaginé un jeu compliqué de tickets qui permettaient d'obtenir pain, beurre, huile, chocolat, café, savon[6] et bien d'autres denrées. Il y avait aussi plusieurs catégories de consommateurs, ceux des villes et ceux des campagnes, les enfants, les adolescents, les adultes et les vieillards. Si les rations prévues avaient toujours été honorées, il n'y aurait eu que demi-mal.

Bien entendu, l'occupation allemande fut la première responsable. En 1940 les Allemands avaient imposé de très maigres rations aux Français. Ils achetaient directement ou par intermédiaire[7] les vivres disponibles et les revendaient à

---

4. *charcuteries.* Pork meat products—sausage, salami, etc.

5. The usual French custom of serving vegetables separately after the meat course lengthens the meal time.

6. *pain . . . savon.* The article is often omitted in enumerations.

7. *par intermédiaire.* Many adverbial phrases are made of preposition plus noun; common ones are: *à pied, avec plaisir, par terre, sans crainte.*

des prix très élevés. Puis les populations des villes, après un hiver des plus pénibles, prirent l'habitude d'aller à la campagne chercher des œufs, des volailles, un peu de beurre et un peu de lait. On commença en faisant des échanges; le citadin apportait une pièce d'étoffe ou une paire de souliers, le fermier lui cédait un poulet ou un rôti de porc. Parfois on rapportait de la campagne plus de nourriture qu'on ne voulait. On allait la vendre à un restaurateur qui payait bon prix[8] et ainsi, petit à petit, naquit le marché noir.

Pendant quelque temps après la libération il y eut encore des Français qui gagnèrent beaucoup d'argent dans ces opérations louches. La difficulté d'importer de l'étranger[9] une quantité suffisante de denrées alimentaires rendit la tâche facile aux trafiquants. Puis, il y eut de mauvaises récoltes, ce qui n'arrangea pas les choses.

Enfin, à partir de 1948, grâce aux importations des colonies, grâce à une récolte exceptionnelle de céréales, grâce aux bienfaits du plan Marshall,[10] la situation a bien évolué. Actuellement nous constatons que la France montre aux touristes son visage des beaux jours et qu'elle reste fidèle à sa réputation d'hôtesse qui sait faire apprécier[11] à ses visiteurs la « douceur de vivre ».

A · *Traduire en français*

One of the first restaurants in Paris that we went to was the Restaurant Ruc, near the Comédie Française. We could now settle easily once and for all[12] the question of French cook-

---

8. *payait bon prix* paid a good price

9. *de l'étranger* from foreign countries

10. *plan Marshall.* The Marshall Plan for giving economic aid to foreign countries

11. *faire apprécier. Faire* used causatively (*faire* + infinitive) requires indirect personal object if infinitive has a direct object.

12. *settle easily once and for all* trancher facilement

ing, which we had so often discussed with our instructors at college. And, like all tourists, we were ready to try snails, frogs' legs, and wine sauces.

Our first meals at this restaurant were a revelation, and we soon understood why few "French restaurants" in the United States can be compared to the famous eating-places of Paris. We also observed that the more exotic specialties were generally served only on unusual occasions, that every-day meals were rather conventional. Ordinarily we ordered grilled steak with French fried potatoes, salad, dessert, and coffee. The boys never failed to begin with assorted appetizers served to each person from a serving wagon on which there were more than twenty different kinds. The girls, on the other hand, almost always finished with assorted pastries, much lighter than what they had known in America as "French pastry."

We were curious about the black market, about which we had read and heard so much during and after the war. The manager of our hotel, Monsieur Langlois, was kind enough to tell us about it in detail. "The black market for most commodities," he explained, "got under way with the German occupation in 1940, when severe restrictions were imposed by the invaders. Barter became widespread; city dwellers, finding meat and poultry too expensive, began to make weekly trips to the country to secure provisions. Soon it became common to make payment in kind rather than in money. For example, in exchange for a piece of goods or a pair of shoes, a farmer handed over a roast of pork, a chicken, or a ham. Many people brought back from the country more food than was needed by their families[13] and sold it to neighbors or to restaurant owners at high prices.

"Thus," continued Monsieur Langlois, "thousands of people began to carry on black-market operations and continued this traffic for several years after the war. But when the

---

13. *more food than was needed by their families* plus de vivres que leur famille n'en avait besoin

au Ruc

LE RUC
2, RUE DE LA PÉPINIÈRE
PÂTISSERIE RUC
2, RUE DE LA PÉPINIÈRE
PAVILLON DAUPHINE
AVENUE FOCH

LE GRAND VATEL
275, RUE St HONORÉ
L'UNIVERS
PL. DU THÉÂTRE FRANÇAIS
PÂTISSERIE CHIBOUST
PL. DU THÉÂTRE FRANÇAIS

Ct 35	Huîtres: Fines de Claires fa (dze) 120 - Marennes les (6)	190.
	Escargots de Bourgogne les (6) 80 - ½ Citron 15 - Beurre	40 -
HORS	Terrine du Chef 120 - Sardines à l'huile 90 - avec beurre	110
D'OEUVRE	Oeuf Parisienne 60 - Filets de Harengs, salade de pommes	60.
	Saucisson de Fleurie chaud, Pmes à l'huile	120
Potage Faubourg 45 -	Quiche Lorraine 70	
BUFFET FROID	Caviar frais de saumon extra 250 - Foie gras	325
	Jambon d'York 240 -	
OEUFS	Oeufs plat bacon 110 - Omelette Parmentier	140.
POISSONS	Hareng Meunière, sauce moutarde	70 -
	Délice de Sole Mantua	220 -
Plats du Jour	Tronçon de Raie au beurre noir	130
	Sauté d'Agneau aux Primeurs	200 -
	Coquille de Ris de veau des Gourmets	220 -
	Faux-filet et son gratin Dauphinois	250
	Poule au blanc et nouilles	280
LA CHASSE	Civet de Lièvre à la Française	270 -
GRILLADES	Châteaubriand 350 - Entrecôte Minute	240.
	Côte de veau 250 - Foie de veau	240.
	Tripes flambées, façon du chef	180
	Choucroute garnie "Univers"	250
LEGUMES	Endives 90 - Petits pois 80 - Epinards 60 -	
	Haricots verts 80 - Choux-fleur 60 - Salade saison 60	
	Fromages 60 - Yaourt 35 -	
DESSERTS	Pâtisserie Chiboust 80 -	
	Raisin 110 - Poire 110 - Orange 90 - Noix 90 - Canada 80	
	Tranche maison 80 - Meringue glacée 80 - Glace 60	
	Banane 40 - Cerises à l'eau-de-vie 75 -	

effects of the Marshall Plan began to be felt, proper distribution was re-established. Thanks to this aid, as well as to several abundant harvests, the situation has greatly improved. The chief difficulty at the present time is the high cost of food, but the days of privations and suffering are over."

B · Traduire en français

[*Conversation at the Café des Deux Magots, in Paris*]

RICHARD. Well, where is Monsieur Romain? We were told that he would take us to places that tourists never see.

PAUL. It will be nine-thirty in[14] three minutes. He said he'd meet us here. Very decent of him to take time out[15] just for us.

RICHARD. Well, the least we can do is to take him to lunch with us.

JEAN. Helen, what's the name of that restaurant that Mabel told us about? You know, she went there with her Parisian friends.

HELEN. You mean the Caveau de Montpensier. Just up the rue de Montpensier from the Comédie Française. But I'm afraid it's closed[16] on Mondays.

PAUL. What about the other restaurant that Élise told us about?

JEAN. Yes, the one near the Bibliothèque Nationale.

RICHARD. What in the world[17] was Élise doing at the Bibliothèque Nationale?

HELEN. No more cracks like that,[18] Dick. Paul means the little café in the Square[19] Louvois; they serve wonderful meals there.

PAUL. Here comes Monsieur Romain.

M. ROMAIN. Good morning, everybody. Are you getting to know the city?

---

14. *dans*. When "in" means "at the end of (time)," it is translated by *dans*. When it means "during *or* within (time)," it is translated by *en*.

15. *Very decent of him to take time out* Très gentil de sa part de prendre sur son temps

16. Whereas formal usage requires *ne* in this sentence, actual practice tends to omit it.

17. *What in the world* Que diable

18. *No more cracks like that* Plus d'astuces comme ça

19. *square m.* [skwaːr]

RICHARD. We shall never be able to thank you enough, sir, for all that you've done for us.

M. ROMAIN. A real pleasure, I assure you. I'm sorry that the group can't stay longer in Paris this time. Well, what should you like to see before lunch?

PAUL. Anything you suggest,[20] sir. Let's stop at a quarter to twelve, take a good two hours[21] for lunch, and continue all afternoon. The girls say they can stay with us.[22]

M. ROMAIN. Fine! fine![23] But we should not try to see things[24] too fast.

JEAN. And we're counting on you for lunch—and for dinner too—if you are free.

M. ROMAIN. Thank you very much. Lunch I accept most willingly.[25]

[*At the Brasserie Balzar, near the Sorbonne*]

PAUL. Dick, Monsieur Romain is a swell guy.[26] How does he remember all that?

RICHARD. Don't ask me. But what did he tell you girls[27] while we were gone?

JEAN. We talked all the time about rationing in France during the war, and I could hardly believe all he said.

HELEN. I didn't like to ask him too many questions.

JEAN. Well, anyway, he explained the complicated system of food cards. The coupons they had to use covered almost everything.[28]

HELEN. Monsieur Romain said that housewives had to use

---

20. *Anything you suggest* Tout ce que vous proposerez
21. *a good two hours* deux bonnes heures
22. *stay with us* marcher à la même allure que nous
23. *Fine! fine!* A la bonne heure!
24. *things* curiosités *f.*
25. *most willingly* très volontiers
26. *a swell guy* un chic type
27. *you girls* à vous les filles
28. *covered almost everything* servaient pour presque tout

them to buy meat, cooking fats,[29] soap, canned goods,[30] and many other staples for more than four years.

JEAN. The worst part of it was[31] the black market. It started when city people began to barter with farmers.

HELEN. Lucky that all that is no longer necessary, thanks to[32] better harvests and to imports under the Marshall Plan.

C · Employer chacune des expressions suivantes dans une phrase originale

jouir de to enjoy
bien entendu of course
chez nous in our country; at home
de la part de on behalf of
être curieux d'apprendre to be interested to find out
aux temps de at the time of, during
être au courant (*de*) to be well informed (about)
il n'y aurait eu que demi-mal it wouldn't have been so bad
prendre l'habitude de to acquire the habit of
arranger les choses to help matters
à partir de... from . . . on
grâce à thanks to
les beaux jours better days

D · Répondre en français aux questions suivantes

1. Pourquoi les membres du groupe étaient-ils impatients de goûter à la cuisine française?

2. Pourquoi les professeurs français dont on parle dans le texte n'aiment-ils pas la cuisine des « French restaurants » aux États-Unis?

---

29. *cooking fats* graisses de cuisine *f. pl.*
30. *canned goods* conserves *f. pl.*
31. *The worst part of it was* Ce qu'il y avait de pire c'était
32. *thanks to* grâce à

3. Etes-vous de l'avis de l'étudiant qui pense que les Français passent trop de temps à déjeuner? Justifiez votre réponse.

4. Croyez-vous qu'on puisse juger de la situation d'un pays d'après ce qu'en disent les journaux? Pourquoi?

5. Pourquoi les habitants des villes et ceux des campagnes ne recevaient-ils pas les mêmes rations pendant la deuxième guerre mondiale?

6. Que pensez-vous des habitudes qui ont fait naître le marché noir?

7. Pourquoi les fermiers préféraient-ils des chaussures ou une pièce d'étoffe en échange de leurs denrées?

8. Pourquoi était-il difficile d'importer des denrées alimentaires de l'étranger?

9. Comment le plan Marshall a-t-il apporté une aide importante à la France?

10. D'après ce que vous connaissez de la France, comment pourriez-vous définir l'expression « la douceur de vivre »?

4

Paris, Sorbonne et Notre-Dame

Quelle chance que les jeunes filles du groupe puissent rester au Foyer international[1] pendant le séjour à Paris! Nous sommes en plein quartier Latin![2] Et les jeunes gens,[3] qui, eux,[4] sont descendus à la Fondation des États-Unis,[5] peuvent nous rejoindre en très peu de temps pour faire les excursions organisées pour nous tous.

Chaque jour nous nous répétons ce que nos amis nous ont dit sur la Ville-Lumière: « N'oubliez pas de visiter les In-

---

1. *Foyer international.* Large dormitory on the Boulevard Saint Michel, with meeting rooms and cafeteria, for both French and foreign women students

2. *quartier Latin.* The section of Paris around the University, on the left bank of the Seine as you stand on the Ile de la Cité and face downstream; so called because Latin was the common classroom language of students and professors during the Middle Ages

3. *jeunes gens* young men, boys; plural of *jeune homme*

4. *eux.* Disjunctive pronoun used to express subject, for emphasis

5. *Fondation des États-Unis.* American House at the Cité Universitaire, one of a large group of dormitories which have been built by more than twenty-five countries to house their nationals while they are students in Paris. It is located nearly two miles from the Sorbonne.

Nora Dumas from Rapho-Guillumette

Étudiants dans la cour de la Sorbonne

valides![6] Allez là! Faites ceci! Ne faites pas cela! » — D'accord! Mais par quel bout commencer?

Eh bien, comme la Sorbonne[7] est à deux pas du Foyer, allons-y ce matin. Bien que ce soient les grandes vacances, de nombreux étudiants et étudiantes vont et viennent sur le

---

6. *les Invalides.* Institution established by Louis XIV to house wounded soldiers. The adjoining church, the work of Mansard, is noted for its imposing dome, under which the remains of Napoleon I were buried in 1840.

7. *la Sorbonne.* Immense building which houses the faculties of letters and sciences of the University of Paris; named for Robert de Sorbon, thirteenth-century founder of one of the University's early colleges

boulevard Saint-Michel qui est vraiment le centre vivant du quartier Latin. Que de[8] librairies! Que de beaux livres! Comme nous sommes tentés d'acheter tout ce que nous voyons —cette première édition du dernier roman de Sartre[9] ou cette collection des œuvres de Balzac...[10] Mais nous n'avons pas le temps de flâner.

Voici la Sorbonne, grand édifice de style moderne où s'enchâsse l'ancienne église construite au dix-septième siècle sur l'initiative de Richelieu.[11] Des deux parties de ce vaste bâtiment, l'une est réservée aux sciences, l'autre aux lettres: ici des salles de cours et là des laboratoires. Au centre se trouve un vaste amphithéâtre, décoré par Puvis de Chavannes,[12] où, depuis un demi-siècle, ont lieu les cérémonies officielles organisées par l'université de Paris. Cette vénérable Sorbonne, qui garde sur le pavé de sa cour le tracé de la chapelle de Robert de Sorbon,[13] construite au treizième siècle, a été aussi le berceau de l'imprimerie[14] à Paris. Ce serait un admirable livre d'or que celui qui retracerait l'histoire de l'enseignement des lettres et des sciences en Sorbonne et qui redirait les noms des maîtres qui s'y sont illustrés.

Dès notre arrivée nous jetons un coup d'œil sur le programme des cours de vacances. Une conférence attire notre attention: « La France, où va-t-elle? » Nous montons l'escalier rapidement et nous trouvons l'amphithéâtre. Le professeur a déjà commencé. Nous nous installons sur les derniers

---

8. *Que de* What a lot of. Exclamatory use of *que*

9. *Sartre* (*Jean-Paul*) (1905-). Novelist and playwright; central figure of the Existentialist movement

10. *Balzac* (1799–1850). Celebrated French novelist

11. *Richelieu.* Noted statesman, churchman, and patron of letters; directed French foreign policy from 1624 until his death in 1642.

12. *Puvis de Chavannes* (1824–1898). French painter, famous for his murals which deal with allegorical subjects

13. *Robert de Sorbon.* Cf. Note 7 above.

14. *imprimerie.* The first printing press in Paris was set up in 1470 in one of the buildings of the University.

gradins et nous écoutons attentivement celui qui parle. Mais, de quoi parle-t-il? « Et maintenant, Mesdames et Messieurs, nous allons voir le rôle joué par Pythagore[15] dans l'histoire de la philosophie. » Nous nous regardons en retenant une forte envie d'éclater de rire. Nous nous sommes trompés de salle! Tant pis! Restons jusqu'au bout... En sortant nous nous

15. *Pythagore.* Pythagoras, Greek philosopher and mathematician of the sixth century B.C.

Cité universitaire: une aile de la Maison internationale

French National Tourist Office

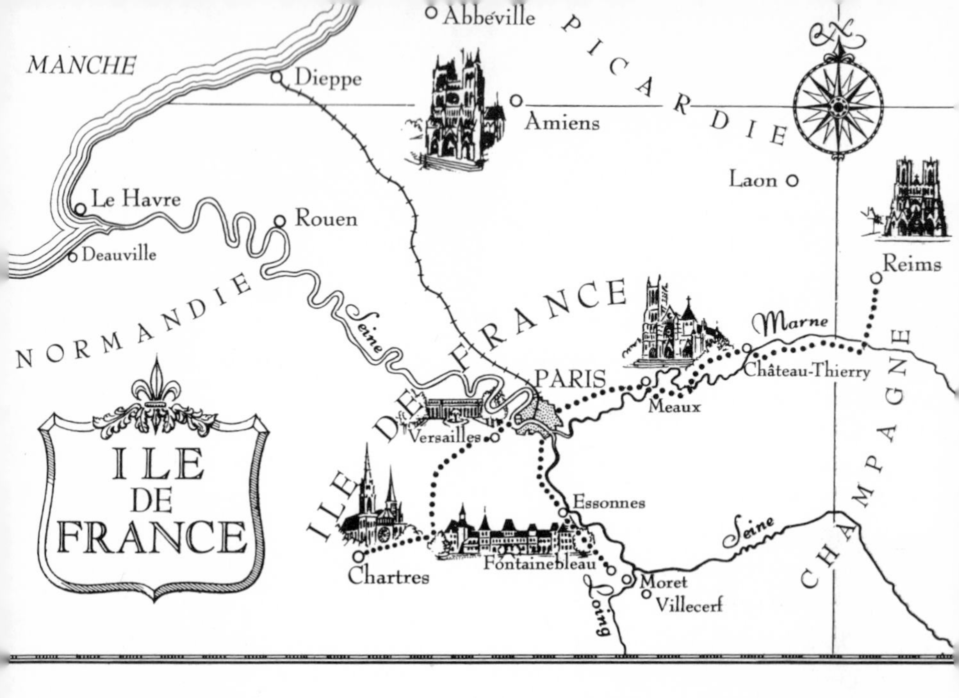

disons que de toute manière il faut revenir visiter plus en détail une université où tant de lettrés et de savants ont été formés pendant plus de sept siècles. Mais, pour le moment, nous devons continuer notre visite en nous dirigeant vers Notre-Dame.[16]

Comme nous arrivons sur les bords de la Seine, nous voyons, tout à coup, l'imposante cathédrale se détacher majestueusement sur le ciel. Depuis le douzième siècle elle protège Paris. Et l'on peut dire que toute l'histoire de France a retenti sous ses voûtes. Sur sa façade harmonieuse les prophètes et les rois, les vertus et les anges, semblent veiller de toute éternité sur le destin des Français. Comme cette église sera différente désormais dans notre souvenir de la silhouette que nous croyions connaître d'après tant de cartes postales! Nous emportons dans nos yeux une vision lumineuse de beauté sereine, de grandeur et de paix.

---

16. *Notre-Dame.* The famous cathedral, located on the Ile de la Cité; construction was begun in 1163.

Très émus, nous quittons Notre-Dame pour aller au Palais de Justice[17] et à la Sainte-Chapelle,[18] qui se trouvent également sur l'Ile de la Cité.[19] Un guide, qui paraît avoir appris sa leçon par cœur, nous montre les anciennes salles du palais qui fut habité par les rois de France avant la construction du Louvre.[20] On nous montre aussi la prison de la reine Marie-Antoinette[21] et l'immense salle des Gardes, voûtée comme une église. La Sainte-Chapelle, joyau de l'art gothique, fut construite par Louis IX[22] à son retour de la croisade; elle a été restaurée au dix-neuvième siècle. Nous restons éblouis par les magnifiques vitraux, dont le temps n'a pu altérer les riches couleurs.

Le temps passe vite et nous avons encore beaucoup à voir à Paris. Flânons un peu sur les quais de la Seine devant les étalages si variés des bouquinistes. Quel dommage de ne pas être plus riches! Belles reliures, gravures anciennes, médailles et bibelots de toutes sortes attirent notre attention. Nous reviendrons sûrement plus tard, s'il nous reste en poche quelque argent![23]

A · Traduire en français

We were all delighted to be able to spend several days in Paris, before going on[24] to Geneva. Reservations had been

---

17. *Palais de Justice.* Central law courts of Paris

18. *Sainte-Chapelle.* Gothic chapel, begun in 1248 by order of Louis IX

19. *Ile de la Cité.* Island in the center of Paris, ancient nucleus of the present city

20. *Louvre.* Former palace of the French kings, now a museum; built, chiefly in the 16th and 17th centuries, in what is now the center of Paris

21. *Marie-Antoinette.* Austrian princess who married the future Louis XVI in 1770

22. *Louis IX* (1226–1270). Saint Louis, France's most Christian king; canonized by the Roman Catholic Church in 1297

23. *s'il . . . argent* if we have some money left in our pockets. Literally, "if there remain to us . . ." *Rester* is one of many verbs which may be used in the third person singular with the impersonal *il.*

24. *before going on* avant de continuer notre voyage

made[25] for the men at the American House of the Cité Universitaire and for the women at the Foyer International, a girls' dormitory in the heart of the Latin Quarter. We naturally liked the plan to acquaint us with the French capital as fully as possible in the time at our disposal.

The next morning we decided to go down the Boulevard Saint Michel toward the Sorbonne. We passed hundreds of students who seemed to be unaware that it was vacation time.[26] The magnificent editions on display in the bookstores tempted us to buy everything that we saw—complete sets of Balzac and smart, leather-bound volumes of works by Duhamel[27] and Romains.[28]

---

25. *Reservations had been made* On avait retenu des chambres

26. *vacation time* l'époque (*f.*) des vacances

27. *Duhamel* (*Georges*) (1884–). French novelist noted for his descriptions of modern society

28. *Romains* (*Jules*) (1885–). French novelist and dramatist, author of the 27-volume cyclic novel, *Les Hommes de bonne volonté*

Pont de la Tournelle et Ile Saint-Louis

André de Dienes

Turning to the right at the rue des Écoles, we came to the Sorbonne, an immense modern building which houses two faculties of the University of Paris. We went through the long corridors and came out at the great courtyard. Directly ahead of us stood the ancient chapel where Richelieu lies buried[29].... What a pity that there were no classes[30] which we could attend! We swore that the next time that we came to Paris we would attend the lectures of some of the great scholars whose works we had studied in our classes.

Leaving the Sorbonne and going directly toward the Seine, we were startled to see the imposing façade of Notre Dame looming up[31] before us to our right. We looked at this great structure for a long time and studied it from all possible angles.[32] How many times it had been referred to[33] in our French and history courses! Almost hidden by the morning mist, the gallery of kings and the towers with their grotesque gargoyles came into view as we approached.

After looking at the sculptures of the portals, we entered the ancient church at the same time as a large group of tourists. The vast nave and the choir did not seem to be crowded, but there were hundreds of visitors walking slowly about. A few of them were taking pictures of the stained-glass windows in the north and south transepts.[34]

Reluctantly we left the immense cathedral and made our way to the Sainte Chapelle. This famous little church, built in 1248 by Louis IX to house relics brought back from the Holy Land, is less than a five minutes' walk from[35] Notre Dame. Marvellous stained-glass windows, which have es-

---

29. *lies buried* est enterré

30. *What a pity that there were no classes* Quel dommage qu'il n'y ait pas de cours

31. Use infinitive.

32. *from all possible angles* sous tous les angles possibles

33. *it had been referred to* on en avait parlé

34. *in the north and south transepts* dans les transepts nord et sud

35. *less than a five minutes' walk from* à moins de cinq minutes à pied de

André de Dienes

Les gargouilles de Notre-Dame

caped the ravages of time, seem to replace the walls entirely. In the brilliant sunlight[36] we were able to appreciate the beauty of these windows, which rank after those of Chartres as the finest in the world... We returned to the Foyer after strolling along the quais for more than an hour, looking at[37] booksellers' displays. We saw some old prints that we would have bought if we had had any money left.

B · Traduire en français

[*At a café in the Latin Quarter*]

M. ROMAIN. Well, are you getting to know your way around?[38] I can't always go with you, you know.

RICHARD. Pretty well; we're going to try the subway tomorrow. We were just saying[39] that we are glad to be able to spend two weeks in Paris.

JEAN. We thought that we were to[40] go to Geneva immediately.

M. ROMAIN. Now that you will have time to know Paris fairly well, I think that you should visit something more than[41] the tourist attractions.

HELEN. Well, I have always wanted to see the famous Café de Flore. Do you think that we might see some literary celebrities there?

M. ROMAIN. I'm not very well posted on[42] that, but I think that they meet at other cafés now.

HELEN. Well, perhaps you can take us to the Sorbonne this morning, Monsieur Romain.

---

36. *In the brilliant sunlight* Au soleil brillant

37. *looking at* à regarder

38. *are you getting to know your way around?* est-ce que vous arrivez à vous débrouiller?

39. *We were just saying* Nous disions justement *or* Nous étions en train de dire

40. *we were to* nous devions (plus infinitive)

41. *something more than* autre chose que

42. *I'm not very well posted on* Je ne suis pas bien au courant de

M. ROMAIN. That's easy, and I think that the Summer School is still in session. Perhaps you would like to attend some lectures?

RICHARD. No lectures, please. But let's have a look at the building.[43]

[*At the Café de la Rotonde, late the same afternoon*]

JEAN. Well, I'm willing to call it quits[44] for today.

PAUL. I don't know, but I'm glad that the subway goes directly from the Foyer to the Cité Universitaire.

RICHARD. Well, we're only a few blocks away[45] from the Foyer. Anyway, let's try our luck[46] in the subway without a guide tomorrow. We can't always depend on Monsieur Romain.

HELEN. He seems to enjoy it. Too bad we didn't have more time at Notre Dame.

PAUL. Yes, I did want to see[47] more of the interior and especially the chapels in the apse. Oh, well, we can go back another time.

JEAN. At least you had all the time you wanted at the Sainte Chapelle?

PAUL. Yes, fortunately. As I told you, we studied the Sainte Chapelle in our art course.

HELEN. I ought to know.[48] I took that course too, remember?

PAUL. Yes, but you didn't know that I wrote a report on the Sainte Chapelle.

JEAN. Now I understand your interest. What did you write about?

PAUL. The stained glass in particular. It has always interested me.

---

43. *let's have a look at the building* jetons un coup d'œil au bâtiment
44. *to call it quits* y renoncer
45. *we're only a few blocks away* nous ne sommes qu'à quelques rues
46. *let's try our luck* tentons notre chance
47. *I did want to see* je voulais réellement voir
48. *I ought to know.* Je devrais le savoir

RICHARD. Well, I'm only a layman, but I think the stained-glass windows of Chartres are magnificent.

PAUL. Now you understand why I'm so anxious to[49] go to Chartres.[50]

C · Employer chacune des expressions suivantes dans une phrase originale

en plein quartier Latin in the midst of the Latin Quarter
par quel bout commencer? where (should we) begin?
être à deux pas de to be quite near
que de (librairies)! what a lot of (bookstores)!
éclater de rire to burst out laughing
se tromper de (salle) to get to the wrong (room)
se détacher sur to stand out against

D · Répondre en français aux questions suivantes

1. Si vous étiez en France préféreriez-vous habiter au Foyer international ou avec une famille française? Pourquoi?
2. Connaissez-vous quelques œuvres de Balzac? de Sartre?
3. Qui était Richelieu?
4. Aimez-vous assister aux cérémonies universitaires?
5. Qui était Robert de Sorbon?
6. Pourquoi les étudiants sont-ils restés jusqu'à la fin de la conférence sur Pythagore?
7. Pourquoi Marie-Antoinette a-t-elle été mise en prison?
8. Est-ce que les guides ont souvent l'air d'avoir appris leur leçon par cœur? Pourquoi?
9. Devrait-on avoir un guide quand on visite un monument?
10. Que pensez-vous des gens qui collectionnent des gravures ou des bibelots?

---

49. *I'm so anxious to* je tiens tellement à

50. *Chartres.* Town in west-central France whose cathedral is noted for its superb stained-glass windows

5

Paris (suite)— Étoile, Invalides, Opéra

Le lendemain après le petit déjeuner, plan de Paris en main, nous continuons notre visite. Cette fois-ci nous prenons le Métro pour aller jusqu'à l'Étoile. Quelle agitation! Quelle bousculade! C'est à qui passera le premier![1] Il ne faut pas oublier que les Parisiens doivent commencer leur travail quotidien à neuf heures du matin; aussi entre huit heures et demie et neuf heures le Métro est-il[2] bondé. Nous arrivons enfin à pénétrer sur le quai de la station dont les entrées sont fermées par des portillons automatiques ou contrôlées par des agents de la compagnie. La rame arrive. Nous montons dans le premier wagon venu[3]... Passe un contrôleur.[4]

« Votre billet, Mademoiselle?

—Voici, Monsieur.

—Mais vous avez un billet de seconde. Ici, vous êtes en première. Vous devez payer l'amende prévue. »

Nous sentons tous les regards braqués sur nous. Nous

---

1. *C'est . . . premier!* Everyone makes a rush for it!

2. *aussi . . . est-il.* Sentences beginning with *aussi* in the sense of "therefore" are often cast in interrogative form, though of course they are not questions.

3. *le . . . venu* the car which stops in front of us

4. *Passe un contrôleur.* Inverted word order to give effect of rapid action

payons sans discuter, bien contents d'arriver quelques minutes plus tard à la station Étoile.

Quelle surprise à la sortie! Quand on arrive au niveau de la rue, on a l'impression que l'arc de Triomphe vient de sortir de terre. Il est vraiment imposant au milieu de la place d'où partent une douzaine d'avenues bordées d'arbres et de beaux immeubles modernes. Sous la voûte nous nous recueillons devant la tombe du Soldat inconnu,[5] où brûle la flamme éternelle du souvenir. Des fleurs ont été déposées là et nous lisons sur un ruban: « Offert par les anciens combattants de la Haute-Marne ».

---

5. *Soldat inconnu.* Remains of a soldier, selected to represent the unidentified French dead of World War I, buried under the Arch

Du sommet de l'arc de Triomphe, les passants ont l'air de fourmis

French National Tourist Office

Le dôme des Invalides nous sert de point de repère

A l'intérieur du monument, les noms de toutes les batailles livrées par Napoléon Ier[6] sont gravés dans la pierre; des hauts-reliefs sculptés ornent l'extérieur, et notamment un groupe du sculpteur Rude,[7] connu sous le nom de *la Marseillaise*. Enfin l'ascenseur nous conduit à la plate-forme qui couronne le monument. De là nous prenons des photographies de l'avenue des Champs-Élysées[8] où les passants ont l'air de petites fourmis noires qui courent dans tous les sens. Hélas! nous ne pouvons nous attarder, le temps presse. Reprenons le Métro pour aller à la tour Eiffel.

Cette imposante construction métallique se dresse au milieu des jardins du Champ de Mars, dans un élégant quartier de

---

6. *Napoléon Ier* (1769–1821). Celebrated general and emperor
7. *Rude* (*François*) (1784–1855). Noted French sculptor
8. *avenue des Champs-Élysées*. Widest and most impressive avenue in Paris; links the Place de la Concorde with the Place de l'Étoile.

Paris. Un ascenseur permet de monter jusqu'à la troisième plate-forme, à 274 mètres du sol. Comme il faut faire la queue à l'entrée, nous décidons de ne pas monter.[9] Avant de quitter le Champ de Mars, nous admirons les deux monuments qui l'encadrent: l'École militaire où depuis le dix-huitième siècle on forme les officiers d'État-Major de l'armée française et le palais de Chaillot qui fut édifié pour l'exposition internationale de 1937. Ce splendide bâtiment abrite un musée de sculpture, un musée d'ethnographie et un immense théâtre souterrain où l'Assemblée générale de l'organisation des Nations-Unies s'est réunie plusieurs fois.

Consultant notre plan nous constatons que l'Hôtel des Invalides n'est pas loin de là. Allons-y à pied, quittes à nous arrêter[10] en route pour prendre un café au lait. Le dôme dont l'or resplendit au beau soleil d'été nous empêche de nous égarer. L'église de Saint-Louis des Invalides est un des plus purs exemples de l'architecture religieuse sous Louis XIV.[11] Entrons-y... Une lumière dorée éclaire l'autel de marbre richement décoré. De petites chapelles particulières abritent les mausolées des frères de Napoléon et de quelques grands génies militaires de la France. Au centre s'ouvre une sorte de crypte circulaire. Là, dans un magnifique tombeau de marbre rouge foncé, reposent les cendres de l'Empereur. Chaque année des milliers de touristes viennent visiter ce monument. La journée s'avance rapidement. Passons devant l'Hôtel des Invalides, construit par Louis XIV à l'intention de ses soldats mutilés.

Allons à la place de l'Opéra en taxi... Comme il fait très beau, il y a beaucoup de monde à la terrasse[12] du café de la

---

9. *ne pas monter.* When *ne* and *pas* are used with an infinitive, they usually stand unseparated before it.

10. *quittes . . . arrêter* with the reservation that we stop

11. *Louis XIV.* The so-called "Grand Monarque," whose reign (1643–1715) was the longest in European history

12. *la terrasse.* That part of a café which is located on the sidewalk

Paix. Les crieurs de journaux, les cornes des taxis, les rires, l'animation générale, la gaieté des robes claires et des vestons légers font de cette place un des endroits les plus vivants de Paris. Nous ne sommes pas venus pour regarder la foule mais pour louer des places à l'Opéra.[13] Quelle chance! Ce soir on donne *Faust*[14] et il y a encore de bonnes places. Le spectacle commence à huit heures; nous avons juste le temps de dîner très rapidement...

Les chanteurs, la musique, les décors, le ballet, tout est parfait. A l'entr'acte nous allons faire un tour au foyer, immense salle somptueuse où des spectateurs élégants se promènent de long en large pendant que d'autres regardent aux grandes baies qui donnent sur l'avenue de l'Opéra. Après le spectacle nous rentrons chez nous, la tête bourdonnant[15] de souvenirs, fatigués mais heureux.

A · *Traduire en français*

After lunch, consulting our map of Paris, we decided to try to find our way by subway to[16] the Arch of Triumph. We hadn't counted on the rush at half-past one. We had forgotten that many Parisians go home for lunch and that they have to be back in their offices at two o'clock. With some difficulty we managed to reach the station platform, after being delayed by the closing of the automatic gate, which shuts whenever a train enters the station.

What a relief to get out in the open air at the Place de l'Étoile! Crossing the square cautiously, we stopped before

---

13. *l'Opéra.* Europe's largest opera house, the work of Garnier, completed in 1875

14. *Faust.* Well-known opera of the French composer Gounod (1818–1893)

15. *bourdonnant.* Does not agree with *tête* because its use here is verbal, not adjectival.

16. jusqu'à

the superb monument which towers over the vast area where twelve avenues converge from all points of the compass. We arrived just in time to witness an impressive ceremony, during which a delegation of veterans from the Haute Marne placed a wreath on the Tomb of the Unknown Soldier and stood at attention in front of the Tomb and the flame which burns there continually.

Going around the Arch, we saw the names of Napoleon's victories carved on the stone facing high above us.[17] On the outside of the monument there are high-reliefs, especially Rude's famous *Marseillaise*, which depict martial scenes. At last we took the elevator to the top,[18] where we took photographs of many of the avenues, in particular the Champs Élysées, which come together at the Étoile. Then we walked to the Chaillot Palace, three-quarters of a mile away,[19] whence we viewed the southern part of the city. In this vast structure are located three museums and one of the largest and most modern theatres in the world.

Crossing the Seine, we came to the Eiffel Tower, rising nearly a thousand feet above us. It was rather windy, but we took the three elevators, which, one after the other, carried us[20] to the top platform. We could see the entire city and its suburbs, the third-largest[21] metropolis in the world, a center of nearly eight million people.

We looked at[22] our map of Paris and noted that we could easily walk to the Invalides. Like millions of tourists before us, we gazed at Napoleon's tomb in a circular crypt under the dome. Our guide suggested that we walk around the church to view the tombs of several great generals, including that of

---

17. *high above us* bien au-dessus de nos têtes
18. *to the top* jusqu'à la plate-forme
19. *three-quarters of a mile away* à un kilomètre de là
20. *carried us* nous ont montés
21. *the third-largest* la troisième
22. *We looked at* Nous avons consulté

Marshal Foch, in lateral chapels. Another day we should return to visit the great war museum which occupies some of the adjoining buildings, but this time we had to proceed rapidly in order not to miss our dinner engagement in the Bois de Boulogne.

B · Traduire en français

[*Conversation at Fouquet's, on the Champs-Élysées*]

RICHARD. Well, we made it[23]!

PAUL. Yes, but hereafter let's get first-class tickets if you insist on going in first-class.

JEAN. Oh, I don't mind paying a supplement.

PAUL. That's not a supplement; that's a fine.

HELEN. And I don't like being stared at by everybody in the car.

JEAN. Well, at least we can find our way. That transfer at Châtelet made us walk a mile.

HELEN. And what crowds! Worse than those in New York.

RICHARD. Shall we take the girls to the top of the Arch? There's an elevator inside, you know.

JEAN. Of course we're going to the top, Dick. They say you can take the best snapshots of Paris from up there.

[*Later the same day. Lunch at Wéber's restaurant*]

JEAN. I'll never forget that ceremony at the Arch. Monsieur Romain said that there have been ceremonies like that for many years.

PAUL. Yes, I think I'll always remember it. But we had a wonderful view from the top.

JEAN. I hope my pictures will come out well[24]; the sun was just right.[25]

---

23. *we made it* on s'en est tiré
24. *will come out well* seront réussies
25. *just right* tout à fait comme il faut

RICHARD. I don't like to disagree, but I was much more impressed by the Eiffel Tower.

PAUL. Dick, I call the Tower just a tourist attraction.[26]

RICHARD. Not I. I thought it was like a trip in a plane.

HELEN. Well, I liked the ride as far as the first platform. In fact, I'm sorry that we didn't have dinner up there.

RICHARD. And miss our dinner in the Bois?

HELEN. No, not that, Dick...

[*After few minutes' pause*]

JEAN. At least we were smart enough to[27] find the way to the Invalides and then to the Opéra.

PAUL. I think it's easy to find your way anywhere in Paris. Just look at the map and get on the subway.[28]

RICHARD. I agree, Paul. But it's only a little walk from here to the Opéra.

HELEN. That's like the "little walk" from the Tower to the Invalides.

JEAN. That wasn't too long. We walked farther inside the Invalides. My father would like the war museum there.

RICHARD. Did you notice Marshal Foch's tomb in a side chapel? Very impressive monument. The marshal is carried by six soldiers of World War I. Of course, Napoleon's tomb is the chief attraction.

JEAN. Paul, will you order for us? Then Dick might let us take a taxi to the Opéra. What luck to get such good seats for tonight!

HELEN. That's what I say.[29] I've never seen *Faust*, and Monsieur Romain said that it is considered the specialty of the Paris Opéra.

---

26. *I call the Tower just a tourist attraction* pour moi la Tour n'est qu'une curiosité touristique

27. *we were smart enough to* nous avons été assez malins pour

28. *Just look at the map and get on the subway.* On n'a qu'à regarder le plan et monter dans le Métro.

29. *That's what I say.* Je pense bien!

RICHARD. Well, here comes the head waiter. Do you want me to order the same thing for everybody? (*A pause.*) I can't make head or tail of these menus.[30] Why don't you order first, Helen?

---

30. *I can't make head or tail of these menus.* Ces menus n'ont pour moi ni queue ni tête.

L'entrée du Métro, l'Opéra au fond

André de Dienes

C · Employer chacune des expressions suivantes dans une phrase originale

c'est à qui passera le premier everyone makes a rush for it
arriver à (with infinitive) to succeed in
venir de (present with infinitive) to have just
faire la queue to stand in line
quittes à with the reservation that, and perhaps we may
à l'intention de intended for
s'égarer to get lost
faire un tour to take a walk
se promener de long en large to walk up and down
donner sur to look out on

D · Répondre en français aux questions suivantes

1. Croyez-vous que le Métro soit plus agréable que l'autobus? Pourquoi?
2. A quoi servent les portillons automatiques du Métro?
3. Approuvez-vous le système des classes dans le Métro? En chemin de fer?
4. La France est-elle le seul pays qui ait dédié un tombeau à un soldat inconnu de la Guerre de 1914–1918? En connaissez-vous d'autres?
5. Que pensez-vous du culte du souvenir?
6. Quels monuments encadrent le Champ de Mars? A quoi servent-ils?
7. Croyez-vous que les Français aient eu raison de déposer les restes de Napoléon Ier dans un splendide tombeau?
8. Expliquez pourquoi les Français aiment s'installer à la terrasse d'un café.
9. Aimez-vous aller à l'opéra? Quels opéras avez-vous déjà vus?
10. Pourquoi n'aimez-vous pas faire la queue quand vous allez au théâtre?

6

Paris (fin)— Louvre, hôtel Carnavalet, les rues de Paris

On n'en a jamais fini de visiter Paris. Supposez que des Français vous fassent la question rituelle: « Aimez-vous Paris? Qu'avez-vous déjà vu? » Vous répondez: « J'ai déjà visité les Invalides, Notre-Dame, la tour Eiffel... » On s'exclame aussitôt avec indignation: « Comment![1] Vous n'êtes pas encore allé au Louvre? au Sacré-Cœur?[2] au musée Carnavalet?[3] » Chacun selon ses goûts voudrait vous engager à aller ici ou là.

Quoi qu'il en soit,[4] il est indispensable de visiter le musée du Louvre, qui est en réalité un ensemble de musées. Sculptures grecques, romaines, françaises; peintures de tous les siècles; meubles, bijoux, objets d'art charment les yeux du visiteur. Bien sûr, tout le monde veut voir la *Vénus de Milo*,[5] la *Victoire*

---

1. *Comment!* What! Exclamatory use
2. *Sacré-Cœur.* Church on top of Montmartre hill; begun in 1875, not finished until 1914
3. *musée Carnavalet.* Historical museum of the city of Paris
4. *Quoi qu'il en soit* However that may be
5. *Vénus de Milo.* Unique masterpiece of Greek sculpture (third century B.C.), discovered in 1820 on the Ægean island of Melos

French National Tourist Office

Le Louvre est un ensemble de musées

de Samothrace,[6] et la *Joconde*.[7] Mais il y a tant d'autres choses à admirer, depuis les portraits solennels[8] de Philippe de

---

6. *Victoire de Samothrace*. Celebrated winged statue, work of a third-century (B.C.) Greek sculptor; discovered in 1863 on the Ægean island of Samothrace

7. *la Joconde*. The *Mona Lisa*, famous portrait by Leonardo da Vinci

8. [sɔlanɛl]

Champaigne[9] aux peintures spirituelles et tendres de Watteau,[10] des grandes scènes d'histoire de David[11] aux paysages embrumés de Corot.[12] Il faudrait une quinzaine de jours pour bien connaître le Louvre!

Ensuite nous allons au musée Carnavalet, autrefois l'hôtel de Mme de Sévigné,[13] en plein « Marais[14] ». Quartier pittoresque sans doute, mais qui croirait que la fleur de l'aristocratie française a pu vivre dans ces rues qui nous paraissent aujourd'hui si sombres et étroites? Le musée lui-même raconte toute l'histoire de Paris. Sur un grand plan en tapisserie nous voyons comment s'est développée la grande ville, depuis le modeste hameau primitif jusqu'à la métropole d'aujourd'hui.

La section des costumes nous intéresse tout particulièrement. Que ces robes[15] surchargées de pierreries devaient peser aux épaules! Que ces crinolines étaient encombrantes! Nous nous arrêtons aussi devant les souvenirs des écrivains français du dix-huitième siècle: le fauteuil de Voltaire[16] et l'herbier de Jean-Jacques Rousseau.[17] Les salles réservées à la Révolution française sont nombreuses; nous remarquons

---

9. *Philippe de Champaigne.* Franco-Flemish painter (1602–1674)

10. *Watteau.* Noted French painter (1684–1721) of fashionable society of his day

11. *David.* French painter (1748–1825), well known for his grandiose historical canvases

12. *Corot.* Outstanding French landscape painter (1841–1900)

13. *Mme de Sévigné* (1626–1696). Noted writer of letters which afford an intimate view of her times and of the lives of many well-known contemporaries

14. *Marais.* Aristocratic quarter of Paris in the seventeenth century, so called because of its marshes, which were drained in medieval times

15. *Que ces robes* How those dresses

16. *Voltaire* (1694–1778). Leading figure in French letters and thought in the eighteenth century

17. *Jean-Jacques Rousseau* (1712–1778). Celebrated Franco-Swiss writer and thinker

surtout des modèles en réduction[18] de la Bastille[19] et de la première guillotine. Avant de quitter le musée nous admirons les boiseries sculptées et les enseignes en fer forgé.[20]

En sortant nous étions un peu las de toutes ces visites. Et voici qu'au tournant d'une rue nous tombons sur un marchand de gaufres. Tout son attirail était en plein vent et une bonne odeur de pâte chaude nous mettait l'eau à la bouche. Deux ou trois enfants attendaient comme nous d'être servis... Enfin, nous l'avons, cette gaufre dorée et croustillante, tartinée de confitures. Et tout en marchant nous nous disons: « Oui, nous avons visité Paris en bons touristes consciencieux, ces jours derniers. Mais il reste à connaître[21] le Paris qu'on ne montre pas aux touristes. Cet après-midi nous allons flâner au hasard le long des quais. »

Nous ne l'avons pas regretté. Chaque petite rue cachait une surprise ou évoquait un souvenir du passé.

« Tiens! voici la maison où vécut Anatole France[22]; celle où mourut Voltaire.

—Regarde la devanture de cet antiquaire. Entrons un instant, je voudrais acheter une belle gravure pour ma mère. Voyons... voici exactement ce que je désirais. —Combien? —Cinq cents francs, mademoiselle. —Je la prends. (*A part*) La même gravure vaut beaucoup plus cher sur les grands boulevards.

—A quoi jouent ces enfants tout dépenaillés? A chat perché?[23] Aux barres?[24] En tout cas ils ont l'air de bien s'amuser. »

---

18. *modèles en réduction* models

19. *la Bastille.* French state prison; destroyed in 1789 by the revolutionaries, who considered it a symbol of tyranny and oppression

20. *en fer forgé. en* used to form an adjectival phrase denoting material

21. *il . . . connaître* we still have to get acquainted with. Impersonal use of *rester* + *à* with infinitive

22. *Anatole France* (1844–1924). Distinguished modern novelist and satirist

23. *chat perché.* Child's game of tag, in which all players must try to perch or climb on something in order not to be caught

24. *barres.* Prisoner's base (a child's game)

Et dans la rue! Il y a beaucoup plus de bicyclettes qu'en Amérique, beaucoup plus... Les autos ne sont pas toutes du dernier modèle... Les livreurs utilisent des triporteurs et se glissent avec beaucoup d'agilité entre les véhicules. La circulation paraît plus désordonnée que chez nous et c'est peut-être pour cela qu'il y a des agents à tous les carrefours importants.

« N'allons pas dans les grands restaurants des boulevards, où il y a toujours tant d'étrangers... Ce petit café n'a pas l'air engageant. Entrons quand même... Ce n'est pas si mal, la nappe de papier est propre, le menu est alléchant... Il faut faire un vrai repas français... Bien sûr, des escargots de Bourgogne[25] au beurre pour commencer. Puis, un bifteck aux pommes frites et des endives braisées... As-tu remarqué qu'en France on sert la viande et les légumes séparément?

---

25. *escargots de Bourgogne.* Usual name for edible snails

A quoi jouent ces enfants?

Brassai from Rapho-Guillumette

La salade vient à la fin du repas, ensuite le fromage... Il n'y a que du Brie,[26] mais il est excellent. Pour terminer nous aurons une pomme et un bon café[27]... »

Et la journée s'achève.

A · Traduire en français

We soon discovered that it would take us months to[28] know Paris and several weeks, at least, to know it well enough to satisfy our Parisian friends. At lunch some of them asked so many questions about what we had seen or not seen that we went to the Louvre the third day, having had to yield to the weight of the argument.[29]

One of the largest buildings in Europe, situated in the heart of Paris, along the right bank of the Seine, the Louvre was built chiefly in the sixteenth and seventeenth centuries. It was the principal palace of the French kings until the prodigious expansion of Versailles under Louis XIV. Today the Louvre is the largest museum of fine arts in the entire world; its collections are so vast that it would take us several days to become acquainted with its most important treasures. After walking for[30] miles, we were obliged to postpone the second part of our visit until another time.

In the afternoon we visited the fascinating Musée Carnavalet, located in the old aristocratic section of the "Marais." This museum, not so well known to[31] tourists, boasts collections that illustrate in remarkable detail[32] the long history of

---

26. *Brie.* A type of French cheese, somewhat comparable to Camembert
27. *un bon café* a good cup of coffee

28. *it would take us months to* il nous faudrait des mois pour
29. *having had to yield to the weight of the argument* ayant dû céder à la force de la discussion
30. *for* pendant des
31. *to* des
32. *in remarkable detail* d'une façon remarquablement détaillée

Paris. Charts and maps, replicas and relics, take us through[33] several centuries of change and turmoil. The rooms devoted to the French Revolution are particularly interesting, and the model of the first guillotine attracts the attention of the most jaded travelers.

Later in the afternoon,[34] somewhat fatigued by so much walking about[35] indoors, we took a brisk walk in the direction of the Hôtel de Ville. We came upon a waffle vendor who was selling his wares along the sidewalk. Our mouths watered with the good aroma[36] of fresh batter, and we fell in line behind three children to await our turn. The section between the "Marais" and the Hôtel de Ville has become a rather

---

33. *take us through* nous promènent à travers
34. *Later in the afternoon* Plus tard dans l'après-midi
35. *by so much walking about* par tant de promenades
36. *Our mouths watered with the good aroma* L'eau nous est venue à la bouche en sentant la bonne odeur

Rue Mouffetard, Paris

Denise Columb from French National Tourist Office

poor district,[37] and we realized that there was no better way of observing the masses of Parisians than to become well acquainted with this quarter.

At last we reached the Seine, in order to look at the famous bookstalls. Fixed to the parapets, great wooden and metal cases with waterproof covers contain the most miscellaneous collections of books, old and modern, of postage stamps, engravings, etchings, and old prints. Two members of our group bought colored prints, and all of us bought[38] etchings and small pictures to be used as presents when we returned[39] to the United States.

B · *Traduire en français*

[*Conversation at the Café du Dôme*]

JEAN. This has been the most wonderful day of all. The Louvre, the Carnavalet Museum, and the quais of the Seine! I should like to spend the rest of my life here!

PAUL. The Louvre is one of the rare museums that I've seen that haven't let me down.[40]

JEAN. I know what you mean. Many of the museums that you've heard about[41] for years disappoint you when you see them.

HELEN. Not the Louvre. And a day in a museum of that size is nothing.

RICHARD. Right,[42] Helen. If we don't spend more time in the important places of interest before we go to Geneva, we'll be like the old lady who remembered her trip to Europe because she held thirteen hearts in Venice and made two grand slams in Reims.

---

37. *a rather poor district* un quartier assez pauvre
38. *all of us bought* nous avons tous acheté
39. *when we returned* à notre retour *or* quand nous serions rentrés
40. *that haven't let me down* qui ne m'ont pas déçu
41. *that you've heard about* dont on a entendu parler
42. *Right* (slang) D'accord

French National Tourist Office

Le Panthéon vu de la place Edmond Rostand

PAUL. Very funny, chum,[43] very funny; but I think I get[44] what you are trying to say. Why not spend a month in and around Paris[45] next summer?

HELEN. Quite right.[46] There are dozens of historic monuments nearby that we can't see this time. What about[47] Vaux le Vicomte, Saint Cloud, and Sèvres?

JEAN. And Chantilly, Senlis, and Pierrefonds?

RICHARD. And Saint Germain, Malmaison, and Saint Denis?

PAUL. And Rambouillet, Saint Cyr, and Port Royal?

[*After a short pause*]

RICHARD. To get down to earth again,[48] I doubt if a single one of these monuments will turn out to be[49] more interesting than the Carnavalet. No wonder[50] French students are so strong in history, when they have museums like that to visit.

PAUL. That was a very neat model of a guillotine. I'd like to build one.

JEAN. None of your macabre jokes, Paul... After the walking we did in the Louvre this morning, and in the Carnavalet this afternoon, I'm surprised that I could walk for miles[51] along the quais.

HELEN. Just one mile, dear.[52] We took a taxi at the Pont Neuf, remember?

JEAN. Let's go along the quais once more before dinner. Let's see if we can take the subway here at Vavin and get off at Saint Michel.

PAUL. Now she's beginning to know Paris!

---

43. *Very funny, chum* Très rigolo, mon vieux
44. *I think I get* (slang) je pense que je saisis
45. *in and around Paris* dans Paris et ses environs
46. *Quite right* Tu as bien raison
47. *What about* Est-ce qu'il n'y a pas
48. *To get down to earth again* Pour revenir à des choses plus matérielles
49. *if a single one . . . will turn out to be* qu'un seul . . . se révèle
50. *No wonder* Ce n'est pas étonnant que
51. *that I could walk for miles* que j'aie pu faire des kilomètres à pied
52. *Just one mile, dear* (ironical) Un kilomètre seulement, ma vieille

RICHARD. That's where[53] I was going to suggest that we have dinner, at Place Saint Michel.

PAUL. You mean that restaurant on the corner beside the quay? I heard it was one of the most unusual in Paris.

RICHARD. So much the better.[54] Let's try it.

HELEN. Yes, let's order some of their specialties.

JEAN. All right,[55] then; but first let's visit the bookstalls before they close.

PAUL. You are really going to buy something?

JEAN. These books have been somewhat damaged, apparently, but I should like to get a few colored prints and etchings to give to my friends.

---

53. *That's where* C'est là où
54. *So much the better* Tant mieux
55. *All right* Entendu

Bouquinistes

Samuel Chamberlain

PAUL. Aren't they expensive?

JEAN. Near the Opéra, the other day, I priced some. They're two thousand francs.[56] Monsieur Romain says you can pick them up[57] here for half that price.

PAUL. Well, let's go, then[58]; I might buy a few myself.

HELEN. Me too, Jean. They take so little space in a suitcase.

RICHARD. Let's take the subway right away. Is that the entrance across the street?

C · *Employer chacune des expressions suivantes dans une phrase originale*

engager quelqu'un à (with infinitive) to urge someone to
quoi qu'il en soit however that may be, in any case
tomber sur to come upon
en plein vent in the open
mettre l'eau à la bouche de quelqu'un to make someone's mouth water
tartiner de confiture to spread with jam
en bon touriste like a good tourist
il nous reste à connaître we still have to get acquainted with
avoir l'air engageant to look attractive
faire un repas to have a meal

D · *Répondre en français aux questions suivantes*

1. Est-il indispensable d'aller au Louvre si l'on veut visiter Paris en bon touriste? Pourquoi?

2. Préférez-vous visiter un musée de peinture ou de sculpture? Donnez vos raisons.

---

56. *They're two thousand francs* Elles sont à deux mille francs
57. *you can pick them up* qu'on peut se les procurer
58. *let's go then* allons-y alors

3. Connaissez-vous quelques œuvres de Watteau ou de Corot? Lesquelles préférez-vous?

4. Quel est l'intérêt particulier du musée Carnavalet?

5. Pensez-vous que les robes à crinoline étaient plus seyantes que les robes actuelles? Pourquoi?

6. Pourquoi a-t-on conservé des souvenirs de Voltaire et de Jean-Jacques Rousseau?

7. Est-ce que l'odeur des gaufres chaudes vous inciterait à en acheter? Pourquoi?

8. Que reste-t-il à connaître quand on a visité les principaux monuments de Paris?

9. Est-il prudent de laisser les enfants jouer dans la rue? Justifiez votre réponse.

10. Quel avantage y a-t-il à acheter une gravure chez un antiquaire le long des quais?

11. Pourquoi la circulation dans les rues de Paris paraît-elle plus désordonnée que chez nous?

12. Pourquoi ne doit-on pas aller dans les grands restaurants des boulevards?

7

Fontainebleau

Le lendemain, alors que nous flânions[1] sur les grands boulevards, une affiche attira[1] nos regards: « Où aller[2] le dimanche?... Visitez Fontainebleau, son château, sa forêt... A une heure de[3] Paris. » Puisqu'il faisait très beau, nous décidâmes d'aller visiter le célèbre château.

De Paris jusqu'à la lisière de la forêt la route est assez monotone, et les noms des villes: Ris-Orangis, Essonnes, Ponthierry, ne nous disent rien. Mais voici qu'au loin une masse vert sombre[4] se rapproche de plus en plus. Un poteau indicateur nous apprend que c'est Barbizon, à quatre kilomètres. Nous ne pouvons manquer ce village qui a donné son nom à une école de peinture bien connue.[5] Il se cache au bord de la forêt et vit de ses souvenirs. On a restauré l'auberge où tant de peintres descendaient chaque été. Par quoi étaient-ils attirés? On le comprend en suivant la petite route forestière qui mène de

---

1. *flânions, attira.* Imperfect used for description and past definite to express a localized event in the past

2. *Où aller.* Elliptical use of infinitive to indicate a question, as in English we say, "What to do?"

3. *A une heure de = A une heure de route de*

4. *vert sombre.* When an adjective of color is itself modified, it is invariable.

5. The principal members of this school were Jean-François Millet (1815–1875) and Théodore Rousseau (1812–1867), who lived in Barbizon. For a number of years such distinguished painters as Corot, Diaz, and Troyon spent their summers there.

Barbizon à Fontainebleau. Elle est toute en contrastes[6]; des chaos de rochers sur d'immenses plaines de sable succèdent à des futaies de hêtres et de chênes et à des landes de bruyère rose. Le site est un des plus sauvages qu'on puisse trouver si près de Paris.

Nous ne sommes pas étonnés de dépasser sur la route des bandes de joyeux campeurs qui défilent le sac au dos,[7] en chantant de vieux airs populaires. Nous reconnaissons le refrain d'*Auprès de ma blonde*. Traversant rapidement les environs de Fontainebleau, nous arrivons enfin sur une grande place circulaire où s'élève un obélisque. Un agent de police règle la circulation et nous fait signe de tourner. Quelques dizaines de mètres[8] sur une avenue bordée de hauts platanes et nous voici[9] sur la place du Château où stationnent de nombreuses autos. Nous avons rendez-vous avec un habitant de la ville qui doit nous piloter. Il est là, fidèle à sa parole.

Le château primitif de Fontainebleau fut commencé au treizième siècle; il en reste une vieille tour aux murs très épais. Au seizième siècle les plaisirs de la chasse attiraient souvent le roi et la cour; l'ancien château ne suffit plus et par la suite chaque souverain y apporta sa contribution.

Un immense escalier en fer à cheval, aux courbes élégantes, donne à la cour d'honneur beaucoup de charme et de grandeur. Notre guide nous raconte que c'est ici, après sa défaite, que Napoléon dit adieu à sa Vieille Garde avant de partir pour l'Ile d'Elbe.[10] Nous ne sommes donc pas étonnés de commencer la visite par des appartements où abondent les souvenirs de l'Empire: un chapeau de l'Empereur, la table

---

6. *toute en contrastes* full of contrasts

7. *le sac au dos*. French usually drops the introductory preposition in phrases expressing accompanying action, such as *le sac au dos*, *le chapeau à la main*, *la tête baissée*.

8. *Quelques . . . mètres*. We go a few dozen yards

9. *nous voici* here we are

10. *l'Ile d'Elbe*. Elba, the Mediterranean island, west of Italy, to which Napoleon was exiled in 1814

Marcel Louchet from French National Tourist Office

La cour des Adieux, Fontainebleau

où il signa son abdication et qu'il entailla d'un coup de canif rageur, le précieux berceau doublé de satin, offert à son fils; et partout des aigles et des abeilles, symboles de l'Empire français. Le mobilier de bronze et d'acajou est en général simple et sobre.

« Et voilà pourquoi les Français payaient tant d'impôts! » commente Richard, en entrant dans les appartements aménagés[11] aux dix-septième et dix-huitième siècles. Quel luxe!

---

11. *aménagés* arranged

Des meubles de bois précieux couverts de brocarts et de tapisseries, des Gobelins[12] aux riches couleurs, des bibelots de Sèvres[13] d'une délicatesse infinie. Les murs sont tendus de soie brochée[14]; les plafonds à moulures ornés de scènes mythologiques. Mais c'est surtout la salle de bain de la reine Marie-Antoinette, de style pompéien,[15] qui provoque des cris d'admiration. La baignoire est encore là et notre guide nous rappelle que les bains étaient un luxe à cette époque. On prenait un bain quand on était malade et on achetait l'eau chaude à[16] des marchands ambulants.

Nous nous arrêtons un instant pour admirer les splendides boiseries de la bibliothèque avant d'entrer dans la partie Renaissance[17] du palais. Ces appartements sont à peine meublés mais les plafonds et les planchers sont d'une richesse mer-

---

12. *Gobelins.* French tapestries whose reputation was established during the reign of Louis XIV

13. *Sèvres.* French porcelain, manufactured since the middle of the eighteenth century

14. *tendus de soie brochée* hung with brocaded silk. Article omitted after adjectival use of past participle

15. *style pompéien.* An early phase of the classic revival in furniture and interior decoration, inspired by the excavations at Pompeii; popular in France in the late eighteenth century

16. *achetait . . . à* bought from (with indirect object of person)

17. *Renaissance.* Noun here used as an adjective

Marcel Louchet from French National Tourist Office

La galerie François Ier

veilleuse, en particulier ceux de la Salle de bal de Henri II.[18] La galerie François Ier[19] est ornée de fresques exécutées par les maîtres italiens appelés en France par ce roi. L'une de ces peintures évoque la légende de Fontainebleau. Elle représente un chien à l'arrêt devant une fontaine d'où coule une eau limpide. Notre guide nous avoue que les historiens ne croient pas au beau récit qui veut qu'un lévrier du roi ait découvert[20] dans la forêt une fontaine aux eaux si pures qu'on l'appela « Fontaine-Belle-Eau. »

Avant de quitter le palais nous regardons la chapelle où fut célébré notamment le mariage de Louis XV et de la princesse polonaise Marie Leszczinska.[21] Nous apprenons que les sièges étaient disposés de telle manière que seul le roi[22] avait le visage tourné vers l'autel; les courtisans le regardaient. « Drôle d'époque! »[23] conclut Richard à mi-voix.

Nous quittons le palais sans oublier de donner le pourboire habituel au gardien et nous suivons la foule. Tout le monde se dirige vers l'étang aux carpes. Depuis de nombreuses années, nous dit-on, les enfants se réjouissent de voir les gros poissons se précipiter avidement sur les morceaux de pain qu'ils leur jettent. Au centre de l'étang se trouve un petit pavillon où Napoléon Ier aimait se retirer quand il voulait travailler au calme. A part l'étang il y a peu de choses à voir dans le parc. Nous apprenons à la sortie que le château de Fontainebleau abrite une école de musique et d'art destinée aux étudiants

---

18. *Henry II.* King of France from 1547 to 1559; a principal builder of Fontainebleau

19. *François Ier.* King of France from 1515 to 1547; responsible for the construction of much of Fontainebleau

20. *ait découvert.* Subjunctive after expression of doubt

21. *Louis XV.* King of France from 1715 to 1774; married Marie Leszczinska at Fontainebleau in 1725.

22. *seul le roi* only the king. Adjective used before article and noun for emphasis

23. *Drôle d'époque!* Those were funny times!

américains.[24] Malheureusement nous ne pourrons la voir, les cours ayant pris fin au mois d'août. Il est d'ailleurs temps de regagner Paris après avoir, pour ainsi dire, parcouru quatre siècles d'histoire au cœur d'une forêt de l'Ile-de-France.

A · *Traduire en français*

Near the end of our stay in Paris we were able to visit the celebrated palace and the forest of Fontainebleau. Driving through the suburbs of the capital took a long time.[25] We were on the way for nearly an hour before we saw the vast forest on our right; then soon we reached a crossroad where there was a signpost which read "Barbizon, 4 kilomètres." As we proceeded along the forest road, we understood why so many painters were attracted[26] to this spot nearly a century ago.

Reaching the center of the town of Fontainebleau, we easily found the way to the Palace, which ranks after the Louvre and Versailles among the great royal residences of France. Little of the original building remains, since the Palace, as we know it today, was constructed chiefly in the[27] sixteenth and seventeenth centuries. Later additions permit us to study the development of French architecture and decoration for a period of four hundred years.

Since Napoleon spent so much time at Fontainebleau, in the[27] early years of the past century, we began our tour of the interior by passing through[28] the apartments which show a strong Empire influence. The furnishings of this period

---

24. *école . . . américains.* Noted summer school of music (later enlarged to include fine arts) founded by the French government in 1923

25. *Driving through . . . took a long time.* Nous avons mis longtemps à traverser . . . en auto.

26. *were attracted* avaient été attirés

27. *in the* aux

28. *by passing through* en traversant

have been kept almost intact. The luxurious hangings of the Throne Room, ornamented with the eagle and the bee, symbols of the Empire, are most impressive.

In the apartments completed in the seventeenth and eighteenth centuries, we were dazzled by the magnificence of furniture and tapestries. The rich colors of the Gobelin tapestries, and the elaborate mouldings and carvings on walls and ceilings are remarkably well preserved. The girls of our group were much impressed by the boudoir of Marie Antoinette, as well as by her bathroom, which must have created a precedent for that period.

We completed our tour of this enormous building by going through the rather ornate apartments of the Renaissance wing. Here we noted the matching floors and ceilings, done in rare wood in complicated designs.[29] The gallery of Francis I, ornamented by frescos and statues, is a fine example of interior decoration in Renaissance style.[30] We should have liked[31] to have the time to stay longer at Fontainebleau, but we had to go back.[32] Once more, as always in leaving the great monuments of France, we resolved to return when we should be able to visit the palace at greater leisure.

---

29. *done in rare wood in complicated designs* réalisés en bois précieux aux dessins compliqués

30. *in Renaissance style* de style Renaissance

31. Use *vouloir bien.*

32. *we had to go back* il fallait rentrer

Marcel Louchet from French National Tourist Office

La salle du trône

B · Traduire en français

[*Conversation at the Buvette de Franchart, a café in Fontainebleau Forest*]

RICHARD. Paul, I like your idea of seeing Barbizon and the forest in the morning and of going to the Palace in the afternoon.

HELEN. It took us so long to[33] get here that we should have had only an hour and a half before noon to visit the Palace.

JEAN. And, believe me, we certainly have found that these places are closed between noon and two o'clock.

PAUL. Well, it was a nice drive. Including the detour by Barbizon, we must have covered fifty kilometres in the forest alone. I like the way these little Renaults drive.[34]

RICHARD. Do you think you'll take this one back to the States, Paul?

PAUL. I'd like to. In fact, I think I would if I lived near New York or Boston. Renaults are on sale in the States and, in most sections, it ought to be easy to get spare parts.[35]

JEAN. They take very little gas, don't they?

PAUL. Yes, Jean. In American terms, these new Renaults do about forty miles on a gallon.[36]

HELEN. Well, the back seat is pretty comfortable, and there's really more room than you'd think[37] . . . Is there much more driving[38] before we get to the Palace?

RICHARD. The signpost said eight kilometres. Let's finish our lunch slowly and see if we can get a little rest before we become tourists again.

---

33. *It took us so long to* Nous avons mis si longtemps à

34. *the way these little Renaults drive* la façon dont marchent ces petites Renault

35. *spare parts* pièces (*f.*) de rechange, pièces détachées

36. *do about forty miles on a gallon* consomment huit litres aux cent kilomètres

37. *than you'd think* qu'on ne croirait

38. *Is there much more driving* Y a-t-il beaucoup plus de chemin à faire

JEAN. Too many visits and too many guides, Dick?

RICHARD. Oh no, not that! Now that our courses are about to[39] begin, I'd like plenty of relaxation[40] before we get down to work,[41] that's all.

PAUL. We're all with you on that,[42] Dick.

[*Conversation at the Restaurant du Grand Veneur, on the Fontainebleau-Paris Highway*]

JEAN. Well, I told you that the interior decoration and the furnishings of Fontainebleau were unique in France.

PAUL. The whole palace was magnificent. I liked the Francis I wing especially.

HELEN. I suppose someone has written a thesis on the influence of Francis I on French Renaissance architecture. It seems to me that he played an important part in the construction of many different buildings.

RICHARD. Don't forget his influence on the style. Frenchmen before his time had begun to follow the Italians, and Francis greatly encouraged that tendency. He must have sent for hundreds of Italian artisans, as well as the architects, painters, and sculptors whose names everyone knows.

HELEN. I wonder how much attention he paid to their work. Many times kings have taken credit for achievements during their reign in which they were very little interested.

RICHARD. That's not the case with Francis I.[43] He tried to keep informed about[44] the achievements of his time. One of his favorite methods of doing so was to invite scholars, architects, and scientists to dine with him and to ask them all sorts of questions about their specialty.

---

39. *are about to* sont sur le point de
40. *I'd like plenty of relaxation* j'aimerais me reposer beaucoup
41. *before we get down to work* avant de nous mettre au travail
42. *We're all with you on that* Nous sommes tous de ton avis là-dessus
43. *the case with Francis I* le cas de François Ier
44. *to keep informed about* se tenir au courant de

Courtesy of Metropolitan Museum of Art, The Cloisters

Une belle tapisserie du seizième siècle

PAUL. Say, this is beginning to seem like[45] a lecture. Dick, you're really going to shine in your history course[46] . . . Seriously, I suppose we'd better get back to Paris.

C · *Employer chacune des expressions suivantes dans une phrase originale*

faire très beau to be very fine (weather)
de plus en plus more and more
succéder à to follow
par la suite afterwards
provoquer des cris d'admiration to provoke an outburst of admiration
acheter à to buy from
de telle manière que so that
un drôle de (plus noun) a funny . . .
se réjouir de to be delighted at
au calme undisturbed

D · *Répondre en français aux questions suivantes*

1. Quelle est l'importance de Barbizon dans l'histoire de la peinture française moderne?
2. Quels sont les principaux attraits de la forêt de Fontainebleau?
3. Décrivez la route forestière qui mène de Barbizon à Fontainebleau.
4. Aimeriez-vous visiter la France en faisant du camping? Pourquoi?
5. Pourquoi les campeurs ont-ils l'habitude de chanter en marchant?

---

45. *to seem like* à avoir l'air de
46. *to shine in your history course* briller dans ton cours d'histoire

6. Qu'est-ce qui reste à Fontainebleau du château médiéval?

7. Quels meubles exposés au château sont liés au souvenir de Napoléon Ier?

8. La cour d'Honneur du château de Fontainebleau est encore appelée la cour des Adieux. Pourquoi?

9. Pourquoi construit-on de plus en plus rarement des châteaux comme celui de Fontainebleau?

10. Quels sont les appartements les plus intéressants de la partie Renaissance de Fontainebleau?

11. Décrivez la disposition des sièges dans la chapelle de Fontainebleau à l'époque de Louis XV.

12. Préféreriez-vous payer plus cher le billet d'entrée dans un musée ou donner un pourboire aux guides à plusieurs reprises?

13. Qu'est-ce qui justifie l'installation d'une école d'art américaine à Fontainebleau?

8

Versailles, Chartres et Reims

Ne quittons pas Paris et ses décors enchanteurs sans visiter le château de Versailles, symbole pendant près de deux siècles de la monarchie française. Et bien que la grand'route ne soit pas très pittoresque, l'autocar nous permettra de nous faire une idée plus exacte de la grande banlieue parisienne.

Nous n'avions pas eu le temps de feuilleter le guide que déjà on apercevait au loin la cour de Marbre,[1] évocatrice de tant de souvenirs, par où l'on entre au palais de Versailles. Ce superbe monument, élevé par Mansart,[2] et ses vastes jardins dessinés par Le Nôtre[3] mériteraient une longue visite. Nous pourrions peut-être, dans la galerie des Glaces[4] et dans les salons dorés, rencontrer les ombres de Louis XIV et de

---

1. *cour de Marbre.* Vast courtyard in front of the eastern façade of Versailles

2. *Mansart (Jules-Hardouin)* (1646?–1708). Principal architect of the castle of Versailles

3. *Le Nôtre (André)* (1613–1700). Famous French landscape gardener commissioned by Louis XIV to design the gardens of Versailles and other royal gardens; he also designed parks and gardens in England and Italy.

4. *galerie des Glaces.* Vast hall in the central part of the palace of Versailles; one enjoys a splendid view of the gardens from its seventeen great windows, corresponding to seventeen mirrors on the opposite wall, from which the gallery derives its name.

Mme de Maintenon,[5] ou entendre, sous les ombrages du Grand Trianon,[6] une fête de Marie-Antoinette. Mais le temps presse. Nous reprenons nos places dans le car pour traverser la forêt de Rambouillet,[7] ayant à peine le temps d'apercevoir le château, actuellement la résidence d'été du président de la République.

Nous entrons enfin dans la plaine de la Beauce,[8] couverte de[9] riches cultures, mais monotone et plate. De très loin, comme le temps est clair, nous découvrons les merveilleux clochers de Chartres. Vingt minutes plus tard nous débouchons dans les rues pittoresques de cette ville. Au milieu d'une petite place provinciale très calme, entourée de vieilles maisons en pierre, se dresse la majestueuse cathédrale qui, par miracle, a échappé à[10] la guerre et aux injures du temps. Les statues de rois et de saints qui ornent le portail occidental sont du début de la période gothique et seraient dignes à elles seules d'une étude approfondie. Mais Chartres est surtout réputée pour ses vitraux. Les rosaces en particulier donnent l'impression d'un joyau aux mille couleurs[11] étincelant sur un coussin de velours noir; les rouges et les bleus sont inimitables. Ces livres d'images si richement coloriés nous racontent des épisodes de l'histoire sainte et des scènes de l'Évangile. On ne

---

5. *Mme de Maintenon* (*Françoise d'Aubigné*) (1635–1719). Second wife of Louis XIV and one of the most influential women of her time

6. *Grand Trianon.* Small palace built in the garden of Versailles by Mansart in 1670

7. *forêt de Rambouillet.* Originally a royal domain, this vast estate is located southwest of Versailles; it passed through the hands of several noble families before becoming state property.

8. *Beauce.* Large grain-raising region of France, southwest of Paris, of which Chartres is the principal town

9. *couverte de.* After *couvrir* the article is omitted before a modified or an unmodified noun.

10. *échappé à* has escaped. "To escape (from) someone *or* something" is expressed by *échapper à.*

11. *aux . . . couleurs* with a thousand colors

Jean Roubier from Rapho-Guillumette

La cathédrale de Chartres, chef-d'œuvre de l'art gothique

peut s'arracher à ces merveilles... Et cependant il le faut,[12] car nous devons regagner Paris avant la tombée de la nuit pour assister à une représentation des *Femmes savantes*[13] à la Comédie-Française.[14] De cette façon, au milieu des décors et

12. *Et . . . faut* And yet we must

13. *les Femmes savantes.* One of the last of Molière's great plays, first performed in 1672. A biting satire of the pseudo-erudition and affectation of many ladies of the nobility and upper middle class

14. *Comédie-Française.* Common name for the Théâtre Français, the French national theater, founded in 1680; recently renamed Salle Richelieu

des costumes de l'époque de Louis XIV, nous allons ce soir prolonger quelque peu notre évocation du Grand Siècle[15] dont nous avons vu le cadre principal à Versailles.

Le lendemain matin nous nous mettons en route pour Reims. On suit la vallée de la Marne[16] pour arriver bientôt à Meaux.[17] La cathédrale de cette petite ville rappelle le nom de son illustre évêque Bossuet,[18] dont les oraisons funèbres ont traversé trois siècles. Bref arrêt à Château-Thierry et minute de recueillement devant l'imposant monument érigé en souvenir des soldats américains tombés au champ d'honneur en 1917 et 1918, qui domine toute la vallée.

Puis le paysage change brusquement. Les arbres deviennent rabougris, le sol prend une couleur blanchâtre et des collines molles s'allongent vers l'horizon. Les vignes qui peu à peu couvrent le flanc des coteaux nous apprennent que nous sommes en Champagne.[19] Et voici Reims, qui a moins souffert de la deuxième guerre mondiale que de la première. Complètement détruite en 1914–1918, cette ville, aujourd'hui reconstruite, a grande allure. La cathédrale, qui résume, pour ainsi dire, toute l'histoire de l'ancienne France, a été patiemment restaurée. Presque tous les rois de France y ont été sacrés et, dans la galerie en haut du portail occidental, ils se dressent tous dans leurs niches sculptées. Spécimen admirable de l'architecture gothique à son apogée, cette basilique est surtout célèbre pour l'extraordinaire richesse de sa façade et pour l'ensemble de ses proportions harmonieuses. Avant de la quitter, n'oublions pas de saluer la gracieuse statue de l'*Ange*

---

15. *Grand Siècle.* Name commonly applied to the seventeenth century, when France assumed political and cultural leadership in Europe

16. *Marne.* River which flows into the Seine southeast of Paris

17. *Meaux.* Town in the old province of Ile de France, eighteen miles east of Paris.

18. *Bossuet* (*Jacques Bénigne*) (1627–1704). Noted orator, writer, and divine; after 1681 bishop of Meaux

19. *Champagne.* Ancient province, east of the Ile de France, of which Reims is the principal city; noted for its wine

Samuel Chamberlain

Le « Sourire » de Reims (à droite)

du sourire, véritable chef-d'œuvre de la sculpture gothique. Et longtemps cette vision merveilleuse nous accompagnera comme un heureux présage!

A · Traduire en français

Summer days spent visiting the cathedrals of Chartres and Reims are unforgettable. We got up quite early in order to make a long stop at Versailles, since the main highway from Paris to Chartres passes near that historic palace, so long a symbol[20] of the French monarchy. Passing rapidly through the suburbs to the south of the capital, our bus took us in less than an hour to the main gate of the palace. Like good tourists, we visited the royal apartments, the Hall of Mirrors, the king's bedchamber, and the chapel. Crossing the gardens on our way to the Grand Trianon, we paused long enough to view, to our right, the enormous western façade of the palace, more than a third of a mile long.

Finally we returned to the bus and continued on our way, in order to reach Chartres before noon. Soon we found ourselves in the fertile Beauce plain, flat and monotonous, but outstanding among the great agricultural regions of Europe. At last we could make out, far ahead, the belfries of the cathedral, towering over a sizable cluster of buildings at its base. Our bus came to a stop in front of this masterpiece of Gothic architecture, which is almost surrounded by old stone houses. By what miracle did this mighty structure escape destruction during two wars? All lovers of architecture know that Chartres Cathedral has three façades, those of the north and south transepts being of later date than[21] the main, or western, façade. The sculptured figures[22] represent more than three centuries of artistic creation.

---

20. *so long a symbol* symbole pendant si longtemps
21. *of later date than* postérieures à
22. *The sculptured figures* Les sculptures *f.*

The stained glass[23] of Chartres is unique. The sunlight streaming through those great windows of the nave gave us the impression that we were looking at precious stones. The colors, particularly the reds and blues, are very deep, and even the imperfections of medieval glass enhance the beauty of each one of these masterpieces. What a summary of religious tradition and of medieval life we find in the windows[23] and sculptures of Chartres!

The next morning we started out for Reims and at Château-Thierry we stopped briefly to visit the monument to American dead of World War I. As we resumed our journey the landscape changed suddenly. The trees, now smaller and more gnarled, gradually gave way to the vineyards, which covered the slopes and rolling hills as far as we could see. Happily Reims and its cathedral have been restored, thanks to Mr. Rockefeller's generosity, so as to preserve what remains of the past. The statues around the porches of the façade, the gallery of kings, the identical towers, are most impressive.

B · *Traduire en français*

[*Conversation during the trip between Chartres and Reims*]

PAUL. If I study medieval art next year, I should like to give a paper[24] on Chartres.

JEAN. If you intend to mention stained glass, you should certainly stress the windows of the west façade.

PAUL. Of course. But there are so many beautiful windows at Chartres.

HELEN. And the windows are so high that one can really appreciate the whole effect.

---

23. *The stained glass, the windows* les vitraux *m. pl.*
24. *paper* exposé *m.*

PAUL. Right.[25] That's a point that I want to bring out.[26] Many authorities believe that the glass of Chartres is unsurpassed.

HELEN. At least you will be able to stress the wonderful variety of the windows of Chartres.

JEAN. Couldn't we get a better idea of the plan of the building if we went up in the tower?

RICHARD. Can't we find the verger?

PAUL. The what?[27]

RICHARD. The verger. He is a kind of general caretaker of the cathedral. I'll try to get him to open the door[28] to the north tower.

PAUL. The north tower was built more than two hundred years after the south tower and it is somewhat higher. From there we should be able to see very far on a clear day like this.[29]

[*The next day: while returning from Reims to Paris*]

JEAN. It is almost too much to see[30] Chartres and Reims in two days.

---

25. *Right.* See Lesson 6, Exercise B, note 42.
26. *to bring out* souligner
27. *The what?* Le quoi?
28. *I'll try to get him to open the door* J'essayerai de lui faire ouvrir la porte
29. *on a clear day like this* par un temps clair comme celui-ci
30. *It is almost too much to see* C'est presque trop de voir

Reiss from Rapho-Guillumette

Rosace ouest de la cathédrale de Chartres

HELEN. Because we are so hurried, I don't see what else we could have done.[31]

PAUL. The restoration of Reims has been done with the greatest care[32]. . . I think that Mr. Rockefeller's gift was well used.

RICHARD. What were they doing to those bays near the north transept?

PAUL. They were continuing the restoration of them.

HELEN. Didn't they finish that long before the last war?

PAUL. Yes, I think so.[33] But cathedrals have to be kept in repair.[34] Didn't you notice those workmen who were hewing stones behind Notre Dame in Paris?

HELEN. Of course. They were going to replace some stones that had deteriorated.

C · Employer chacune des expressions suivantes dans une phrase originale

se faire une idée de to get an idea of
à peine scarcely
s'arracher à to tear oneself away from

---

31. *I don't see what else we could have done* je ne vois pas qu'on aurait pu faire autrement

32. *with the greatest care* avec le plus grand soin

33. *I think so* je le crois

34. *kept in repair* maintenues en bon état

Jean Roubier from Rapho-Guillumette

Tympan gauche du portail royal de la cathédrale de Chartres

assister à to attend
se mettre en route to start out
s'allonger vers to extend toward
avoir grande allure to have an impressive appearance
pour ainsi dire so to speak

D · *Répondre en français aux questions suivantes*

1. Quels souvenirs d'autrefois sont évoqués par la visite du château de Versailles?
2. Quelle est l'importance actuelle du château de Rambouillet?
3. Quelles parties de la cathédrale de Chartres est-ce qu'on aperçoit avant d'arriver à la ville même?
4. Qu'est-ce qui distingue Chartres des autres cathédrales françaises?
5. Qu'est-ce qui montre que Chartres était une ville prospère au moyen âge?
6. Pourquoi peut-on dire qu'au cours d'une visite à Chartres et à Reims on prend une leçon d'histoire?
7. Quelle différence y a-t-il entre l'aspect de la Beauce et l'aspect de la Champagne?
8. Croyez-vous que la construction d'un monument soit la meilleure manière de commémorer le souvenir des héros?
9. Quelle est l'importance historique de la cathédrale de Reims?
10. Quelles sont les particularités de l'architecture de Reims?

9

De Paris à Genève—Premières Impressions de Genève

Nous étions impatients d'arriver à Genève, où nous allions passer l'année à venir. Ce fut donc avec beaucoup d'enthousiasme que nous vîmes s'estomper[1] les lignes douces du paysage français et apparaître[1] les premiers contreforts du Jura.[2]

Comme nous atteignions la frontière suisse, l'idée que je me faisais de ce pays—idée plutôt vague, formée d'après le souvenir des images enfantines de *Heidi*—m'occupa l'esprit[3] pour la première fois.

La Suisse! Du fromage de Gruyère,[4] des montres, des sports d'hiver ... je savais cela, mais ...? Quelle[5] serait notre existence dans ce petit pays alors que nous n'avions

---

1. *s'estomper, apparaître* fade, appear. Use of infinitive after a verb of perception

2. *Jura.* Range of mountains along the Franco-Swiss border

3. *m'occupa l'esprit* occupied my mind. An indirect-object pronoun plus the definite article often takes the place of a possessive adjective in French. This construction is often used with parts of the body or its attributes.

4. *Gruyère.* Common name for "Swiss" cheese, manufactured in many parts of west-central Switzerland, including the district of the French-speaking village of Gruyères

5. *Quelle.* The interrogative adjective may be separated from the noun if followed by a form of *être* and a predicate noun.

connu jusque là que les immenses étendues des États-Unis? Quel serait l'effet de notre contact avec trois cultures différentes[6] dans une même nation? Serions-nous capables, nous autres Américains,[7] de comprendre l'attitude des autres à notre égard? Quelle sorte d'amis nous ferions-nous? Qu'allions-nous étudier à l'université? Que penserait-on de notre français? Ces questions et beaucoup d'autres occupaient l'esprit de tous les membres du groupe qui avaient la chance de passer un an en Suisse.

Il était tard quand notre train s'arrêta à Genève. Après l'aimable confusion[8] des gares françaises, la propreté et l'ordre d'une station suisse étaient frappants, même pour des voyageurs qui avaient aussi sommeil que nous. Je me rappelle vaguement un magnifique dîner à la gare, des lettres portant des cachets américains[9] sur nos assiettes et de grands taxis[10] qui nous conduisirent dans les familles où nous devions prendre pension. Nous fûmes accueillis par une hôtesse souriante, au début d'une année qui s'annonçait riche en distractions et en enseignements.

Que de découvertes pendant nos premiers jours à Genève! Les terrasses des cafés où l'on[11] servait de délicieuses pâtisseries suisses, les rues contournées de la Vieille Ville où l'on se perdait si facilement, et surtout les bicyclettes! La circulation automobile n'est pas si grande qu'en Amérique, mais on voit partout des voitures américaines et françaises de type récent.[12]

---

6. Germanic, French, and Italian cultures

7. *nous autres Américains* we Americans. *autres* is used for emphasis.

8. *l'aimable confusion* the nice mess (ironical)

9. Air-mail letters posted since the departure of the Group from New York had arrived in Geneva in the meantime.

10. *de . . . taxis.* Partitive construction requiring use of *de* when the adjective precedes the noun

11. *où l'on.* *L'* is used to prevent hiatus between vowels.

12. *type récent* late design (model)

Evans from Three Lions

Que de découvertes pendant nos premiers jours à Genève!

Le touriste qui circule en auto[13] vers midi au centre de Genève se trouve brusquement entraîné par un flot de bicyclettes. Des milliers de cyclistes roulant dans tous les sens pour aller déjeuner menacent d'engloutir les autos aussi bien que les piétons. Au début les Américains trouvent que les « vélos » sont bien plus dangereux que les autos; la raison en est qu'il y en a tant: environ quatre-vingt mille bicyclettes à Genève pour cent soixante mille habitants! Quant aux autos, les impôts, les droits de douane, les primes d'assurance, le permis de circulation et le prix de l'auto elle-même en font un véritable luxe pour la plupart des Suisses.

Seulement cent soixante mille habitants, et pourtant Genève donne l'impression d'être une ville de cinq cent mille. Sans doute c'est parce que, parmi toutes les villes de même importance, c'est la plus cosmopolite. Le siège central de la Croix-Rouge internationale, du Bureau international du travail, et le centre européen de l'O. N.-U. sont les plus connus des services internationaux qui y sont installés.

Pendant les six premières semaines[14] de notre séjour à Genève, les cours spéciaux pour les étrangers devaient occuper notre temps. Nous nous sommes bientôt trouvés capables de lire avec expression les poèmes proposés par notre professeur de diction. Dans la classe de phonétique c'est le « r » français surtout qui nous donnait du fil à retordre.[15] « Pourquoi les Français ne prononcent-ils pas le « r » comme tout le monde? » disait Richard en se raclant la gorge avec désespoir.

Tout en améliorant notre français nous avons eu l'occasion de rencontrer des étudiants de beaucoup de nationalités: des Suédois, des Hollandais, des Égyptiens et bien d'autres. Je me rappelle, qu'un certain soir, parlant avec un groupe d'étudiants étrangers, j'ai été particulièrement heureuse de con-

---

13. *circule en auto* is driving around in a car
14. *les . . . semaines.* In French, the cardinal numeral precedes the ordinal.
15. *nous . . . retordre* gave us (serious) difficulty

stater que le français était notre seule langue commune et que nous pouvions tous nous comprendre.[16]

A · *Traduire en français*

We left Paris regretfully[17] after so short a stay, but we desired to get established in Geneva as soon as possible. As our train crossed the rolling Burgundy country,[18] already, singly and in groups, we were making plans to go back to the French capital before returning to the States. We were greatly relieved when French and Swiss customs officers at the Gare Cornavin at Geneva let us pass after rather brief inspections.[19] What a satisfaction to sit down to a full-course dinner after nearly ten hours in the train!

We had at last reached the city where we were to spend the next ten months.[20] The usual ideas about Switzerland—cheese, watches, mountains, and winter sports—were still in our minds.[21] How would we get along[22] in this new country? Would we understand its politics, its civilization? Would we be able to make friends and would our friends really be able to understand our French? It was rather late when we had our first actual contact with the Swiss. We were driven by taxi to the families in which we were to live, in various sections of Geneva, and were greeted by the ladies who were to be our hostesses for the year.

---

16. *nous . . . comprendre* we could all understand each other

17. (*We left Paris*) *regretfully* C'est à regret que

18. *the rolling Burgundy country* la campagne accidentée de la Bourgogne

19. *rather brief inspections* d'assez courtes visites

20. *the next ten months* les dix mois à venir

21. *were still in our minds* nous étaient toujours présentes à l'esprit; cf. note 3 on page 85.

22. *How would we get along* Comment nous en tirerions-nous

Photo Lacroix

Pont du Mont Blanc et Ile Jean-Jacques Rousseau

Our first impressions of Geneva were somewhat blurred: we remembered taking[23] tea with pastry at the sidewalk cafés, visiting[23] the principal monuments of the Old City,[24] and nearly getting killed[23] by bicycles. High prices and taxes have somewhat limited the sale of automobiles in Switzerland as well as in many other countries of Europe. But there are eighty thousand bicycles for the one hundred sixty thousand inhabitants of Geneva. The motorist or pedestrian who ventures to cross the main streets during the noon rush literally takes his life in his hands and, in any case,[25] is swallowed up by a tidal wave of bicycles of all kinds.

The following Monday we were divided by placement tests into appropriate groups and our period of serious language study at the University of Geneva began. We repeated the

---

23. *taking; visiting; nearly getting killed* d'avoir pris; d'avoir visité; de nous être presque fait tuer

24. *the Old City* la Vieille Ville

25. *in any case* en tout cas

traditional exercises of diction, and we did our best to pronounce the correct "r." We were encouraged when we found that French was the common idiom of students of twenty different nationalities and that we could make ourselves understood better than many of the others.

B · *Traduire en français*

[Conversation at the restaurant of the Gare Cornavin, just after the Group's arrival in Geneva]

PAUL. What food![26] I'm completely sold on Switzerland[27] already. Where in the States could we get a meal like this so late? And letters from home waiting for us at our places!

RICHARD. Am I glad[28] to be able to order what I want! Of course, if we had been able to get more sandwiches[29] on the train, things wouldn't have been so bad[30]. . . Oh well, it could have been worse.

JEAN. How did you like the way that we got through customs?[31] I suppose the customs officers were tired.

PAUL. They had been told perhaps that we were going to spend a year at the University.

JEAN. You see, Paul, sometimes it helps to be a student.[32]

PAUL. Have it your way,[33] Jean, I'm too tired to argue.

[At the end of the meal, just before the departure of the members of the Group]

PAUL. How do we know where to go? I saw a sheet of instructions at my place but I didn't bother to[34] read it.

---

26. *What food!* Quel repas!
27. *I'm completely sold on Switzerland* La Suisse m'a conquis
28. *Am I glad* (slang) Que c'est chic
29. *sandwiches* sandwichs [sandwitʃ] *m. pl.*
30. *things wouldn't have been so bad* ça n'aurait pas été si mal
31. *the way that we got through customs* la manière dont nous avons passé à la douane
32. *it helps to be a student* ça arrange les choses d'être étudiant
33. *Have it your way* Si tu veux
34. *I didn't bother to* je ne me suis pas donné la peine de

JEAN. Quiet![35] The Director is going to make an announcement.

DIRECTOR. There is nothing I dislike more than[36] making announcements. Read the bulletins at your places and you will find complete instructions for two days. Ahem! Placement tests scheduled for tomorrow morning[37] have been postponed until the afternoon. Everybody proceed[38] to the taxi bearing his number and he will find his hand baggage there. Good night!

PAUL. What luck![39] Absolutely nothing to do until tomorrow afternoon. Jean, do you have the same number as Dick and I? We are going to board at Mme. Dupont's house.

JEAN. Let's see. Yes, I'm in taxi number nine. Helen and I are to live with[40] Mme. Martin, 5 rue Claude Bernard, across the street. Which way to[41] our taxis?

HELEN. Wait a minute, please.[42] The Directress has an announcement to make.

DIRECTRESS. Meeting of all the girls tomorrow at 1: 30 in classroom 14 of the main building of the University. Consult your map of the city and find the shortest route from your home to the University.

JEAN. May we go now?

DIRECTRESS. Yes, everybody should find his taxi. Try to get lots of rest[43] before tomorrow afternoon. Good night.

---

35. *Quiet!* Silence!
36. *I dislike more than* qui me déplaise plus que de
37. *scheduled for tomorrow morning* qui devaient avoir lieu demain matin
38. *Everybody proceed* Que tout le monde aille
39. *What luck!* Quelle chance!
40. *to live with* vivre chez
41. *Which way to* Par où à
42. *Wait a minute, please* Un instant, s'il vous plaît
43. *get lots of rest* vous reposer bien

C · Employer chacune des expressions suivantes dans une phrase originale

nous autres Américains we Americans
se faire des amis to make friends
penser de to think of, have an opinion of
avoir la chance de to have the good fortune to
se rappeler to remember
que de découvertes! what (a lot of) discoveries!
droits de douane customs duties
aussi bien que as well as
avoir l'habitude de to become accustomed to
donner du fil à retordre to give serious difficulty
avoir l'occasion de to have the opportunity to

D · Répondre en français aux questions suivantes

1. Pourquoi le groupe était-il impatient d'arriver à sa destination?
2. Pourquoi les douaniers étaient-ils indulgents pour les étudiants?
3. Quelles étaient quelques-unes des inquiétudes des membres du groupe au moment où ils sont arrivés en Suisse?
4. Quelles « découvertes » est-ce que les étudiants ont faites pendant leurs premiers jours à Genève?
5. Qu'est-ce qui distingue surtout la circulation dans une ville suisse de celle d'une ville américaine?
6. Quelle est, à votre avis, la plus utile des trois grandes institutions internationales dont le siège se trouve à Genève?
7. Quel est l'intérêt des cours préparatoires suivis par les membres du groupe à l'université de Genève?
8. Genève est-elle une ville internationale seulement à cause des organisations internationales qui s'y trouvent?
9. Pensez-vous que les Américains séjournant en Europe puissent vraiment avoir l'occasion de se faire des amis?

10

Familles genevoises

Tous les membres de la famille Martin étaient vraiment conformes à l'idée que je me faisais d'une famille genevoise.[1] Ils étaient tous blonds, avec des yeux bleus et de belles pommettes rouges. Les enfants, deux jeunes filles et deux garçonnets, ressemblaient d'une manière frappante à leurs parents.

L'atmosphère familiale est bien différente de celle qui règne aux États-Unis; c'est ce qui m'a frappé dès le début. D'abord tout le monde ne s'exprimait qu'en français. J'ai cru longtemps que c'était une taquinerie à notre égard[2] et je pensais à part moi que les Martin auraient bien pu[3] employer l'anglais. Alors que les tout-petits[4] et les chiens comprenaient facilement tout ce qu'on leur disait, nous avions beaucoup de mal à saisir la moindre phrase et encore plus à penser en une autre langue que la nôtre.

Et quelle animation dans cette famille! Non seulement tout le monde parlait vite, mais de nombreux gestes soulignaient la conversation. Nos hôtes avaient une vivacité naturelle qui nous faisait paraître lents, presque inertes, en comparaison.

---

1. *étaient . . . genevoise* were just what I had expected a Genevan family to be

2. *une . . . égard* a way of teasing us. Literally, a teasing with respect to us

3. *auraient bien pu* could easily have, might have

4. *les tout-petits. Tout* when used adverbially, as here, is invariable except before feminine adjectives which begin with a consonant.

Nous trouvions bizarre également cette coutume d'échanger des poignées de main à chaque rencontre, à chaque départ, parfois même avant les repas. C'était devenu une hantise pour nous, élevés de façon si différente: ne pas oublier de serrer les mains fréquemment tendues! Le nouveau monde ne nous avait pas habitués à des manières si cérémonieuses.

Bien entendu, tous les Martin avaient leurs moments d'humeur[5]: ils se fâchaient, puis se remettaient sans même savoir[6] pourquoi ils s'étaient fâchés. Je les ai rarement vus grincheux ou mal disposés pendant très longtemps. L'affection témoignée par Mme Martin à ses enfants ne nous étonnait pas moins. Chaque enfant recevait au moins dix baisers sur les deux joues tous les jours; nulle personne, sinon d'origine française, ne pourrait imiter ces baisers sonores d'une mère à ses enfants.

Pour en finir avec les impressions premières, disons un mot de la netteté étonnante des intérieurs genevois. Les parquets

---

5. *moments d'humeur* outbursts of temper

6. *sans . . . savoir.* All prepositions, except *en*, when followed by a verb require the infinitive.

Bourg de Four, Genève

Photo Gemmerli

Nyon et son château

étaient si bien frottés quotidiennement qu'on aurait pu manger par terre sans crainte. Les enfants étaient éclatants de propreté.[7]

Le poêle[8] qui chauffait notre chambre était vraiment inoubliable. Il fallait le faire bien marcher pour avoir chaud et de plus il était capricieux. Souvent nous devions ouvrir la fenêtre toute grande,[9] alors qu'il gelait à pierre fendre, pour évacuer l'énorme quantité de fumée qu'il dégageait. Nous prenions tout cela en riant, nous comparant à deux vieilles filles pelotonnées[10] au coin de leur feu. Heureusement nos lits couverts de gros édredons (comme on n'en voit plus[11] en Amérique) étaient bien chauds.

Nous avions aussi l'avantage de vivre dans une famille très cultivée. M. Martin avait une belle collection de livres français et étrangers. Il connaissait si bien la Suisse et l'Europe

---

7. *étaient . . . propreté* shone with cleanliness, were immaculate
8. [pwɑ:l]
9. *toute grande.* See note 4 on page 94.
10. huddled
11. *comme . . . plus* something no longer seen

qu'il nous a rendu de grands services pour l'organisation de nos excursions. Mme Martin, d'origine parisienne, avait l'esprit vif et prompt à la répartie. A table, nous avions des conversations à bâtons rompus[12] où se mêlaient[13] l'art, la musique, la littérature et les faits quotidiens. En voulez-vous un exemple? Eh bien! voilà!

Mme Martin. A table,[14] mes enfants! (*Tout le monde se met à table sauf Pierre et Jacques.*)

M. Martin. Dis donc,[15] Marie, où sont les petits? Pierre, viens[16] ici, dépêche-toi!

Pierre. Je n'ai pas faim, j'ai trop goûté tantôt.[17]

Mme Martin. Assieds-toi et tiens-toi bien.

Pierre. Mais...

Mme Martin. Il n'y a pas de « mais ». Tais-toi et mange! (*Jacques entre*). Qu'est-ce que c'est que ces manières-là,[18] mon petit homme?[19] Prends ta place, mais montre-moi tes mains.[20]

Jacques. Elles sont propres. Je les ai lavées ce matin.

Mme Martin. Oh! quelle saleté! Va vite les laver.

M. Martin. Dis donc, Marie, il y a une ampoule brûlée dans la cuisine. Il faudrait la remplacer.

Mme Martin. Oh! que c'est embêtant! ... (*A Renée*) Dis donc, chérie, comment as-tu trouvé l'exposition à Lausanne[21] hier?

---

12. *à bâtons rompus* desultory, rambling

13. *se mêlaient.* The verb precedes a compound subject for better balance of the sentence.

14. *A table* Dinner is ready

15. *Dis donc.* Not translated. *Donc* often, as here, used purely for emphasis

16. Note the general use of the second person singular in the Martin family: parents to each other and to the children, children to parents and to each other.

17. *j'ai . . . tantôt* I had too much of a snack a while ago

18. *Qu'est . . . -là* That's a fine way to act

19. *mon . . . homme* young man

20. *tes mains.* Used instead of *les mains* for greater emphasis

21. *Lausanne.* Important city on the north (Swiss) shore of Lake Leman, forty miles east of Geneva

Renée (*très enthousiaste*) Oh, maman! Elle était formidable,[22] merveilleuse! Qu'as-tu trouvé de mieux,[23] papa? Tu l'as visitée, non? Moi, j'ai adoré les toiles du Titien.[24]

M. Martin. Il n'y avait vraiment pas grand'chose du Titien... Pierre, tiens-toi bien et mange. Sans ça je t'expédie dans ta chambre, tu entends? Ah! qu'est-ce que nous disions? Oui, Le Caravage[25]...

Jacques. Maman, est-ce que je peux aller me baigner aujourd'hui? Il fait si beau et Michel m'a invité.

Mme Martin. N'interromps donc pas ton père, s'il te plaît! Oui, je te donne la permission pour cette fois, mais...

Pierre. Moi aussi, maman?

Jacques. Pas le petit, maman, pas le petit. Il se noierait.

Mme Martin. Plus tard, chéri. Mais tu me ferais grand plaisir de manger.[26]

Pierre. Pas faim.[27]

Renée. J'ai passé mon examen[28] de latin ce matin. Oh! ce n'était pas commode. J'étais la dernière à être interrogée, et comme le professeur avait tout son temps,[29] il m'a donné la question la plus longue et il m'a « cuisinée ». Quelle déveine!

Mme Martin. Tout ira bien, ma chérie, tu verras... Ah! dis donc, Pierre. Mme Dupont nous a invités à dîner samedi soir. Ça te va, n'est-ce pas?[30] Ou bien as-tu des tas de choses[31] à faire?

M. Martin. Samedi soir? Voyons... oui, ça va très bien.

---

22. *formidable* wonderful; common colloquial meaning
23. *Qu'as . . . mieux* What did you like best
24. (*le*) *Titien* (1477–1576). Celebrated painter of the Venetian school
25. *Le Caravage* (1569–1609). Il Caravaggio, noted Italian painter
26. *tu . . . manger* I'd like (it would please me) very much to see you eat
27. *Pas faim.* Child's abbreviation of *Je n'ai pas faim*
28. *J'ai . . . examen* I took my examination
29. *avait . . . temps* had a lot of time
30. *Ça . . . pas?* Is it all right with you?
31. *des . . . choses* lots of things. Very common colloquialism

A · Traduire en français

The children of the Martin family—two girls and two boys—were small-sized portraits of their parents. We soon realized that the family atmosphere in Switzerland was quite different from that which we had known in the United States. First of all, we were astounded at the way[32] the children could express themselves in French, and many times at such a speed that we could understand only a few words of each sentence.

There was also much animation in the dinner conversation. The natural vivacity of our hosts made our attempts to speak seem rather timid and halting. We noticed from the beginning that the Swiss habit of shaking hands when one met and took leave of a friend was something more than affectation. We were not accustomed to such ceremonious ways but we found that they are part of[33] the upbringing of the Swiss. This is true also of the resounding kisses on both cheeks given regularly morning and evening by Mme. Martin to her children.

What impressed us most about the household was its extraordinary order and cleanliness. The floors were waxed and polished several times a week. With the threat[34] of a reduction in hydroelectric power during the winter months, heating of water by electricity was allowed in Geneva one day a[35] week. In many households only one hot-water bath was permitted every two weeks during this period. And we shall never forget our difficulties with the old-fashioned and somewhat capricious stove in our room.

We were not long in realizing the advantages of living in a cultured Swiss family. We heard the finest French spoken all the time and we began to learn something of the cultural background of Europeans of taste and refinement. For example,

---

32. *the way* la façon dont
33. *are part of* font partie de
34. *With the threat* Sous la menace
35. *a* par

M. Martin had a very fine library containing the principal works of the greatest French and Swiss writers since 1900. Mme. Martin often invited us to concerts and art exhibitions. Our dinner conversation soon passed beyond[36] superficial comparisons between the Swiss and the Americans and dealt with[37] literature, music, and art.

B · *Traduire en français*

[*Conversation at a sidewalk café*[38] *in Geneva, a few days after the Group's arrival*]

PAUL. Dick, do you think the girls will ever get here?

RICHARD. I don't know, Paul. I always say that I could have amounted to something[39] if I had not wasted so much time waiting for women.

PAUL. Here they are now. Shall we order some more pastry?[40] I should like to find out if they like their family.

RICHARD. Why not? It would surprise me if they are as well fixed[41] as we.

[*Jean and Helen sit down at the table with the boys and order chocolate and cookies*]

PAUL. Well, what do you girls think of[42] your family by this time?[43] We like ours pretty well so far, although we can't always be sure of what they are saying.

JEAN. That goes for us too,[44] Paul. Especially the kids. We can't understand them half the time. It seems that they talk faster than the grown-ups.

---

36. *soon passed beyond* bientôt ne s'en tint plus aux
37. *and dealt with* pour traiter de
38. *at a sidewalk café* à une terrasse de café
39. *I always say that I could have amounted to something* J'ai toujours dit que j'aurais pu arriver à quelque chose
40. *some more pastry* encore des gâteaux
41. *as well fixed* (colloquial) aussi bien installées
42. *what do you girls think of* que pensez-vous, les filles, de
43. *by this time* à l'heure qu'il est
44. *That goes for us too* Il en va de même pour nous autres aussi

George Pickow from Three Lions

Émil Thomann, maître sculpteur sur bois, cause avec un voisin devant son atelier

HELEN. I can't understand the maid at our house. She comes from the Valais[45] and has a terrific accent.

JEAN. Yes, but M. and Mme. Martin are very cultured; we have long discussions at mealtimes[46] and I have already learned a great deal about Switzerland.

RICHARD. If that's so,[47] Jean, you can perhaps explain the university system to us.

JEAN. M. Martin talked about that the other evening. I'll have to ask him a lot more questions but it sounds awfully complicated[48] . . . Aren't you going to do some work tonight?

RICHARD. No, what about a movie?[49] At the Rialto they are showing a revival of Gide's *Symphonie Pastorale*. I suppose that the girls have to ask permission every time they go out in the evening. Will you ask permission?

HELEN. Not with those tests tomorrow. But the system of going out is very simple.[50] All we have to do is to phone[51] the Directress and she grants every reasonable request. After all, customs aren't quite the same here as in the States.

PAUL. Well, I'll see you in class, then. I'm glad that I'm a man and that the Director never asks me when I get in at night.

RICHARD. You can say that again.[52] Chaperones may be fine for women, but . . .

---

45. *Valais* m. Easternmost canton where French predominates, located in south-central Switzerland

46. *at mealtimes* aux heures des repas

47. *If that's so* Puisqu'il en est ainsi

48. *it sounds awfully complicated* ça a l'air terriblement compliqué

49. *what about a movie?* que diriez-vous d'aller au cinéma?

50. *the system of going out is very simple* il est très facile d'obtenir la permission de sortir

51. *All we have to do is to phone* On n'a qu'à téléphoner à

52. *You can say that again.* Tu l'as dit.

C · *Employer chacune des expressions suivantes dans une phrase originale*

être conforme à to be in keeping with
à notre égard with respect to us
avoir beaucoup de mal à to have great difficulty in
trouver bizarre to consider strange
moments d'humeur outbursts of temper
se fâcher to become angry
faire marcher to operate
avoir chaud to be warm
geler à pierre fendre to freeze hard
conversations à bâtons rompus desultory (rambling) conversations
avoir l'esprit vif to be alert
se mettre à table to sit down at the table
se tenir bien to sit up straight, behave oneself
faire plaisir à quelqu'un to please someone
passer un examen to take an examination
cuisiner (slang) to grill
des tas de choses (fam.) lots of things

D · *Répondre en français aux questions suivantes*

1. Les membres du groupe ont-ils trouvé que l'atmosphère familiale est différente en Suisse qu'en Amérique?
2. Qu'est-ce qu'ils prenaient pendant longtemps pour une taquinerie à leur égard?
3. Que pensez-vous des manières cérémonieuses des Suisses?
4. Qu'est-ce qui frappe surtout un étranger dans un intérieur genevois?
5. Est-ce qu'un poêle n'a pas certains avantages sur le chauffage central? Lesquels?
6. A quelle classe sociale appartenait la famille Martin? Comment le devinez-vous?

7. Quels avantages avaient les étudiantes qui vivaient chez les Martin?

8. Que pensez-vous de la réponse de Jacques: « Je les ai lavées ce matin »?

9. Quelle sorte d'exposition Renée a-t-elle visitée à Lausanne?

10. Pourquoi Jacques ne veut-il pas que son petit frère aille se baigner avec lui?

11. Aimez-vous jouer avec un frère ou une sœur beaucoup plus jeune que vous?

12. Que pensez-vous des examens oraux?

13. Est-il préférable de passer un examen oral en premier ou en dernier?

11

Familles genevoises (suite)—Fêtes familiales

Tous les jours, à déjeuner, nous sommes assis nombreux autour de la table de la salle à manger des Martin. Deux autres pensionnaires habitent également la maison et cinq ou six autres étudiants viennent y prendre leurs repas. Nous y avons rencontré des Suédois, des Hongrois, une Syrienne, une Canadienne, un Italien et un Brésilien. C'était une vraie Société des nations! On ne savait jamais à côté de qui on se trouverait à table le lendemain. C'était pour nous une expérience très intéressante que ces rencontres[1] avec des étudiants venus de pays si différents. Chacun se plaisait à parler des coutumes de son pays; chacun exprimait le point de vue de ses compatriotes sur la politique internationale. Manière très pratique d'élargir nos horizons!

Dans tous les pays les différentes étapes de l'année sont marquées par des fêtes célébrées selon des traditions auxquelles on ne saurait manquer. Nous n'oubliâmes pas, le soir du trente et un octobre, de faire comprendre à nos hôtes ce que c'est que *Halloween* en Amérique—fête si différente de celle de la Toussaint, jour de deuil dans les pays catholiques d'Europe occidentale. Avant le dîner nous avions découpé des chats (pour

---

1. *C'était . . . rencontres.* Inverted word order used for emphasis

les dames) et des sorcières (pour les messieurs) dans[2] du papier noir. Puis nous les avions disposés près des assiettes. La table, ornée de feuilles de toutes couleurs, n'était éclairée que par des bougies placées dans des lanternes vénitiennes. Nous invitâmes alors tout le monde à entrer. Notre petite mise-en-scène fit beaucoup d'effet et pendant le dîner nous racontâmes tout ce qu'on pouvait faire la nuit de *Halloween* aux États-Unis.

Ce même soir, je sortis avec mon amie pour aller au cinéma. Rentrées à une heure tardive, nous poussons[3] la porte de notre chambre... grand fracas! L'ampoule électrique éclaire à peine, tout est en désordre, un homme est debout sur la table, un revolver[4] sort de l'armoire... Nous ôtons le papier sombre qui couvre la lampe: l'homme se réduit à un rouet et un balai couverts de vêtements, le revolver est attaché avec une ficelle!

---

2. *découpé . . . dans* cut . . . out of

3. Present tense used here and in the following sentence to stress rapid succession of events

4. [revɔlvɛ:r]

Crèche en bois, sculptée à la main

George Pickow from Three Lions

Nos hôtes avaient voulu répondre à notre petite cérémonie du dîner en fêtant *Halloween* à leur manière.

A notre tour, nous eûmes l'occasion de nous initier à quelques coutumes de la Suisse romande[5] à la Noël. La veille on nous invita à une réunion intime dans le salon, qu'on avait décoré d'un énorme bouquet de gui et de l'arbre de Noël. Cet arbre resplendissait des feux de ses dizaines de bougies; il était garni d'étoiles, de cheveux d'anges,[6] de boules de verre coloré, bref, de tous les ornements classiques. Mme Martin lut des passages tirés de la Bible; nous chantâmes des cantiques et échangeâmes de petits cadeaux. Les bonnes qui avaient été dans la famille pendant des années ne furent pas oubliées. Une atmosphère de bonheur paisible régnait dans toute la maison. Le lendemain matin les souliers placés devant la cheminée étaient remplis de cadeaux. Toute la journée se passa en réjouissances.

Quelques jours plus tard, le six janvier,[7] nous « tirâmes les Rois »,[8] en souvenir des offrandes que les Rois Mages avaient apportées à l'Enfant Jésus à Bethléem.[9] M. Martin coupa une galette[10] où le pâtissier avait dissimulé un tout petit bébé de porcelaine. Celui qui trouva le bébé dans son morceau fut proclamé roi et dut choisir une reine parmi l'assistance. Il l'embrassa et tout le monde cria « le roi boit! »

Nous assistâmes également à une réception donnée en l'honneur de deux nouveaux mariés, anciens pensionnaires de la famille Martin. Comme la cérémonie religieuse avait été célébrée hors de Genève, nous ne vîmes le jeune couple que le soir. Nos hôtes avaient préparé un beau dîner, et les jeunes époux étaient à la place d'honneur. Après le dîner ils firent

---

5. *la Suisse romande* French-speaking Switzerland
6. *cheveux d'anges* fine strands of spun glass
7. January 6, the Feast of Epiphany
8. *tirâmes les Rois* celebrated Epiphany
9. [bɛtleɛm]
10. *galette.* A round, flat cake, somewhat similar in texture to pie crust

le tour de la table pour trinquer avec chacun de nous et recevoir nos félicitations. Mme Martin leur adressa quelques mots, en rappelant comment ils s'étaient connus,[11] puis elle découpa le gâteau, bien plus simple que les gâteaux à plusieurs étages que nous avons en Amérique. Ensuite on passa au salon, où chacun présenta le numéro qu'il avait préparé et, accompagnés de tous nos vœux de bonheur, les jeunes mariés, les bras pleins de fleurs, nous abandonnèrent aux joies de la danse.

A l'occasion de ces fêtes on mettait les petits plats dans les grands[12]—les autres jours la chère était beaucoup plus simple. Le petit déjeuner suisse ne comporte que du pain, du beurre, de la confiture ou du miel et une boisson chaude. Nous nous y sommes habituées. Les autres repas nous parurent encore plus étranges, surtout l'éternel potage par lequel on commençait presque toujours. Il y avait une certaine régularité dans les menus: un fruit à midi comme dessert, et le soir un pudding; une fois par semaine un souper composé de pommes de terre et de fromage. Le dimanche nous allions tous au restaurant; cela faisait un peu de changement.

Ainsi se passe la vie dans une famille genevoise, dans une agréable atmosphère de solidarité, d'entr'aide et d'intimité.

A · *Traduire en français*

One of the advantages in living[13] with the Martins is that we had the opportunity of meeting students from other countries. Five or six foreign students, including a Swede, a Hungarian, an Italian, and a Brazilian, had lunch with us every day. We also had as luncheon guests an English girl, a Cana-

11. *ils . . . connus* they had met (each other). Reciprocal use of the reflexive

12. *on mettait . . . les grands* very elaborate meals were served

13. *in living* de vivre

dian, and some students from South America. We never knew what new guests would be at lunch the next day, and we tried to take advantage of the opportunity to talk with them about their studies at the University and about life in their own countries. Of course, we had some lively political arguments, since European students in general have quite definite points of view[14] on present-day politics.

Our efforts to celebrate Halloween were not too successful. Of course there is a sharp contrast between that rather gay festival and All Saints' Day, November 1, which in Europe is generally considered to be[15] a day of mourning. Nevertheless, we cut out paper witches and cats and arranged the table with the traditional candles and colored lanterns at each place.

---

14. *quite definite points of view* des opinions bien arrêtées
15. *considered to be* considérée comme

Les vignobles de Pully—dans le fond, le lac de Genève et les Alpes de Savoie

Schweizerische Zentrale

Christmas Eve found us at the Martins as the guests of honor for the family celebration. The mistletoe and the Christmas tree, the latter resplendent with stars, colored balls, and tinsel, made us forget the slight feeling[16] of homesickness on our first Christmas Eve in a foreign country. The children received gifts the next morning in the traditional wooden shoes, which they had left before the fireplace.

January 6, "La Fête des Rois," as Epiphany is called in French-speaking countries, was the occasion for further festivities. At this time,[17] the huge cake that Mme. Martin's cook had baked[18] was cut into as many pieces as there were persons[19] present. The girl who found the small porcelain doll in her piece had the right of selecting a king.

These holiday feasts were a contrast to[20] the routine of our meals. The latter were well-planned,[21] nourishing, but we could count on soup several times a week, fruit[22] for dessert at noon, and pudding[23] for dessert in the evening. Once a week we had the famous *fondue*, a special dish made of melted Gruyère cheese cooked with[24] white wine, which is eaten on pieces of bread dipped into the boiling mixture on the end of a fork. On Sundays we all dined at a restaurant and no one was sorry for this change of routine.

---

16. *the slight feeling* une légère impression
17. *At this time* A cette occasion
18. *had baked* avait fait cuire
19. *as there were persons* qu'il y avait de personnes
20. avec
21. bien conçus
22. un fruit
23. un pudding
24. *melted Gruyère cheese cooked with* fromage de Gruyère fondu qu'on fait cuire avec

B · *Traduire en français*

[*Conversation at Landolt's Café a few days after the Group's arrival*]

PAUL. What did you think of the Group meeting yesterday?

RICHARD. I suppose we must have them, at least until we get through with all these formalities. Personally, I'd like to have more bulletins and fewer meetings.

PAUL. What has me worried[25] is the tests tomorrow. I'm an Economics major[26] and my French is not good enough yet to[27] write tests. I suppose that's why we're getting all this review.[28]

RICHARD. In my conversation course there are too many people. Some of us[29] have asked to be put in a smaller section next week and I believe that the Director has agreed to do it. In our class there are several German-Swiss students who have been studying French for years.

PAUL. Just like the Brazilian at our house. He went to a French school in Rio for four years.

RICHARD. Have you talked to those Greeks who are studying medicine?[30] Mme. Dufour told me that there have always been many students here from the Balkans and the Near East.

PAUL. Where are Jean and Helen? I thought that they were to meet us promptly at seven-thirty. It's already five after eight.

[*Later: Jean and Helen arrived at exactly eight twenty-five*]

HELEN. Don't say a word;[31] we can explain everything.

RICHARD. That's what you said the last time. We thought that you couldn't get permission to go out tonight.

---

25. *What has me worried* Ce qui me tourmente
26. *I'm an Economics major* Je me spécialise en sciences économiques
27. *is not good enough yet to* n'est pas encore assez bon pour
28. *we're getting all this review* on nous donne tous ces exercices
29. *Some of us* Quelques-uns d'entre nous
30. *who are studying medicine* qui font leur médecine
31. *Don't say a word* Ne dites rien, Pas un mot

JEAN. No, we had arranged a little Halloween party[32] for the family and we had to give so many explanations that we couldn't leave any[33] sooner. You see, in Europe, this holiday is absolutely unknown.

HELEN. We decorated the table with black paper cats and witches and put small candles at each place. This setting was effective, but I am not sure that the Martins understood very well what it was about.[34]

PAUL. For goodness' sake,[35] let's order something. I've waited long enough.

RICHARD. I thought that you were going to tell them that we had ordered snails for everybody.

HELEN. Snails? I'm leaving right away. After all, I had a fairly substantial meal at the house.

RICHARD. And all the while[36] we were sitting here waiting for them!

PAUL. Let's give them one more chance.[37] Waiter, four *fondues* with mushrooms.[38] [*To himself*]. That takes a lot of money,[39] but maybe I can borrow some from Dick.

C · *Employer chacune des expressions suivantes dans une phrase originale*

être assis nombreux to be seated with many people
on ne saurait manquer you can't miss
mise-en-scène setting
faire beaucoup d'effet to be quite impressive
à leur manière in their own way

---

32. *a little Halloween party* une petite fête de *Halloween*
33. *any.* Do not translate.
34. *what it was about* ce qu'il en était
35. *For goodness' sake* Pour l'amour de Dieu
36. *And all the while* Et pendant tout ce temps-là
37. *Let's give them one more chance.* Si on leur pardonnait pour cette fois.
38. *four fondues with mushrooms* quatre fondues aux champignons
39. *That takes a lot of money* Ça va coûter très cher

se connaître to meet each other (become acquainted)
gâteau à plusieurs étages layer cake
à l'occasion de at the time of
mettre les petits plats dans les grands to serve an elaborate dinner
s'habituer à to get used to

D · Répondre en français aux questions suivantes

1. Quel est l'intérêt de prendre ses repas avec des étudiants de nationalités différentes?
2. Les étudiants américains s'intéressent-ils en général à la politique autant que les étudiants étrangers? Justifiez votre réponse.
3. De quels sujets parlaient les étudiants qui déjeunaient chez les Martin?
4. Que feriez-vous pour initier des Européens à *Halloween*?
5. Qu'est-ce que les enfants Martin ont fait pour répondre à la petite cérémonie montée par les étudiantes?
6. Décrivez la réunion intime qui a eu lieu la veille de Noël chez les Martin.
7. A quoi sert la galette dans la célébration de la fête des Rois?
8. Comment les Martin ont-ils fêté les nouveaux mariés?
9. Pourquoi est-ce que la réception nuptiale a eu lieu chez eux?
10. En quoi consiste un petit déjeuner suisse?

12

La Ville de Genève et ses environs

Il y a peu de différence entre la campagne genevoise et celle de la Nouvelle-Angleterre. Les villages et les fermes sont bien entretenus, les routes sont en bon état. L'équipement agricole moderne, le bétail superbe et l'apparente prospérité de cette région témoignent de l'existence relativement facile du fermier suisse. Dans les environs de Genève, on passe devant de grandes propriétés qui sont en partie dissimulées derrière de hauts murs et dont il semble que les jardins furent créés uniquement pour la joie de leur propriétaire.

Quand on quitte la ville par bateau, on a plaisir à contempler ses quais[1] animés, ses promenades ombragées, que semble dominer la silhouette de la cathédrale de Saint-Pierre. Rien ne gâte la beauté de ce vaste panorama, auquel les superbes édifices légués à Genève par la Société des nations donnent une certaine grandeur. Nous nous devons d'[2]en faire la visite. Profitons maintenant de l'occasion. En parcourant ces immenses bâtiments, nous comprenons pourquoi tant d'Européens estiment que l'érection du nouveau centre de l'O. N. U. à New-York fut une prodigalité inutile. Les salles d'assemblée, splendidement ornées, modernes jusqu'au moindre

1. *quais* promenades along the lake, embankments
2. *Nous . . . d'* We owe it to ourselves to

détail, seraient tout indiquées pour abriter le quartier général des Nations-Unies.

C'est en septembre, à la nuit tombante, qu'il est le plus agréable de faire une partie de canot sur le lac. Par[3] une belle soirée d'automne nous avons donc décidé de faire une petite promenade en bateau. Il faisait très sombre. Nous ne pouvions voir sur le lac que les lampions de plusieurs autres bateaux, mais partout on entendait chanter.[4] Nous aussi, nous chantâmes *A la claire fontaine*, dont nous avions appris les paroles en classe. Après avoir fait quelques centaines de mètres, nous nous arrêtâmes pour contempler la ville et la cathédrale tout illuminées.

Je songeais à la première fois où j'avais vu cette église. C'était le lendemain de notre arrivée à Genève. De ma fenêtre, au sixième étage, j'avais vue sur presque toute la ville. Par delà les toits, les lucarnes et les cheminées, Saint-Pierre se dressait majestueusement. Je voyais l'abside de l'église, la

---

3. On. Temporal use of *par*

4. *on . . . chanter* we heard (people) singing. After verbs of perception (hearing, seeing, feeling, etc.) the infinitive construction is common.

Le Palais des Nations et la chaîne du mont Blanc

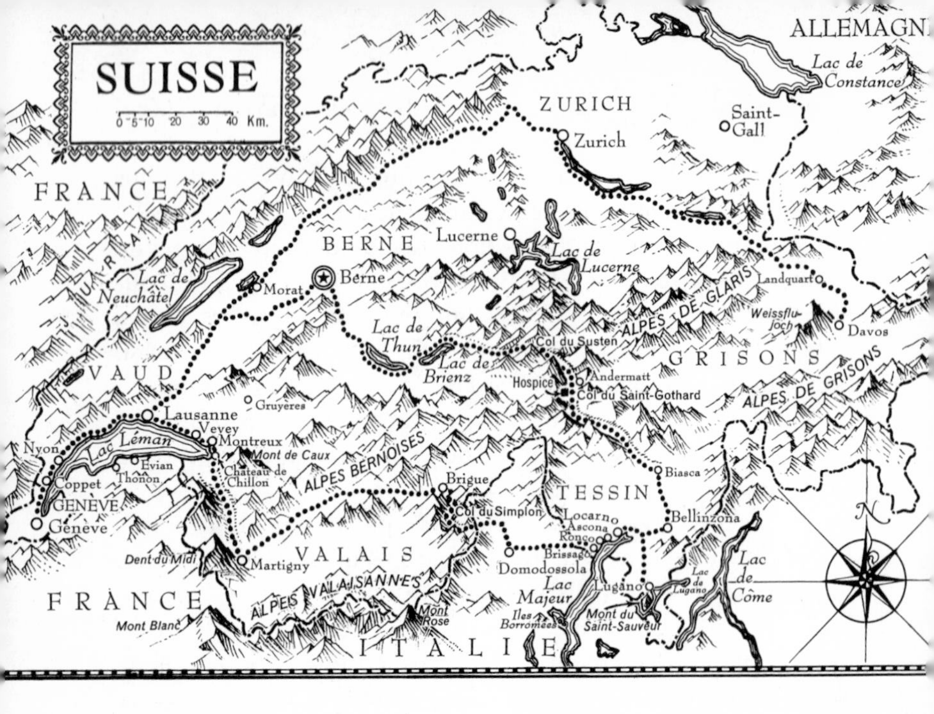

flèche haute et mince entre les deux tours carrées. Qu'elle était belle à contempler au coucher du soleil avec sa silhouette noire qui se détachait sur le fond changeant du ciel! Et puis le vaste édifice s'effaça à moitié dans l'obscurité; ce n'était plus qu'une ombre mystérieuse au-dessus des lumières de la ville.

Je me souvenais aussi d'autres jours où la ville était noyée dans le brouillard: les tours de la cathédrale en émergeaient comme dans une vision de légende. A toutes les heures du jour, sous tous les éclairages,[5] cette église contribue au charme de Genève. Elle en est d'ailleurs le centre, puisqu'elle se trouve près du Bourg de Four, une place très ancienne située au cœur de la Vieille Ville.

Mais la cathédrale n'est pas le seul monument à nous rappeler l'antique dignité d'une cité qui a joué un si grand rôle dans le développement de l'esprit moderne. Dans le jardin

5. *sous . . . éclairages* in any light

des Bastions[6] est édifié le monument de la Réformation,[7] où les statues héroïques des quatre grands réformateurs de Genève se détachent d'une manière impressionnante sur un vaste mur de marbre blanc. Ce monument se trouve à une centaine de mètres de l'université, dont le bâtiment principal est presque entièrement entouré par le jardin des Bastions. Ainsi, à Genève comme à Paris, les étudiants de l'université sont dans une atmosphère où la vie d'aujourd'hui est toute mêlée à un glorieux passé.

A · *Traduire en français*

There is very little difference between the countryside near Geneva and the picturesque suburbs of New England cities

---

6. A large public park in which the main building of the University is located, adjoining the (now restored) walls of the Old City

7. The principal monument of the Genevan Reformation, comprising bas-reliefs of historical scenes and dominated by the heroic sculptured figures of Calvin, Knox, Farel, and Bèze

Monument de la Réformation

and towns. There is little here to remind us, however, of the sprawling industrial areas around many large American cities. The farms in the Canton of Geneva are well kept; the roads are in good condition. The relatively modern farm equipment, the fine-looking stock, and the extremely neat buildings give ample evidence of[8] the prosperity of the Swiss farmers. In the immediate vicinity of the city we pass in front of numerous private estates, largely hidden behind high hedges and walls, whose gardens and grounds seem to have been planned for the owners' exclusive enjoyment.

Near the northern entrance to[9] Geneva, overlooking the Lake with its background of mountains to the south, are located the imposing buildings of the League of Nations. Finished just before the Second World War, these buildings, equipped with the most modern devices for the translation of speeches from one language to another, make[10] an admirable headquarters for the European division of the UN. In going through these magnificent conference rooms, we recall the momentous deliberations held here when Geneva was the headquarters of the League of Nations.

One of our favorite amusements was to go sailing or rowing on the lake. On a mild autumn evening we left the pier in a rowboat, made our way among the small craft decked with Japanese lanterns, and sang old songs, such as *A la claire fontaine*, which we had learned in class years ago. Once in the center of the harbor we looked back at the silhouette of the city, dominated by the immense mass of Saint Pierre.

The Cathedral was lighted up, and we could distinguish clearly the long nave and the slender spire which rises between the great square towers. Little by little the great building disappeared into the darkness and only the lights remained

---

8. *give ample evidence of* témoignent assez de
9. *the northern entrance to* l'entrée nord de
10. *make* constituent

high above[11] the city. A large part of the unique character of Geneva is due to[12] the towering outline of Saint-Pierre, which stands at least three hundred feet above the surface of the lake.

B · Traduire en français

[*Conversation at the Group Office*]

RICHARD. Paul, shall we ask Helen and Jean to go sailing after dinner?

PAUL. Why not, Dick? Provided they can get permission. Tell them to ask the Directress right after the meeting.

RICHARD. All right![13] If we don't go this week, it will be too cold to go before spring. [*He calls Helen*] Do you and Jean want to go sailing after dinner?

HELEN. Don't ask me questions when my mouth's full[14] of

---

11. *only the lights remained high above* seules les lumières restaient bien au-dessus de
12. *is due to* est due à
13. *All right* Très bien
14. *when my mouth's full* quand j'ai la bouche pleine

Cathédrale de Saint-Pierre

pastry. I can't get enough of these strawberry tarts. I wish they served them at the house . . . . What did you say a minute ago?

RICHARD. I said, will you and Jean go boating after dinner with Paul and me?

HELEN. What about the test tomorrow?[15]

RICHARD. Forget the test.[16] You'll have all morning to review.

HELEN. No, I have a class at eight . . . Oh, well, wait till I ask Jean. . . .

HELEN. OK, Dick. Come to our place about seven-thirty.

[*Later: Richard and Paul, with Helen and Jean, leave the girls' residence.*]

PAUL. Is your dinner conversation always like that?

JEAN. Of course. Monsieur Martin has been giving us a sort of general education ever since we arrived.

HELEN. And Renée is pretty well informed for a kid of her age.[17] She studies all the time.

JEAN. That's because she will take her *maturité* in June.

PAUL. What is the *maturité* exactly? Is it the same thing as our high-school diploma[18]?

HELEN. No, it's like the *bachot* in France, equivalent to the end of the sophomore year of our system.

PAUL. You mean that[19] that kid would be a junior next year in the States? I doubt if she's more than sixteen.

HELEN. She will be seventeen next month. Over here, you know, they work much more; no sororities, no sports, hardly any dates.[20]

---

15. *What about the test tomorrow?* Et l'examen demain?

16. *Forget the test.* Ne pense plus à l'examen.

17. *pretty well informed for a kid of her age* très bien renseignée pour une gamine de son âge

18. *as our high-school diploma* que notre diplôme de « high school »

19. *You mean that* Tu veux dire que

20. *hardly any dates* guère d'occasions de sortir

[*They reach the dock, get into the sailboat, and move slowly away.*]

PAUL. I can't get any speed,[21] Dick.

RICHARD. Oh, let her run a bit.[22] We never get any speed until we're outside the breakwater . . . Now she's moving faster.

JEAN. Listen, what's that they're singing over there[23] in the boat with the lanterns?

HELEN. Oh, I remember that. We sang it last year in the French Club. It's *Madame la Marquise.* Don't you remember it?

JEAN. Yes, I remember it now. But I never can think of the words.[24]

PAUL. Say,[25] look back, everybody. I didn't know that the city was going to be lighted up tonight. It must be some local holiday.

RICHARD. Yes, Renée mentioned it at dinner tonight. Look, there are some more boats with lanterns.

HELEN. I'm trying to make out the landmarks of the town. I never noticed how[26] Saint-Pierre towers over everything. What lines!

JEAN. Yes, everything seems to balance: the lines of lights along the quays, the signs of the stores and watch factories, the spotlights, the geometrical outlines of the lights of Saint-Pierre. If I went on,[27] I might even relate that touching scene from *Little Women.*

C · *Employer chacune des expressions suivantes dans une phrase originale*

témoigner de to give evidence of
avoir plaisir à to take pleasure in

---

21. *get any speed* prendre de la vitesse
22. *let her run a bit* donne-lui le temps de se lancer
23. *what's that they're singing over there* qu'est-ce qu'on chante là-bas
24. *I never can think of the words* je ne puis jamais me rappeler les paroles
25. *Say* Dites donc
26. *I never noticed how* Je n'ai jamais remarqué à quel point
27. *If I went on* Si je continuais

se devoir de to owe (it) to oneself to
être tout indiqué to be well adapted
faire une partie de canot to go boating
par une belle soirée on a fine evening
songer à to think about
se détacher sur to stand out against (a background)
se souvenir de to remember
à une centaine de mètres de about one hundred meters away from

D · *Répondre en français aux questions suivantes*

1. Quels sont les signes de l'existence relativement facile du fermier suisse?
2. Que pensez-vous de l'habitude européenne d'entourer jardins et propriétés de murs élevés?
3. Croyez-vous que des constructions modernes puissent gâter un paysage naturel? Dans quels cas?
4. Pensez-vous qu'on aurait dû fixer le centre de l'O.N.-U. à Genève au lieu de New-York? Justifiez votre réponse.
5. Quel agrément peut-on trouver à faire des promenades en bateau la nuit?
6. Qu'est-ce qui caractérise la silhouette de Genève?
7. Approuvez-vous l'habitude actuelle d'illuminer les monuments historiques? Pourquoi?
8. Pourquoi la ville de Genève a-t-elle dédié un monument aux Réformateurs?
9. Est-ce que les étudiants américains se réunissent dans les jardins publics comme les étudiants suisses le font à Genève? Justifiez votre réponse.

13

Excursion sur le lac de Genève

Le lac de Genève, familier à des générations d'écolières américaines à cause de la scène d'amour victorienne des *Quatre filles du Dr March,*[1] est le plus grand lac de l'Europe occidentale et l'un des plus pittoresques du globe. S'allongeant vers l'est, à une centaine de kilomètres de Genève, jusqu'au pied même des Alpes du Valais,[2] cette mer intérieure est le théâtre d'une intense activité humaine depuis les temps préhistoriques. Deux des centres importants de la Suisse romande, Lausanne et Montreux, aussi bien que Vevey et le célèbre château de Chillon, se trouvent sur la rive septentrionale, face aux villes d'eau bien connues d'Évian et de Thonon sur la rive française.

Il faut compter douze heures pour faire le voyage que nous projetons sur le confortable bateau *Savoie.* Les journalistes américains disent volontiers que ces bateaux à roues du lac de Genève sont vieillots,[3] mais cela ne les empêche pas d'avoir une marche très douce. Comme les trolley-bus, le matériel agricole, et les autos, ces bateaux sont si bien entretenus par

---

1. *Quatre . . . March.* Title of French translation (by P. Stahl) of Louisa Alcott's *Little Women*

2. *Alpes du Valais.* The Valaisian Alps, which rise to the southeast of Lake Geneva

3. *vieillots* old-fashioned. Obsolescent diminutive of *vieux*

Bateau à roues sur le lac de Genève

les Suisses qu'ils durent beaucoup plus longtemps que les bateaux américains du même genre.

Le *Savoie*[4] quitte le ponton où il était amarré et bientôt nous passons devant les propriétés établies à la lisière de la ville. Le bateau poursuit rapidement sa route et à notre droite, à quatre-vingts[5] kilomètres au sud-est, nous pouvons voir très distinctement une partie de la chaîne des Alpes occidentales. Elle est dominée par le mont Blanc[6] dont le sommet s'élève à près de cinq mille mètres au-dessus du niveau de la mer. Tout le long des rives nous apercevons des centaines de paisi-

---

4. *Savoie*, the name of the province for which the boat is named, is feminine; but names of boats are usually masculine; cf. Lesson 1, note 1.

5. *quatre-vingts*. Takes *s* when immediately followed by noun or adjective or when used as a noun of number.

6. The height of Mont Blanc is 4810 meters, or 15,781 feet.

bles chalets[7]; de temps en temps nous pouvons les voir d'assez près quand nous faisons escale à plusieurs petites villes sur la rive suisse. A Coppet, nous jetons un coup d'œil au château du fameux écrivain, Mme de Staël,[8] qui avait été exilée de France à cause de son hostilité au régime de Napoléon. Plus loin, les remparts massifs du château de Nyon surplombent la petite ville au bord de l'eau.

Comme nous arrivons à la hauteur de[9] Lausanne, des milliers de somptueux immeubles s'étageant sur une colline abrupte s'offrent à nos regards. Nous ne pouvons nous empêcher d'admirer l'ordre et l'harmonie des villes suisses, qui donnent au voyageur une impression de stabilité et de sécurité. Cette capitale du canton de Vaud,[10] aussi bien que la station de vacances[11] de Montreux, et que Vevey, siège social européen[12] d'une fabrique de lait condensé et de chocolat fondant,[13] constituent un des groupements urbains[14] les plus attrayants de l'Europe. Ce ne sont que[15] beaux hôtels modernes, élégantes villas, parcs bien entretenus, stades et terrains de jeux.

Nous débarquons près de Montreux pour prendre le funiculaire[16] de Caux, station de vacances située à quelques centaines de mètres au-dessus du lac. De cette position avantageuse nous embrassons un merveilleux panorama qui s'étend sur plus de quatre-vingts kilomètres, du mont Blanc, qui se

---

7. A steep-roofed wooden cottage, common in Alpine regions

8. French prose writer (1766–1817), noted for having called attention in France to the literature and civilization of Germany and Italy. *Écrivain* remains masculine, despite the fact that it refers to a woman writer.

9. *à . . . de* even with, opposite

10. One of the twenty-two cantons of Switzerland

11. *station . . . vacances* vacation resort

12. *siège . . . européen* European head office

13. *chocolat fondant.* A type of Swiss chocolate

14. *groupements urbains* urban districts

15. *Ce . . . que* Everywhere there are

16. Cable railway

dresse à l'extrême sud-ouest, jusqu'aux Dents du Midi,[17] qui se hérissent à l'est.

A quelques kilomètres de Caux nous trouvons le légendaire château de Chillon.[18] Depuis le onzième siècle il y a là un bastion fortifié, juché sur la montagne qui se dresse à pic au-dessus du lac. Le château-fort actuel, bien que vieux de six à sept cents ans, est remarquablement bien conservé. Dans les souterrains on peut voir les cellules, le gibet et le cachot où le héros de Byron languit si longtemps. A l'étage principal et à l'étage au-dessus, on visite les appartements d'apparat, la grand'salle, les chambres de torture, les appartements privés et la chapelle. Les tours crénelées prévenaient toute attaque d'où qu'elle vînt[19]; avant l'ère de l'artillerie, les défenses de Chillon étaient imprenables.

---

17. Rugged peaks due east of Lake Geneva, so called because they lie in the southern part of the central Alpine massif

18. Locale of Byron's poem *The Prisoner of Chillon*

19. *d'où . . . vînt* from whatever quarter it might come

Le légendaire château de Chillon

Notre retour à Genève, à la brune, accompagné par l'orchestre qui joue en sourdine, est en vérité très reposant. Le rivage est dessiné par des milliers de lumières scintillantes, qui donnent l'impression qu'une fête de nuit[20] perpétuelle se déroule sur les bords du lac.

A · Traduire en français

Lake Geneva, known to generations of American schoolgirls because of the sentimental scene in *Little Women*, is the largest lake in Western Europe and one of the most picturesque in the world. Its eastern limit, at the point where the Rhone flows into it, is one hundred kilometers distant from Geneva.[21] This lake has been the scene of intense activity from prehistoric times. Today Lausanne and Montreux, two leading cities of French-speaking Switzerland, as well as the famous spa of Évian, in France, are located on its shores.

The round trip that we were going to make on the comfortable steamer *Savoie* would take us nearly one hundred and fifty miles for less than four dollars in first class. American reporters are accustomed to call the side-wheelers of Lake Geneva a little old-fashioned, but these boats are really very efficient[22] and smooth-running. Like the trolleys, automobiles, and farm equipment, they are so well maintained by the Swiss that they outlast American craft of the same type.

Leaving the[23] long rows of modern buildings along the quays of Geneva, we passed in front of a number of magnificent estates on the outskirts of the city, as well as hundreds of small chalets still farther from the center. On our right, eighty kilo-

---

20. *fête de nuit* outdoor evening festival

21. *one hundred kilometers distant from Geneva* à cent kilomètres de Genève

22. *these boats are really very efficient* le fonctionnement de ces bateaux est excellent

23. *Leaving the* Nous éloignant des

meters to the southeast, we now could see the Alps of Savoy, dominated by the lofty summit of Mont Blanc, over fifteen thousand feet above sea level. As the *Savoie* made brief stops, we were able to catch glimpses of a dozen small towns. At Coppet we noticed in the distance Madame de Staël's historic castle and at Nyon we viewed the grim battlements which rise hundreds of feet above the town.

Soon we came to the great city of Lausanne, built on a steep hillside. It would be hard to find a more prosperous and attractive urban center in Europe than the one which includes Lausanne and the neighboring towns of Vevey and Montreux. All along the lake we noticed modern hotels, magnificent private villas, well-kept parks and playgrounds.

A few kilometers east of[24] Montreux we got off the boat at the fabulous castle of Chillon. The present structure is remarkably well preserved, despite its six hundred years. In the cellars we found the prisons and gallows, and the dungeon

---

24. *east of* à l'est de

Une barque de pêche

Schweizerische Zentrale, Photo Ch. Kern

where Byron's hero languished for so long. On the upper floors we visited the principal halls, the torture chambers, the private apartments and the chapel.

Our return to Geneva at dusk, accompanied by the muted strains of an orchestra which had come aboard, was very relaxing. Thousands of lights twinkled on both shores of the lake.

B · Traduire en français

[*Conversation on board the steamer* Savoie]

JEAN. I've heard about[25] this lake trip all my life. Do we leave soon?

HELEN. In ten minutes; at least six members of the Group aren't here yet.

JEAN. Don't worry; they'll be here.[26] And if they don't come in time, they can take the train to Lausanne and join us there.

HELEN. [*A few minutes later*] That must be the warning whistle.[27] Everyone's here now. Lucky we have[28] first-class tickets.

JEAN. Yes, I guess we can go all over the boat.[29] I wonder how much the round trip costs in first class.

HELEN. I don't know. I heard that[30] it was thirteen francs.

JEAN. That's a little over three dollars. Not bad for a twelve-hour ride.[31]

HELEN. Let's join the gang. They've taken those seats at the stern.

---

25. *I've heard about* J'ai entendu parler de
26. *Don't worry; they'll be here.* Ne t'en fais pas, ils y seront.
27. *the warning whistle* le signal du départ
28. *Lucky we have* Quelle chance pour nous d'avoir
29. *go all over the boat* parcourir tout le bateau
30. *I heard that* J'ai entendu dire que
31. *Not bad for a twelve-hour ride.* Ce n'est pas mal pour un voyage de douze heures.

JEAN. Why are we crossing the harbor? I thought that we went directly toward the lake.

DIRECTRESS. The boats make two stops in Geneva, after leaving the dock. Then we don't stop until we arrive at Coppet.

PAUL. Well, let's hope that no more people get on.[32] There is hardly enough room to walk.

DIRECTRESS. It's always like that on Saturdays,[33] when the weather is fine. The Swiss are just as anxious as we are to take advantage of[34] the week-ends in the early fall.

RICHARD. Where's the Director? He said that he was coming with us.

DIRECTRESS. Oh, he had some letters to dictate. He said that he would go to Montreux and meet us there.

PAUL. They told me that you can do it with the same ticket.

DIRECTRESS. Yes, you can buy a ticket all the way to the eastern end[35] of the lake, one way[36] by rail, second class, and return[36] by boat, first class. Of course, we have bought a group ticket.

HELEN. Is it much cheaper that way?

DIRECTRESS. Yes, the price is very reasonable. Later, when we go to Davos and Zurich, we intend to get one of the special group tickets for students.

[*Some time later, as the* Savoie *docks at Nyon*]

RICHARD. That's some castle![37] Why can't we get off to see it?

PAUL. Two hours before the next boat. We're going to see a real castle at Chillon. Did you see Mme. de Staël's castle at Coppet?

RICHARD. Not very well. There are too many buildings

---

32. *that no more people get on* qu'il ne montera plus personne
33. *on Saturdays* le samedi
34. *to take advantage of* profiter de
35. *all the way to the eastern end* pour tout le parcours jusqu'à l'extrémité est
36. *one way, return* aller, retour
37. *That's some castle!* Ça, c'est un château!

Photo Gemmerli

Yverdon et sa place centrale

and trees in the way. Why don't we bicycle out there[38] Thursday afternoon, since we have no classes?

HELEN. [*As the* Savoie *is approaching Chillon*] Didn't you want to get off at Lausanne? I'm afraid that we'll never have time to see all these towns. We could at least have visited the Nestlé factory at Vevey. And Montreux and Caux.

JEAN. I know what you mean. I want to see all these towns too. But the director got on at Montreux and he said we'd have to stay together during this trip. Anyway, we're going to get off and visit Chillon now.

HELEN. It can't be too soon[39] for me. I never should have

---

38. *Why don't we bicycle out there* Pourquoi ne pas y aller à bicyclette
39. *It can't be too soon* Ce n'est pas trop tôt

believed, when I read Byron in school, that I would ever set eyes on[40] the castle of Chillon.

JEAN. You read Byron in school? I didn't know he existed before I took the sophomore lit course at college. Well, here we are. It's going to take some time to[41] visit so large a castle. Do you think they sell post cards?

HELEN. Who cares?[42] I'm for seeing as much as I can[43]. . . And look at those snow-covered peaks. They are the Dents du Midi.

C · Employer chacune des expressions suivantes dans une phrase originale

s'allonger vers to extend toward
ville d'eau watering place, spa
bateau à roues side-wheeler
à la lisière de on the edge of, on the outskirts of
tout le long de all along
faire escale à to call at (of a ship)
jeter un coup d'œil à to glance at
à la hauteur de even with, opposite
s'étager sur to rise in tiers upon
s'empêcher de to keep from
station (f.) *de vacances* vacation resort
ce ne sont que... nothing but . . .
se hérisser to bristle
à pic perpendicularly
d'où que from wherever
à la brune at dusk
en sourdine faintly, muted

---

40. *that I would ever set eyes on* que je verrais jamais de mes yeux
41. *It's going to take some time to* Il faudra du temps pour
42. *Who cares?* Je m'en moque.
43. *I'm for seeing as much as I can* Je tiens à voir le plus possible

D · Répondre en français aux questions suivantes

1. Quelles sont les principales villes situées sur les bords du lac de Genève?

2. Comment expliquez-vous que les bateaux du lac Léman soient restés en service si longtemps?

3. Quelle est la réputation des Suisses à l'étranger en ce qui concerne la fabrication des mécanismes de précision?

4. Quelles sont les principales curiosités de Coppet et de Nyon?

5. Quelle impression générale donnent les environs de Lausanne?

6. Pourquoi les membres du groupe sont-ils montés jusqu'à Caux?

7. Quel est l'intérêt principal du poème qui a rendu célèbre dans la littérature anglaise le château de Chillon?

8. Quels sont, d'après le château de Chillon, les traits essentiels d'un château-fort du moyen-âge?

9. Pourquoi avait-on l'impression qu'une fête de nuit se déroulait sur les bords du lac?

14

L'Université de Genève

Il va sans dire que le but principal de notre séjour d'un an à l'étranger est de suivre les cours de l'université de Genève. Cette université est différente, à plusieurs égards, de Northwestern ou de Sweet Briar. Créée soixante-dix-sept ans avant Harvard, elle attire depuis quatre siècles des étudiants venus de tous les pays du globe. La première chose qui frappe l'observateur américain est l'absence d'un *campus*[1] à l'université de Genève. Nous autres Américains, qui sommes habitués à un établissement très étendu comprenant de nombreux bâtiments négligemment dispersés sur plusieurs hectares[2] de gazon, sommes plutôt surpris de constater qu'à Genève, l'université proprement dite, située dans un parc, ne comprend qu'un seul bâtiment. Dans le corps principal de cet édifice on trouve les salles de conférence et les bureaux de l'administration; la bibliothèque et le musée universitaires forment les ailes du même bâtiment. Seules, les facultés de médecine et de chimie se trouvent dans d'autres quartiers de la ville.

Quand on pénètre dans le dédale intérieur des couloirs, on trouve des différences plus frappantes. Il semble que chaque étudiant se distingue de son voisin par son âge, sa nationalité et sa langue maternelle. Aussi, un des passe-temps les plus

---

1. Since continental universities have no campus, in the American sense of the word, the English term must be used.

2. One *hectare* is equivalent to about two and one-half acres.

L'Université de Genève

amusants des nouveaux venus américains est-il[3] d'errer dans les vestibules et de compter le nombre des langues étrangères qui s'y confondent. Les éclats chauds et vibrants de l'italien et de l'espagnol, les gutturales de l'allemand, le charme des langues slaves et le mystère de l'arabe contribuent à donner à Genève et à son université cette atmosphère internationale qui les caractérise. Est-il besoin[4] de dire que le français est, en même temps que[5] la langue officiellement employée à l'université, la plus populaire?

Quittons maintenant les couloirs bruyants et enfumés pour pénétrer dans les salles de conférences. Nous trouvons environ quarante étudiants dans la plupart des classes. Le professeur fait uniquement son cours,[6] c'est-à-dire qu'il parle durant

---

3. *Aussi . . . est-il.* Cf. Lesson 5, French text, note 2.
4. *Est-il besoin* Is there any need. Impersonal construction
5. *en . . . que* as well as
6. *Le professeur . . . cours* The professor does nothing but lecture

quarante-cinq minutes pendant que les auditeurs prennent des notes. A Genève il n'y a habituellement aucune discussion entre le professeur et les étudiants; en général on n'exige de ceux-ci aucune récitation de leçons. Le principal avantage de ce système est que l'élève, qui est assez indépendant, dispose de beaucoup de temps pour travailler seul et pour faire des recherches dans les domaines qui l'intéressent. Encore faut-il rappeler que si on ne lui demande pas de réciter une leçon cela ne signifie nullement qu'il n'a pas de travail à faire: dans ce pays on fait beaucoup plus appel à la responsabilité individuelle qu'en Amérique.

Notre groupe bénéficie d'un heureux compromis entre le système américain et le système européen. En plus des cours réguliers, nous suivons des cours particuliers organisés par notre directeur. Par exemple, le cours ordinaire sur la littérature française du dix-septième siècle est complété[7] pour nous par un cours spécial où nous avons l'occasion de prendre contact avec le professeur et de lui poser des questions. Ces cours comportent ordinairement des devoirs à faire à la maison.

Enfin, interrogations écrites[8] et conférences nous occupent autant que la préparation des examens de fin d'année[9] qui durent chacun de deux à trois heures. Les notes données selon l'échelle utilisée à Genève, c'est-à-dire de zéro à six, sont converties par notre directeur en *grades* et envoyées à nos universités aux États-Unis.

Notre emploi du temps[10] comprend en partie l'étude de la langue et de la littérature françaises et en partie notre propre spécialité. Nous avons un minimum de trois heures de français par semaine: un cours de langue où l'on fait de la grammaire, de la phonétique, de la diction et de la composition française.

---

7. *complété* supplemented
8. *interrogations écrites* quizzes
9. *examens . . . année* final examinations
10. *emploi du temps* course program

En plus de cette classe obligatoire chaque étudiant est libre de suivre les cours qui l'intéressent. Ceux qui se spécialisent en français sont inscrits à la faculté des Lettres, où ils étudient la littérature et la civilisation françaises; les spécialistes de sciences politiques et économiques fréquentent l'Institut universitaire des hautes études internationales.[11] Ainsi cette année passée en pays de langue française nous permet de bien apprendre le français sans interrompre nos études principales.

A l'université de Genève, les étudiants n'ont pas tendance à se grouper, comme en Amérique. Bien qu'il y ait une association des Étudiants, elle est beaucoup moins active que celles qui existent aux États-Unis. On peut expliquer cette différence par le fait que[12] les étudiants ne sont pas réunis mais qu'ils résident dans des pensions ou chez des particuliers. L'université est seulement un lieu d'études, jamais un foyer[13] comme elle l'est pour beaucoup d'entre nous. On trouve cependant des sociétés d'étudiants qui rappellent singulièrement nos *fraternities*. On en reconnaît facilement les membres à leur casquette[14] colorée; souvent ils organisent des bals qui sont très appréciés de tout le monde.

Pour terminer il faudrait insister sur le fait que l'atmosphère amicale qui règne dans les milieux[15] universitaires américains ne fait pas défaut ici. Gaieté, cordialité et amitié sont les mêmes dans les deux pays. Nulle université de Suisse ne pourrait nous offrir une ambiance plus intellectuelle et plus favorable à l'étude que celle de Genève, nulle ne pourrait nous faire aussi bien oublier l'éloignement de notre pays.

---

11. *Institut . . . internationales.* Graduate Institute of International Studies, founded in 1927

12. *par le fait que* because of the fact that

13. *un foyer* living quarters

14. English translates this by a plural, but in French the singular is preferred; each student, French reasons, has but one cap.

15. *milieux* circles

A · *Traduire en français*

Our study[16] at the University was by far the most important part of our year's work in Geneva. Founded nearly a century before Harvard, the University of Geneva has more than 2500 students, of whom 800 come from a score of foreign countries. The "campus" at Geneva is a large public park, not far from the center of the city. Here we find the university proper—the main building, where the classrooms and administrative offices are located, and its large wings, which house the library and the museum.

On entering the main building, the first day of classes, we noted that the students on the whole were not so homogeneous as in American universities. The Swiss students themselves, who come from three different language areas, German and Italian as well as French, resemble each other very little in[17] dress and general appearance. We soon became used to the staccato sounds of Italian and the guttural tones of German. We were somewhat relieved to[18] know that French was the common language of all these students—in fact, it was our sole means of communicating with most of them.

Instruction is similar to that in American universities except that the forty-five minute period is usually entirely taken up by the professor. There is normally very little recitation and students are not required to attend classes. There are no monthly tests or other checks on students' progress. Indeed, there is very little pressure on the student[19] to do his work regularly; he alone is responsible for the progress of his work and for preparation for[20] examinations.

---

16. *Our study* Nos études
17. *in* en ce qui concerne
18. *to* de
19. *there is very little pressure on the student* on n'insiste guère pour que l'étudiant
20. *for* des

The Foreign Study Program calls for[21] a sort of compromise which combines the advantages of European and American methods. The principal professors give an extra hour exclusively for members of the Group, for explanation and recitation. In this way we were able to prepare for our own special examinations, so that we would receive credit at our own universities for[22] our work abroad. Our programs combined advanced courses in language[23] and phonetics with the study of literature, history, political science, and international relations.

Despite these differences of method, the course offerings[24] at Geneva were unusually interesting. Nowhere could we find greater opportunity for intellectual work or a more pleasant academic atmosphere.

B · *Traduire en français*

[*Conversation at a tea offered the Group by a professor of the University*]

DIRECTOR. Professor,[25] we appreciate your having invited us here. Our students think your property is magnificent and the pastry—well, let them tell you about it.[26]

HELEN. Professor, these tarts are wonderful. What do you call them? You must have known that we should like them.

PROFESSOR. They are special fruit tarts[27] that we serve every year on this day. It's the *Jeûne genevois*,[28] you know, one of

---

21. *The Foreign Study Program calls for* Le programme d'études à l'étranger demande

22. *so that we could receive credit . . . for* de sorte qu'on tienne compte . . . de

23. *advanced courses in language* cours avancés de langue

24. *course offerings* choix de cours

25. *Professor* Monsieur le professeur

26. *let them tell you about it* qu'ils vous en parlent

27. *fruit tarts* tartes aux fruits

28. *Jeûne genevois.* Genevan holiday which falls on the second Sunday in September, and which commemorates measures taken in defense of the city following arrival of news of the St. Bartholomew's Day massacre in 1572

our special Genevan holidays. My daughter, who knows Americans very well, thought that you would like them.

PAUL. She was right, sir. . . . I wonder if I could ask you a question about that mountain, there, straight ahead between the trees.

PROFESSOR. Of course.[29] Students have been asking me questions for years. You know that hundreds of your compatriots have studied at Geneva.

PAUL. Well, we feel very much at home[30] already. I wanted to ask you about mountain climbing. Do you think we could practice on that slope over there?

PROFESSOR. Why,[31] of course. That's the famous *Salève*. It's just across the border in France.

PAUL. I think that slope will be ideal for practice. . . That overhanging cliff looks pretty tough to me.[32]

PROFESSOR. That's the *Varappe*. It has given us the word "varapper," which means to scale an overhanging cliff. But excuse me for[33] conducting a class on Sunday afternoon.

[*Later, in the trolley on the way back to Geneva*]

HELEN. Jean, do you really know what we are supposed to study in the fall?

JEAN. Well, we can't take the regular courses[34] given for the Swiss students; very few of us[35] have had the necessary preparation, and the exams are not the same as the ones we are used to.

HELEN. That's what really has me worried.[36] How can we

---

29. *Of course* Bien entendu
30. *we feel very much at home* nous nous sentons tout à fait chez nous
31. *Why* Mais
32. *looks pretty tough to me* m'a l'air assez difficile
33. *for* de
34. *regular courses* cours de faculté
35. *very few of us* très peu d'entre nous
36. *That's what really has me worried* Voilà ce qui me tourmente pour de vrai; C'est bien ça qui m'inquiète

compete with the Swiss students in a course in[37] modern literature, for example?

JEAN. Dick told me that the Director is arranging special courses for us. In the meantime, I'm going to find out as much as I can about the system here[38] and try to meet some more[39] Swiss students.

HELEN. There are students from eight different countries in my class in diction. Three German-Swiss girls and a boy from Egypt arrived yesterday. That makes ten different languages.

JEAN. The German-Swiss in my section have a marked accent; our instructor told me after class that he finds their accent harder to correct than ours.

HELEN. Let's invite him to tea next week. Maybe you could find out something about next term.

JEAN. Don't worry about next term. We'll have several group meetings and our individual interviews with the Director before that time. And don't forget the eight-day trip to the Tessin![40]

HELEN. I can hardly wait.[41] I live for vacations. What are you taking in the line of clothes?[42]

JEAN. Let's discuss that later. Here's our stop.

C · Employer chacune des expressions suivantes dans une phrase originale

il va sans dire it goes without saying, it may be taken for granted
à plusieurs égards in several respects
proprement dit(e) so called
est-il besoin de is there any need to

---

37. *in* de
38. *here* d'ici
39. *to meet some more* de faire la connaissance d'autres
40. le Tessin. The Ticino, Italian-speaking canton in southern Switzerland
41. *I can hardly wait* C'est à peine si je peux attendre
42. *in the line of clothes* en matière de vêtements

disposer de to have available
faire appel à to call upon, appeal to
en plus de in addition to
suivre un cours to take a course
poser des questions to ask questions
autant que as much as
se spécialiser en français to major in French
avoir une tendance à to be inclined to
reconnaître à to recognize by
faire défaut to be lacking

D · Répondre en français aux questions suivantes

1. Pourquoi l'université de Genève attire-t-elle tant d'étudiants étrangers?
2. Quels sont les avantages du *campus* des universités américaines?
3. Pensez-vous que les étudiants des universités américaines forment une masse homogène? Pourquoi?
4. Qu'est-ce qui donne à l'université de Genève un caractère international?
5. Pensez-vous qu'il soit nécessaire d'exiger une récitation de leçon des étudiants d'université? Justifiez votre réponse.
6. Que pensez-vous des rapports entre professeurs et étudiants à l'université de Genève?
7. Comment a-t-on mis l'enseignement universitaire à la portée des membres du groupe?
8. Est-il préférable de grouper les étudiants dans de grandes maisons ou de les séparer comme à Genève? Pourquoi?
9. Approuvez-vous l'importance actuelle des *fraternities* dans les universités américaines?

15

L'Université de Genève (suite)

Comme je l'ai dit, un minimum de trois heures de français est exigé de chaque membre du groupe. Pour ce cours spécial, organisé par notre directeur, on nous a répartis en plusieurs sections selon nos connaissances en français. On consacre une heure au moins à l'étude de la grammaire et une autre à un cours de composition française où[1] nous devons employer les sempiternels verbes irréguliers ou le subjonctif. Nous avons aussi à préparer un thème français par semaine.

Pour la pratique de la langue parlée, nous suivons un cours de phonétique donné par un professeur diplômé de l'Institut de phonétique[2] de l'université de Paris. Une heure par semaine est réservée à la phonétique théorique et une deuxième heure à des exercices pratiques. Le professeur aide chaque étudiant à vaincre les difficultés que présente pour lui la prononciation de certains sons. A ceux qui désirent faire des études de langue plus poussées, le Séminaire de français moderne[3] offre des cours portant sur la diction, les gallicismes,[4]

---

1. *où = dans lequel.*
2. *Institut de phonétique.* A subdivision of the Faculty of Letters
3. *Séminaire . . . moderne.* Swiss term for a special program of language courses intended for advanced foreign students
4. *gallicismes* peculiarly French expressions

l'analyse des textes[5] et le style. A l'École des interprètes on peut étudier n'importe quelle langue, le chinois ou le grec moderne, l'espagnol ou l'arabe.

La plupart d'entre nous[6] suivent certains cours de la faculté des Lettres, où l'un des professeurs les plus réputés est M. Marcel Raymond. Pendant le premier semestre M. Raymond fait un cours sur la poésie française de la Renaissance et un autre sur les œuvres de Marcel Proust.[7] Le premier cours est complété par une heure consacrée à une étude détaillée des formes et des théories poétiques de la Pléiade.[8] Pendant le deuxième semestre M. Raymond parlera des tendances philosophiques et littéraires du dix-septième siècle. Nous suivons aussi un cours sur le théâtre classique français.[9]

L'Institut universitaire des hautes études internationales, qui attire de nombreux étudiants, spécialistes des sciences politiques et économiques, se trouve de l'autre côté de la ville, assez près des bâtiments de l'O. N. U.[10] C'est là que quelques-uns des nôtres vont travailler sous la direction de professeurs éminents. Le français et l'anglais sont les deux langues officielles de l'Institut, où l'on retrouve cette atmosphère cosmopolite si caractéristique de Genève.

Chaque étudiant du groupe a en moyenne quatorze heures de classe par semaine. Les cours ont lieu tous les jours, y compris le samedi matin,[11] mais tout le monde a au moins

---

5. *analyse . . . textes.* Detailed linguistic and literary textual study

6. *La . . . nous* Most of us. Construction requiring third person plural of the following verb

7. *Proust* (*Marcel*) (1871–1922). Ranking French novelist of the contemporary period, author of *A la Recherche du temps perdu*

8. *la Pléiade.* Group of seven sixteenth-century French writers, of whom the most noted were the poets Ronsard and du Bellay

9. *théâtre . . . français.* The tragedies of Corneille (1606–1684) and Racine (1639–1699), the comedies of Molière (1622–1673)

10. *l'O. N. U. l'Organisation des Nations-Unies*

11. *y . . . matin* Saturday mornings included

The National Gallery of Scotland, © Annan, Glasgow

Jean-Jacques Rousseau

une après-midi ou une matinée de liberté. Entre les classes nous allons souvent travailler à la bibliothèque universitaire, et parfois, je l'avoue, nous allons prendre une tasse de café au restaurant situé en face de l'université. Notre vie quotidienne est la même qu'en Amérique, mais, comme nous vivons dans des familles, nous jouissons d'une assez grande indépendance.

Genève en particulier et la Suisse en général nous offrent des occasions innombrables d'élargir notre culture. Plaque tournante de l'Europe, la Suisse est bien placée pour recevoir ce que ce continent peut offrir de mieux. Par exemple, nous avons eu la chance de voir des toiles prêtées par le musée de Vienne, où figuraient des œuvres de Rembrandt,[12] de Velasquez[13] et du Titien. A Lausanne il y a eu une belle exposition de la peinture vénitienne et à Genève même nous avons pu admirer les chefs-d'œuvre de Van Gogh.[14]

Les amateurs de spectacles de danse ont vu les Ballets de Monte-Carlo et ceux des Champs-Élysées; ceux qui préfèrent l'opéra ont pu entendre chanter les meilleures troupes françaises, italiennes et suisses. Pour ce qui est du théâtre, qu'il suffise de[15] citer la troupe du regretté Louis Jouvet,[16] qui a joué *L'Annonce faite à Marie*,[17] de Claudel, et celle de Madeleine Renaud[18] et de Jean-Louis Barrault,[19] qui a présenté *Les Fausses Confidences*,[20] de Marivaux. Nous avons aussi pris des abonnements aux matinées de la Comédie de Genève, où nous avons vu, entre autres, de nombreuses œuvres de l'époque classique[21] française.

---

12. *Rembrandt* (1616–1669). Celebrated Dutch painter

13. *Velasquez* (1599–1660). Spain's foremost painter

14. *Van Gogh* (*Vincent*) (1853–1890). Dutch-born member of the French post-impressionist school of painters

15. *qu'il . . . de* let it suffice to

16. *Jouvet* (*Louis*) (1887–1951). Distinguished French stage and motion-picture actor.

17. *L'Annonce faite à Marie*. Religious drama by Paul Claudel (1868–1955)

18. *Renaud* (*Madeleine*). French actress, wife of Jean-Louis Barrault, co-director with him of the troupe referred to

19. *Barrault* (*Jean-Louis*) (1911–). One of France's greatest actors

20. *Les Fausses Confidences*. Comedy by Marivaux (1688–1763)

21. *l'époque classique*. The period in French letters embracing the second two thirds of the seventeenth century. Reference here is specifically to the works of the three playwrights mentioned in note 9, on page 144.

N'oublions pas l'Orchestre de la Suisse romande. Nous avons assisté à des concerts auxquels ont participé des artistes de renommée mondiale. Enfin, à l'occasion des Rencontres internationales,[22] nous avons entendu parler quelques grands écrivains et critiques contemporains. Nous avons la conviction absolue que toutes ces manifestations culturelles nous ouvrent un monde nouveau.

A · Traduire en français

Much of our progress in French was the result of an excellent course in phonetics. Under the direction of experienced instructors, our work comprised theoretical phonetics and practical exercises. Our individual mistakes were pointed out and corrected. Many of us succeeded in getting rid of most of our American accent in three or four months.

Two of the most popular courses dealt with sixteenth-century French prose writers and eighteenth-century art. These courses were especially planned for us. The public lecture was supplemented by a second hour given solely for members of our Group. During this supplementary hour the professors repeated important points of their lectures and answered our questions.

Several members of the Group studied at the Graduate Institute of International Studies, where distinguished professors lectured on economics, international relations, and political science. As[23] auditors they benefited from the presentation of seminar papers and particularly from the discussions in French and English, the two official languages of the Institute.

---

22. *Rencontres internationales.* International congress of writers, artists, thinkers, and musicians who present a program of lectures, plays, symposia, and concerts

23. *As* En qualité de

In general our course program was approximately the same as in the United States but our existence was relatively free from the regulations ordinarily imposed on American undergraduates who live in dormitories. Geneva gave us many opportunities to attend the theater, to go to concerts, and to see the offerings of several ballet companies. The best plays presented during the year were Claudel's *L'Annonce faite à Marie*, played by Jouvet's company, and *Les Fausses Confidences*, by Marivaux, given by the troupe of Jean-Louis Barrault. We bought subscriptions to the "matinées classiques," a series of plays, including some masterpieces of Molière and Racine. The Geneva Symphony Orchestra presented the principal works of classical and modern composers in a series of concerts which were greatly appreciated by members of the Group.

B · Traduire en français

[*Conversation in the Café de l'Univers*]

RICHARD. Well, Paul, it's a relief to get my program set[24] for the first term. I had my interview yesterday, and now I think that I can leave for the Tessin without any concern.

PAUL. I feel the same way,[25] Dick; I'm glad to take two courses at the Institute. I'm an Economics major[26] and I wanted to take at least one course in that field.

RICHARD. You know, Paul, William Rappard used to[27] teach there. My history prof studied with him when he taught at Harvard.

PAUL. Well, I hope that I can hold my own.[28] Practically everyone in the class is a graduate student. Let's see your program.

---

24. *to get my program set* d'avoir mon programme tout tracé
25. *I feel the same way* Je suis de ton avis
26. *I'm an Economics major* Je me spécialise en sciences économiques
27. *used to.* Expressed by imperfect of verb
28. *that I can hold my own* que je pourrai me défendre

RICHARD. Here it is. Remember, I'm a literature major.[29]

PAUL. [*Reading*] Advanced language, three hours; sixteenth-century French poetry, two hours; phonetics, two hours; history of philosophy, three hours; history of French art, two hours; seventeenth-century literature, two hours. Looks heavy to me,[30] Dick. Think you can manage it?[31]

RICHARD. I guess so. I've done all the introductory work, and I want to begin a few advanced courses.

PAUL. I hope that our professors will give an extra hour for members of the Group.

RICHARD. Yes, that will give us the chance to ask questions, and maybe to have a few *explications de texte*, you know—thorough comment on a short passage. That is, if the girls give them a chance.

HELEN. [*Interrupting*] What do you mean, "the girls"?

RICHARD. Just what I said. In our composition class they ask questions all the time.

HELEN. Maybe we want to learn something. What worries me is the exams.[32] How can we compete with Swiss students, when we have to write everything in French?

JEAN. Stop worrying, Helen, for goodness' sake! That's on the program of the group meeting this afternoon. See you there!

[*At the Café des Flots Riants, after the meeting*]

PAUL. You know, Dick, I wouldn't go to these weekly meetings if there weren't any refreshments. What pastry!

RICHARD. Right! I've never had any better[33] . . . But you'll have to admit that he covered a lot of ground[34] today. All those topics can't be explained in the *Bulletin*.

---

29. *I'm a literature major.* Cf. note 26 on page 148.
30. *Looks heavy to me* Ça me paraît très chargé
31. *Think you can manage it?* Tu crois que tu t'en tireras?
32. *What worries me is the exams.* Ce qui m'inquiète, ce sont les examens.
33. *I've never had any better* Je n'ai jamais rien mangé de meilleur
34. *he covered a lot of ground* il a traité beaucoup de choses

PAUL. I was certainly relieved to hear about the exams. Special exams for the courses were really the only answer.[35] Helen was getting concerned about them.

RICHARD. All I can say is that the University is giving us the breaks.[36] Extra course hours, special exams, and so on.

PAUL. Let's talk about[37] the trip to the Tessin next week. Think we can get into Italy?

HELEN. [*Sitting down at the same table*] I heard that crack you just made about my worries. I bet you're just as relieved as I am to know that we won't have to take the regular exams.

JEAN. I can answer your question about Italy, Paul. The answer is "No." I just heard[38] that from Lausanne we are going north to Berne and then by the Susten Pass to Andermatt.[39]

C · Employer chacune des expressions suivantes dans une phrase originale

réservé à reserved for
faire des études to study
porter sur to deal with
la plupart d'entre nous most of us
suivre un cours to take a course
en moyenne on an average
plaque tournante turntable
avoir la chance de to have the good fortune to
pour ce qui est de... as far as . . . is concerned
prendre des abonnements to buy season tickets

---

35. *the only answer* la seule solution
36. *is giving us the breaks* nous rend la tâche facile
37. *Let's talk about* Si on parlait de
38. *I just heard* Je viens d'entendre dire
39. Route from Lausanne to Andermatt, via Berne and the Susten Pass, is indicated in the French text of Lesson 16.

D · *Répondre en français aux questions suivantes*

1. Qu'est-ce qui vous paraît le plus important pour l'étude d'une langue, la grammaire ou la conversation?

2. Quel cours de littérature auriez-vous préféré?

3. Pensez-vous qu'il soit utile d'étudier l'histoire de l'art? Pourquoi?

4. Pouvez-vous expliquer pourquoi l'anglais et le français sont les deux langues officielles de l'Institut universitaire des hautes études internationales?

5. A quelles carrières prépare l'étude des sciences politiques et économiques?

6. Y a-t-il beaucoup de différences entre les occupations des étudiants américains et suisses en dehors des classes?

7. Pourquoi peut-on appeler la Suisse une « plaque tournante de l'Europe »?

8. Pourquoi le groupe a-t-il fait des voyages à Zurich et à Lausanne?

9. Qu'est-ce que vous auriez préféré dans le programme de distractions offert aux membres du groupe?

10. Quel est, à votre avis, l'intérêt des Rencontres internationales de Genève?

16

Voyage au Tessin — Locarno

« Emmener[1] quarante étudiants américains en excursion n'est pas une petite affaire», soupirait notre directeur au moment de notre départ pour le Tessin. Parti à l'aube, notre autocar suit le rivage nord du lac de Genève jusqu'à Lausanne. « Brr! qu'il fait froid! » s'exclame Richard. « Je prendrais bien quelque chose de chaud. » Dix minutes d'arrêt, buffet.[2]

Une fois réchauffés, nous nous remettons en route pour Berne, capitale de la Suisse. Après deux heures d'arrêt dans cette ville tranquille et pittoresque, nous continuons notre route en direction du sud-est en longeant les charmants lacs de Thoune et de Brienz. A la tombée du jour, nous atteignons le but de la première étape de notre traversée des Alpes, une auberge près du sommet du col de Susten, à près de deux mille mètres au-dessus du niveau de la mer. L'hospitalité des montagnards dissipe notre fatigue et nous met de bonne humeur. Nous passons la soirée à chanter et à danser dans le salon confortable de l'hôtel.

---

1. Infinitive used as subject

2. *Dix . . . buffet.* Parody of the announcement made in certain European stations when trains stop long enough to permit passengers to buy sandwiches and beverages

Schweizerische Zentrale, Photo Gemmerli

Berne. Une vieille rue et la flèche de la cathédrale

Le matin suivant nous franchissons le sommet glacé du col pour redescendre vers la ville d'Andermatt[3] qui, vue de loin, paraît sortir d'un livre d'images. Avançant lentement pour observer les fortifications construites dans le flanc des montagnes, nous recommençons bientôt à monter, cette fois jusqu'au sommet du célèbre col du Saint-Gothard.[4] Après avoir pris des centaines de virages en « épingle à cheveux », notre chauffeur nous conduit à l'hospice, où nous faisons une halte. La veille nous étions passés de la Suisse romande à la Suisse germanique; de nouveau nous entrons dans une région de langue et de population différentes: la Suisse italienne.

Nous déjeunons dans la véranda vitrée de l'hospice, d'où la vue s'étend[5] sur des centaines de pics hérissés. Ce déjeuner nous donne un moment de répit fort bien accueilli. Déjà nous goûtons la cuisine italienne et nous essayons de nous faire comprendre par les garçons.

La partie sud de la route du Saint-Gothard, suite interminable de tournants brusques, nous amène bientôt jusqu'aux villes souriantes de Biasca et de Bellinzona. Etre en contact avec trois civilisations différentes dans l'espace de vingt-quatre heures, cela nous paraît extraordinaire. Cependant il était manifeste que le monde germanique avait disparu quelque part au nord du col.

Ce qui nous frappe d'abord, c'est l'architecture des maisons et des églises. Les constructions en bois du type chalet ont nettement cédé la place aux maisons de pierre crépie[6] de style méditerranéen. Les coupoles des églises complètent ce dépaysement; ces églises sont souvent très anciennes et elles sont fort nombreuses, car la majorité des Tessinois sont[7] des

---

3. *Andermatt.* Picturesque town in central Switzerland

4. *col du Saint-Gothard.* Famous pass which links German-speaking Switzerland with the Ticino

5. *s'étend.* Reflexive is required in French.

6. *de pierre crépie* with rough-plastered stone walls

7. *la majorité . . . sont. Majorité* takes plural verb when followed by partitive.

catholiques très pieux. En franchissant le col du Saint-Gothard, nous avons passé une frontière religieuse autant que linguistique. C'est déjà un pays méridional et les visages des habitants ont quelque chose de très italien.

A l'extrémité sud de la Suisse, le Tessin offre un paysage de petites fermes, de grands vignobles qui fournissent un vin rouge réputé, et de petites villes dont le tourisme est le principal revenu. Les plus connues, Locarno et Lugano, se trouvent au bord du lac Majeur et du lac de Lugano.

Locarno est un excellent centre pour des excursions, à pied ou en car. Dans la ville même, nous trouvons de grands hôtels dont les gérants parlent toutes les langues; un casino, des théâtres et surtout de petits cafés où des femmes chantent à tue-tête des airs populaires. Au centre de la ville nous visitons toute une série de boutiques, où nous achetons, chacun selon ses moyens, des poteries, de la maroquinerie, des gâteaux et notamment des *amaretti*, délicieux croquets aux amandes.

Le climat est d'une extrême douceur, pareil à celui de la Côte d'Azur.[8] Aussi retrouve-t-on, avec les touristes, l'étalage de luxe, le pittoresque un peu criard et l'animation mondaine propres aux grands centres de villégiature. Mais le charme du soleil et la richesse de la végétation exubérante—palmiers de toutes les espèces, figuiers, orangers—ont vite fait de nous réconcilier avec[9] l'aspect un peu artificiel de la ville. Nous décidons d'y prolonger notre séjour.

A · *Traduire en français*

Piloting forty American students by bus from Geneva to the distant Ticino, the Italian-speaking canton of Switzerland, is no small operation. We left at dawn and we drove rapidly along Lake Geneva to Lausanne. Turning toward the north,

---

8. *la Côte d'Azur* The French Riviera
9. *ont . . . avec* soon reconciled us to

Schweizerische Zentrale, Photo Piet, Genf

Berne. La fontaine de Moïse

we reached Berne after a drive of sixty miles. Following a short stop in this quiet and picturesque capital, we continued in a southeasterly direction along the lovely lakes of Thun and Brienz.

In the last hours of daylight we reached our first day's goal, an inn near the top of the Susten Pass, nearly six thousand feet above sea level. Mountain hospitality quickly revived our spirits, and we spent an unforgettable evening of song and festivity in the comfortable lounge.

The next morning we crossed the Pass and soon we could see, in the distance, the charming town of Andermatt. Proceeding slowly enough to observe the elaborate fortifications built into the mountainside, we climbed again, this time to the summit of the famous Saint Gothard Pass. After negotiating hundreds of sharp curves,[10] the driver stopped at the well-known hospice at the top of the Pass, nearly seven thousand feet above sea level. Once more we had crossed a boundary of language and race. A second change of civilization in twenty-four hours seemed incredible, but it was certain that the Germanic world had come to an end somewhere north of the Pass.[11]

Lunch on the glassed-in veranda of the hospice, whence we enjoyed a sweeping view of hundreds of square miles of rugged peaks, was a welcome respite. We tasted Italian cooking for the first time and we tried to talk to the waiters in their language.

The southern section of the Saint Gothard highway, an unending series of[12] sharp curves, soon led us to the friendly towns of Biasca and Bellinzona. The most striking differences were in the architecture of churches and houses. We also

---

10. *After negotiating hundreds of sharp curves* Après avoir pris des centaines de tournants brusques

11. *somewhere north of the Pass* quelque part au nord du col

12. *an unending . . . of* série interminable de

noted the signs in Italian, the flowers and spring-like warmth, and the strongly Italian traits of the people.[13]

In many of these towns and villages there were churches with quite distinctive cupolas, some of which date from the twelfth and thirteenth centuries. In crossing the Gothard, we had crossed a frontier of religion, as well as of language. The vast majority of the Swiss of the Ticino are devout Roman Catholics.

B · *Traduire en français*

[*Conversation on the bus en route to the Tessin*]

RICHARD. This is the life for me,[14] Paul. Complete relaxation and no work.

PAUL. You can say that again,[15] Dick . . . I think you can get a better view of the Lake from some places along the road than from the boat.

JEAN. [*Turning around*] That's what we were saying, Paul. But as soon as we get to Lausanne, we turn away from the Lake in order to take the highway to Berne.[16]

HELEN. Somewhere along that road we enter German-speaking territory. I think it's near Morat.

PAUL. The way to find this out is to watch the road signs; I'll let you know.[17]

RICHARD. How'll we get along in German,[18] Paul? I only had one year of German in college.

PAUL. Everything has been arranged in advance. We're going to have lunch in that famous underground restaurant in Berne.

RICHARD. Stop talking about eating. I'm hungry already.

---

13. *the strongly . . . people* le type italien très marqué des habitants

14. *This is the life for me* C'est la vie qu'il me faut

15. *You can say that again* Tu l'as dit

16. *the highway to Berne* la route de Berne

17. *I'll let you know* je te le dirai

18. *How'll we get along in German* Comment est-ce qu'on se débrouillera en allemand

[*Conversation at the restaurant in Berne*]

HELEN. I've never been in a place like this before. The whole town is like a series of pictures.

JEAN. While the rest of you[19] were feeding the bears, I took some shots of the old part of the town, the arcades, and fountains.

HELEN. Paul, you didn't tell us when we crossed the language line. Didn't you notice it?

PAUL. Of course, but you were asleep. I was watching the warning signs along the railroad to the left of the highway. Without any notice, we passed the first sign in German, coming into the town of Morat. I guess they speak both languages there.

---

19. *the rest of you* vous autres

La route du Saint-Gothard, suite interminable de tournants brusques

RICHARD. Well, let's finish our dinner. We'll never get to the Susten Pass tonight unless we get on the road.

[*Conversation at the Hotel Steingletscher, in the Susten Pass*]

JEAN. What a dinner! I'm ready to turn in for the night[20]... This place reminds me of a lodge in the White Mountains. Not even running water.

PAUL. What do you expect[21] at six thousand feet? But I'm glad that you admit the dinner was good. We needed something like that after our two hours of climbing. Too bad we couldn't get to the top.

RICHARD. That's what I say.[22] If we had had one hour more of daylight, we could have made it.[23] What do you say we turn in?[24]

PAUL. Oh, let's stick around a while.[25] They're going to sing some songs in the lobby.

HELEN. [*Coming in by the rear door*] We've been looking for you. What about[26] a game of bridge?

PAUL. Not interested.[27] If you had climbed half as far as we, you would now be under a doctor's care.[28]

JEAN. The bus ride was tiring enough for us. Did you get to the top?

RICHARD. No. It began to get dark and we could hardly see the trail. It was completely dark when we got back.

HELEN. Then you didn't hear what happened to Marie?

PAUL. No, what?

---

20. *to turn in for the night* à me mettre au lit
21. *What do you expect* A quoi t'attends-tu
22. *That's what I say.* C'est bien ce que je dis.
23. *we could have made it* nous aurions pu y arriver
24. *What do you say we turn in?* Si on se mettait au lit?
25. *let's stick around a while* traînons un peu
26. *What about* Que diriez-vous d'
27. *Not interested* Ça ne me dit rien
28. *under a doctor's care* entre les mains d'un médecin

Photo W. Lurthy

Un beau jour de printemps à Thoune—dans le fond, les Alpes bernoises

HELEN. Oh, nothing much.[29] She wandered away from the others, as usual, and the Directress had to send a guide after her.[30]

JEAN. And he found her, quite unconcerned, half-way down the trail.[31]

PAUL. Well, let's go near the fireplace to listen to the singing.

JEAN. It seems awfully cold for October.

PAUL. What do you expect at six thousand feet?

---

29. *nothing much* pas grand'chose
30. *after her* à sa rencontre
31. *halfway down the trail* descendue par le sentier, et déjà à mi-chemin

C · Employer chacune des expressions suivantes dans une phrase originale

à la tombée du jour at nightfall
virage en épingle à cheveux hairpin turn
faire une halte to stop briefly
de nouveau again
se faire comprendre par to make oneself understood by
quelque chose de (with masc. adj.) something
se trouver à to be (located) at
à tue-tête (with *crier*, *chanter*) loudly
propre à characteristic of

D · Répondre en français aux questions suivantes

1. Indiquez l'itinéraire suivi par le groupe pendant la première journée.
2. Pourquoi n'est-ce pas une petite affaire d'emmener quarante étudiants en excursion?
3. Pourquoi la soirée à l'auberge a-t-elle mis les étudiants de bonne humeur?
4. Expliquez pourquoi on passe d'une région linguistique à une autre en franchissant un col.
5. A quoi peut être utile un hospice au sommet d'un col?
6. Qu'est-ce qui indique aux étudiants qu'ils se trouvent dans une région d'influence italienne?
7. Quel est le principal intérêt économique du Tessin?
8. Qu'est-ce qui rend, à l'avis des étudiants, Locarno une ville quelque peu artificielle?

17

Le Tessin (suite)— Excursions autour de Locarno

Entre tous les coins pittoresques des environs de Locarno on n'a que l'embarras du choix. Le premier jour nous avons loué des bicyclettes pour faire un petit tour jusqu'aux charmants villages de Ronco et de Brissago. Le lendemain nous avons pris le funiculaire, qui en[1] un quart d'heure conduit à un petit hameau au-dessus de la ville. De là, on a une vue splendide sur le lac Majeur, aux eaux[2] d'un bleu incomparable, et sur les collines couvertes de vignobles d'une teinte rousse presque éclatante.

Le jour suivant nous avons fait une promenade à Ascona, village situé à quelques kilomètres de Locarno. Nous avons d'abord pris un « thé complet » dans un café, tout en regardant passer les bateaux à voile qui voguaient sur le lac. Puis, après avoir erré dans le village, nous sommes tombés sur[3] un monastère ancien. Dans la chapelle plusieurs dizaines de gamins mal vêtus étaient censés[4] s'exercer à chanter des

---

1. *en.* Here expresses duration of time.
2. *aux eaux* with water
3. *nous . . . sur* we came upon
4. *étaient censés* were supposed to

cantiques pour la messe du dimanche. En fait ils s'amusaient à se lancer[5] des boulettes de papier et à se donner[5] des gifles quand le curé avait le dos tourné. La répétition terminée, ils sont sortis en trombe de l'église en criant comme des sourds—ce qui n'avait pas l'air d'émouvoir de bonnes religieuses agenouillées sur leur prie-Dieu, en train de dire leur chapelet.

Tout près de la frontière italienne, face aux légendaires îles Borromées,[6] nous nous sommes baignés dans les eaux pures du lac. Bain trop court, hélas!... Le moment du retour approchait.

Deux de nos plus grandes excursions nous ont conduits à Lugano, métropole du Tessin, à l'extrême sud de la Suisse. Située sur le lac du même nom, cette ville, avec ses échoppes en plein air, ses arcades, ses rues pavées de granit, est tout à fait italienne. Ses églises ont un cachet nettement méridional; nous avons aimé surtout Sainte-Marie-des-Anges, où se trouvent de magnifiques fresques de Luini.[7]

Le mont Saint-Sauveur, Lugano et les villages environnants, vus du terminus de l'un des innombrables[8] téléphériques de la région, fascinent le touriste le plus blasé. Au loin, on distingue le mont Rose et les Alpes du Valais. Autour de Lugano on peut visiter de curieux petits villages. Certains ont des rues en escalier où l'on grimpe sans arrêt. Les touristes ne sont pas nombreux et tant pis pour ceux qui ne parlent pas italien! Nous avons été obligés de donner beaucoup d'explications et de faire force mimiques[9] pour acheter une simple tablette de chocolat.

Nous avons remarqué le laisser-aller du Tessin (peinture des maisons écaillée, jardins mal soignés, trottoirs envahis par les

---

5. *se lancer, se donner.* In this construction the pronoun is an indirect object reflexive used reciprocally.

6. *îles Borromées.* The famous Borromean Islands, near the west shore of the Lac Majeur (Lago Maggiore)

7. *Luini* (c. 1475–c. 1532). Noted Italian painter

8. *innombrables.* Placed before the noun it modifies for greater emphasis

9. *force mimiques* many gestures

Pilet

Le mont Saint-Sauveur et les villages environnants

mauvaises herbes), mais, comparé à la propreté extraordinaire du reste de la Suisse, il n'était pas déplaisant. C'était un avant-goût de l'Italie du nord que nous devions traverser à notre retour, en passant par Domodossola.[10]

---

10. *Domodossola.* Town on the northern tip of Italy, on the road from Locarno to the Simplon Pass

Nous rentrons à Genève par le fameux col du Simplon. Importante voie[11] de passage nord-sud depuis le moyen âge, le Simplon, où la route atteint une hauteur de 2.200 mètres, offre un des plus beaux paysages alpins de l'Europe. Tout en haut du col nous arrivons à l'hospice tenu par les Augustins, où des milliers de voyageurs ont bénéficié de la cordiale hospitalité des moines.

Ayant atteint la face nord du Simplon, nous suivons la route pittoresque du Valais, par Brigue et Martigny,[12] pour nous retrouver finalement sur la route Lausanne-Genève.

« Ouf! quel voyage! » s'exclame Paul. « Nous avons vu tant de paysages en huit jours que j'accueillerais volontiers l'occasion de visiter le Tessin plus à loisir. »

A · *Traduire en français*

Locarno is an ideal center for excursions by bicycle and bus. One should first visit the delightful villages of Ronco and Brissago, along Lake Majeur near the Italian frontier. Also, by taking the cable railway, which in ten minutes carries the visitor to a little village above the lake, one can enjoy a view of many miles, beyond the vine-covered hills on[13] the opposite side.

Ascona is another charming village a few miles from Locarno where one may rent boats to go sailing on the lake. We visited an ancient monastery where a score of boys were supposed to be practicing hymns[14] in the chapel for Mass on the following Sunday. Every time the curate's back was

---

11. *voie.* Noun in apposition used without article

12. *Brigue et Martigny.* Swiss towns in the Canton of Valais, on the main highway from the Simplon Pass to Lausanne

13. *on* de

14. *to be practicing hymns* s'exercer à chanter des cantiques

turned, they tossed paper wads at each other and exchanged punches. As soon as the rehearsal was over, they rushed out of the chapel, just like boys getting out of school in any country in the world.

Lugano, the metropolis of the Tessin, is located on the lake of the same name, some twenty miles south of Locarno. There are many shops, stores, and smart cafés, and the atmosphere of the whole city is very Italian. Climbing the steep, granite-paved[15] streets, we reached the church of St. Mary of the Angels, famous for Luini's frescoes. The churches and chapels of Lugano and its surrounding villages are quite southern. Once outside the tourist centers of the town, we can find no one who can speak French or English and we are obliged to make many gestures[16] to order tea or chocolate.

Our return from the Tessin, after an unforgettable week of touring, took us across the northern tip of Italy at Domodossola. A few hours later we stopped briefly at the hospice at the very top of the famous Simplon Pass. Like thousands of travelers in past ages, we took advantage of the cordial hospitality of the monks who maintain this well-known establishment. We all would have welcomed the chance of visiting the Tessin in a more leisurely fashion.

B · Traduire en français

[*Conversation in a café in Lugano*]

RICHARD. Well, here we are again, trying to[17] solve the world's problems and our own.[18] What's new,[19] Helen?

HELEN. Nothing much, Dick. I'm only glad to be warm again. I nearly froze[20] when we crossed the Susten and the Saint Gothard.

---

15. *steep, granite-paved* en pente raide, pavées de granit
16. Cf. French text.
17. *here we are again, trying to* nous voici encore une fois à essayer de
18. *our own* les nôtres
19. *What's new* Quoi de neuf
20. *I nearly froze* J'ai manqué de geler

PAUL. For me the Susten seemed much colder. I don't think we were a hundred yards above the hotel when we found snow on the road.

RICHARD. You're telling me![21] The driver got out the special blocks to put under the wheels, in case he had to stop.

JEAN. Oh, is that what those things were?[22] I couldn't imagine what he was going to do with them.

HELEN. What worried me was[23] the turns on the south side. There are not enough guard rails for many of them.

PAUL. Well, friends,[24] Helen has found something new to worry her. I thought everybody knew that the road had some very sharp turns.

RICHARD. In any case, the driver did a fine job[25] and when we got to the Saint Gothard, there was no snow to bother him.

HELEN. [*Interrupting*] Waiter, one more chocolate for everybody, please, and bring us some more chocolate éclairs.

WAITER. At your service, miss. Will you have some fruit tarts?

JEAN. [*To the waiter*] No, thank you. [*To Helen*] Have you lost your mind?[26] If you don't stop eating pastry and sweets, you'll weigh over one hundred and sixty pounds by the time we get back.[27]

[*Some time after the return of the Group to its hotel at Locarno*]

PAUL. Jean, why don't we step out tonight?[28] There's a smart night club a couple of miles west of town.[29] I saw it when we went to Brissago.

---

21. *You're telling me!* A qui le dis-tu!
22. *is that what those things were* c'était donc ça, ces machins-là
23. *was* c'étaient
24. *friends* mes amis
25. *did a fine job* a fait du bon travail
26. *Have you lost your mind?* As-tu perdu la tête?
27. *by the time we get back* au moment de notre retour
28. *why don't we step out tonight* si on allait faire un petit tour ce soir
29. *west of town* à l'ouest de la ville

JEAN. I'd love to, Paul, but won't it look funny if the two of us leave[30] the Group all alone? Let's ask Dick and Helen.

PAUL. All right, if you must do it. But what do you mean by "look funny"?

JEAN. You know what I mean, Junior.[31] Last week the Directress was saying that we must observe a few European conventions.

PAUL. Must we have a chaperon along all the time? Not for me, sister.[32] But ask Dick and Helen, if you like, and let's go right after supper.

[*On the way back from the night club*]

RICHARD. That's a nice place, Jean. Glad Paul suggested it.

HELEN. Yes, it was fun.[33] Only I can't follow Dick when he tries to dance to[34] those Swiss orchestras.

PAUL. After all these weeks? I thought we had taught you all the steps.

JEAN. May I change the subject[35] by asking what we are going to do on the way back to Geneva?

PAUL. Stop talking about it. The "way back to Geneva" means work. I'm staying here.

JEAN. Yes, Paul, I'll write you every week all winter . . . I'm serious.[36]

RICHARD. All I know about the trip back is that we take the road to Domodossola, crossing the northern tip of Italy, then continue over the Simplon Pass, and across the Valais to Martigny and Lake Geneva.

JEAN. Sounds interesting. Hope we shall have time to take some pictures along the Simplon.

---

30. *the two of us leave* tous les deux, nous quittons
31. *Junior* (fam.) mon petit
32. *Not for me, sister* Très peu pour moi, ma petite
33. *it was fun* on s'est bien amusé
34. *to dance to* de danser au rythme de
35. *change the subject* changer de conversation
36. *I'm serious.* Ce n'est pas pour rire.

C · Employer chacune des expressions suivantes dans une phrase originale

avoir l'embarras du choix to have too much to choose from
faire un petit tour to take a short trip
tout en regardant while watching, while looking at
bateau à voile(s) sailboat
être censé (with infinitive) to be supposed
s'exercer (*à*) to practice
s'amuser (*à*) to have a good time
sortir en trombe to leave in a rush, rush out
avoir l'air de to look like, seem
en plein air in the open air
tout à fait quite, entirely
au loin in the distance
rue en escalier extremely steep street, paved with steps
faire force mimiques to make a lot of gestures
tout en haut at the very top
bénéficier de to have the benefit of
à loisir at (one's) leisure

D · Répondre en français aux questions suivantes

1. Quels sont les avantages d'une promenade à bicyclette?
2. Que pensez-vous de la tenue des gamins à l'église?
3. Que pensez-vous de l'attitude des religieuses?
4. Pourquoi les rues à Lugano sont-elles bordées d'arcades?
5. Comment se fait-on comprendre dans un pays dont on ne sait pas la langue?
6. Quels contrastes les étudiants ont-ils remarqués entre le Tessin et le reste de la Suisse?
7. Quels sont les différents moyens de traverser le Simplon?
8. Qu'est-ce qui fait le charme des villes du Tessin?
9. De toutes les villes du Tessin décrites dans les leçons seize et dix-sept, laquelle aimeriez-vous visiter? Pourquoi?

18

Davos et les sports d'hiver

Notre train devait traverser presque toute la Suisse pour nous amener à Davos, l'un des grands centres de sports d'hiver européens. Nous contenions mal notre agitation et notre impatience; par les vitres, nous voyions d'immenses paysages de neige et de montagnes. Dans le wagon, où un voyageur sur deux[1] au moins allait aux sports d'hiver, les costumes de ski, les *rucksacks* et les skis entassés dans le filet,[2] le parfum du vernis et du cuir entretenaient notre enthousiasme. Après le changement, dans le train à voie étroite[3] qui va de Landquart à Davos, les wagons ne contenaient presque plus, cette fois, que des skieurs. Nous avions fait connaissance avec nos voisins dès[4] le point du jour, mais par la magie du voyage, ces étrangers du matin s'étaient mués en[5] camarades de toujours. Et si cette cordialité ne pouvait rivaliser avec la gaieté bruyante des *snow trains*[6] américains, elle témoignait assez de l'esprit de corps et de la fraternité mondiale des skieurs.

---

1. *un . . . deux* one passenger out of every two
2. Overhead luggage rack of heavy cords attached to a steel frame
3. *à voie étroite* narrow gauge. (The connection at Landquart links Davos with Zurich.)
4. *dès* as early as
5. *s'étaient mués en* had become
6. *snow trains*. French equivalent *trains de ski* is little used.

ATP from Black Star

Dès l'aube nous étions à nos fenêtres pour contempler le paysage

Arrivés à Davos, juste à temps pour voir la ville avant la tombée de la nuit, nous nous sommes rendus à nos hôtels d'un pas mal assuré[7] par des rues glissantes, équilibrant nos skis et nos valises de notre mieux.[8] Nous aurions dû louer un traîneau—seul taxi qu'il y avait alors à Davos. Tous les novices, profondément impressionnés par l'épaisseur de la couche de neige, étaient impatients de faire leurs essais le lendemain matin. Dès l'aube nous étions à nos fenêtres pour contempler

---

7. *d'un . . . assuré* with unsteady steps
8. *de . . . mieux* as best we could

le paysage d'une beauté irréelle: ce n'était partout que pentes neigeuses d'une blancheur éblouissante coupées par le vert sombre de milliers de sapins!

La ville de Davos comprend surtout une grande rue bordée d'hôtels, de boutiques modernes et de cafés. Elle s'allonge au fond de la vallée sur plus de cinq kilomètres. Comme dans la plupart des stations d'hiver suisses, les hôtels vont de[9] la plus modeste pension au « palace »; et tous sont très bien tenus. Malgré la vie chère, il est possible de trouver des chambres avec pension complète à des prix abordables.

Depuis longtemps Davos est une station d'altitude réputée pour son chaud soleil d'hiver et son air sec et vivifiant. En dehors des magnifiques pistes de ski, il y a une étonnante variété de distractions pour les touristes qui ne pratiquent pas ce sport; par exemple, le patinage sur glace, qui a un grand nombre d'adeptes. Sur l'une des patinoires, la plus grande d'Europe, paraît-il, se disputent pendant toute la saison des matchs internationaux de hockey. Quant au traîneau, il a surtout les faveurs des touristes anglais.

On pourrait aussi passer plusieurs journées à visiter,[10] dans la rue principale, les boutiques dont les étalages sont vraiment remarquables. On y voit les célèbres dentelles des Grisons,[11] des écharpes et des soieries, des douzaines de marques différentes de montres, de riches fourrures et des bijoux étincelants. Naturellement, il y a aussi des ateliers où l'on confectionne tous les modèles imaginables de costumes et accessoires de ski. Chez une vingtaine de marchands on peut acheter des parfums français de marque et des appareils de photo allemands. N'oublions pas les boîtes à musique et les souvenirs en bois sculpté que nous avons vus en vente dans toute la Suisse.

---

9. *vont de* range from

10. *passer . . . à visiter* spend . . . visiting. *Passer* normally requires *à* before an infinitive.

11. *Grisons*. Easternmost canton of Switzerland; in German, *Graubünden*

Le soir on peut aller souvent au spectacle, puisque de nombreuses troupes de théâtre comprennent Davos dans leur tournée chaque saison. Ceux qui veulent étudier, même pendant les vacances, peuvent se procurer, dans une demi-douzaine de librairies, des livres et des revues en plusieurs langues. Bref, comme la plupart des stations d'hiver suisses, Davos offre beaucoup plus que l'occasion de faire du ski. Mais c'est vraiment ce sport qui intéresse la grande majorité des visiteurs.

Artistes au travail

George Pickow from Three Lions

A · *Traduire en français*

We had heard so much about winter sports at Davos that we were quite excited as our train crossed Switzerland to take us to the distant Alpine resort. While climbing to an elevation of six thousand feet, in the narrow-gauge train from Landquart, we noticed that everyone in our coach was holiday-bent.[12] Although the familiar gaiety of American snow trains was lacking, there was that general friendliness common to skiers the world over.

When we arrived at the little station, we went slowly along the slippery streets and sidewalks to our hotel. We should have taken the only available taxis—old-fashioned horse-drawn sleighs. The next morning, as we surveyed Davos and its surroundings from our hotel window, we were struck by the contrast between the dark green fir trees and the great expanses of dazzling snow.

Along the town's main street there were hotels of all classes, and shops where one could buy the traditional souvenirs of carved wood, music boxes, French perfumes, German cameras, and, as everywhere, Swiss watches. We noticed that all these hotels and shops maintained the high standard for which Switzerland is famous. Bookstores carried magazines and books in four or five languages, and cafés included on their menus beverages and dishes that are well-known all over Europe.[13]

For non-skiers there was a varied program of amusements. Concerts and plays, lectures and evening parties attracted many visitors, while[14] others preferred to go to the ice-hockey or the curling matches in the afternoons. For members of the Group, a favorite distraction, after a day spent in the open air, was to gather in the small night clubs to sing before the blazing fire.

---

12. *that everyone in our coach was holiday-bent* que tout le monde dans notre wagon allait en vacances

13. *all over Europe* dans toute l'Europe

14. *while* tandis que

B · *Traduire en français*

[*Conversation in the café near the beginners' ski lift*[15] *at Davos*]

DIRECTRESS. Well, I'm glad everybody's having so much fun.[16] I haven't been here for fifteen years and I cannot believe my eyes when I see all these improvements.[17]

RICHARD. How did people learn to ski in those days? Without these lifts, one couldn't go down a long slope more than three or four times a morning. . . . Look, Helen and Jean are starting down the middle slope. Let's watch them.

PAUL. OK so far.[18] Those girls have learned a lot in three days. Pretty good balance. Oh, there goes Helen![19] Oh, well, they wanted to learn to ski.

RICHARD. Now she's up again. She'll come down all right. She can't learn without a lot of spills.[20]

DIRECTRESS. That's right, Dick. All the girls are doing fine except Marie.

RICHARD. What's the matter with her?[21]

DIRECTRESS. She hasn't made any progress. Pierre says that there are a few people who just can't ski.[22]

PAUL. Excuse me. I'm going to meet the girls when they come down, to see if they'll have a cup of coffee with us.

[*Later: Helen and Jean go into the café with Paul*]

JEAN. Thanks, Paul. I'm frozen. What about you,[23] Helen?

HELEN. Me too. I thought I had put on enough sweaters, but a fall in a snow bank doesn't help much. Did you see me fall?

---

15. *beginners' ski lift* le monte-pente des débutants
16. *having so much fun* s'amuse tant
17. *improvements* nouvelles installations
18. *OK so far* Ça va jusqu'ici
19. *there goes Helen* voilà Hélène qui se casse la figure
20. *without a lot of spills* sans qu'il y ait de la casse
21. *What's the matter with her?* Qu'est-ce qu'elle a, elle?
22. *who just can't ski* qui ne peuvent pas arriver à faire du ski
23. *What about you* Et toi

Black Star

Le Parsenn

PAUL. We couldn't miss it, Helen, with all that weight of yours.[24] Right,[25] Dick?

RICHARD. Yes. She almost started[26] an avalanche.

HELEN. You ought to be glad I didn't break a leg. You like to dance with me now and then.

DIRECTRESS. Dick, sometimes you're not as considerate as you might be.[27]

RICHARD. I'm sorry. No harm intended.[28] Let's go to lunch.

[*Later: in Schneider's café*]

PAUL. This food is not bad at all. Mountain air really makes me hungry. What about[29] a strawberry tart for dessert?

RICHARD. Not for me, Paul. At our hotel we're going to have the chef's specialty tonight.

HELEN. What's that?

RICHARD. They call it a *raclette.* It's prepared by scraping heated cheese.

HELEN. May I eat at your hotel tonight?

RICHARD. No, you'd better turn in early if you want to go down the Parsenn Run tomorrow.

C · Employer chacune des expressions suivantes dans une phrase originale

un sur deux one out of every two
à voie étroite narrow gauge
le point du jour daybreak
rivaliser avec to compete with

---

24. *with all that weight of yours* avec tout ton poids
25. *Right* N'est-ce pas
26. *She almost started* Elle a failli déclencher
27. *as you might be* que vous devriez l'être
28. *No harm intended* Je ne voulais pas être blessant
29. *What about* Si on commandait

se rendre à to go to
de notre mieux as best we could
en dehors de in addition to, besides
avoir les faveurs de to be preferred by
passer à (with infinitive) to spend
de marque (after a noun) well-known brand (make) of
en vente on sale
station d'hiver winter resort

D · *Répondre en français aux questions suivantes*

1. Pourquoi la plupart des lignes de chemin de fer suisses sont-elles électrifiées?
2. Pourquoi les étudiants sont-ils impatients d'arriver à Davos?
3. Existe-t-il entre les adeptes des autres sports l'esprit de fraternité qui existe entre les skieurs?
4. Pourquoi les traîneaux sont-ils les seuls taxis qui existent à Davos en hiver?
5. Est-il vrai de dire que tous les paysages de neige se ressemblent?
6. Qu'est-ce qui montre que Davos est une ville qui vit du tourisme?
7. Quels différents sports peut-on pratiquer à Davos?
8. Qu'est-ce que les touristes peuvent acheter dans les magasins de Davos? Qu'est-ce qu'il y a de particulièrement suisse?
9. Quelles distractions peut-on encore trouver à Davos en dehors des sports?
10. Pourquoi les librairies offrent-elles des livres en plusieurs langues?

19

Le Ski (Page de journal d'une étudiante)

Je me souviens encore de ma première nuit à Davos. Je m'étais couchée de bonne heure afin de me trouver très tôt sur la piste le lendemain. Mais j'ai eu beaucoup de mal à m'endormir, parce que le silence extraordinaire qui régnait était rompu tous les quarts d'heure[1] par le tintement des cloches des trois églises voisines.

Le lendemain j'étais sur pied à sept heures. Tout près de l'hôtel il y avait un monte-pente haut de[2] plusieurs centaines de mètres, conduisant au sommet d'une colline qui paraissait terriblement haute. On m'a appris plus tard que c'était la pente d'apprentissage pour les débutants comme moi. Elle a été dédaigneusement baptisée « la colline des gourdes » par ceux qui, après une semaine de leçons, se lancèrent sur des pistes plus difficiles. Alors, ils pouvaient monter au Weissflujoch.[3] Cette montagne, vue de notre fenêtre, avait l'air d'un

---

1. *tous . . . heure* every fifteen minutes
2. *haut de.* Common use of *de* in an expression of measurement
3. *Weissflujoch.* Nine-thousand-foot mountain near Davos, on the slopes of which is located the Parsenn Ski Run, one of the longest in Europe

La montagne avait l'air d'un impressionnant gratte-ciel

impressionnant gratte-ciel, sillonné de téléphériques qui grimpaient avec la sage lenteur des fourmis.

Après le petit déjeuner la neige nous a paru un peu trop molle pour faire du ski. Nous avons donc passé la matinée à faire des achats ou à goûter quelques spécialités suisses au restaurant Schneider. Les maisons et les traîneaux avaient l'air plus pimpant que le soir précédant. Le jour mettait en valeur les gaies couleurs des traîneaux avec leur harnais garni de clochettes. C'était un plaisir de voir trotter les chevaux, dont la crinière flottait au vent et les sabots étincelaient au soleil. Seuls les petits galopins du pays qui s'accrochaient derrière les traîneaux et les conducteurs qui les injuriaient en suisse-allemand ôtaient à cette scène quelque peu de sa fière allure.

La première leçon a eu lieu le dimanche après-midi. Pierre, notre professeur, a commencé par nous donner quelques notions élémentaires sur le ski dans un mélange d'anglais, de français et d'allemand. Il a ajouté, en plaisantant, que tout ce que nous avions pu faire avant n'avait rien à voir avec ce sport. Puis il s'est mis en devoir de nous montrer comment on s'y prenait. Nous étions aussi novices que possible,[4] mais nous avions le ferme désir d'imiter cette habileté, qui semble innée chez les Suisses, à évoluer sur la neige. Même les petits bambins qui savaient tout juste marcher nous laissaient, embarrassés dans nos skis, bien loin derrière eux.

Cependant l'enthousiasme ne faisait pas défaut. Seul notre directeur n'a pas voulu se laisser persuader de venir avec nous, préférant ne pas passer cette semaine de vacances allongé sur une chaise-longue après quelque fracture[5] de bras ou de jambe.

A table, en dehors des bonnes blagues du directeur et de

---

4. *Nous . . . possible* We were as inexperienced as anyone could be
5. *quelque fracture.* The equivalent of *une fracture quelconque*

C'était un plaisir de voir trotter les chevaux

Alb. Steiner from Black Star

ses essais amusants pour parler allemand à la serveuse, on entendait des propos de ce genre:

—Eh! est-ce qu'ils ne pourraient pas mettre des coussins sur leurs chaises? Ne savent-ils pas que nous ne sommes que des apprentis skieurs?

—Ça ne me gêne pas de me casser le cou, on a pris une assurance pour cela, mais qu'arrivera-t-il si je casse mes skis?

Quand les leçons de ski étaient terminées, la plupart d'entre nous reprenaient plusieurs fois le monte-pente et faisaient des kilomètres de descente. Les skieurs étaient des plus pittoresques: novices en culottes[6] de ski noires; skieurs expérimentés en vestes[6] brodées, garnies de fourrure; professionnels en tricots[6] de laine, ornés de dessins variés.

Enfin la grande aventure est arrivée: la descente du Parsenn avec notre professeur. Nous avons pris l'autobus et ensuite un funiculaire qui nous a conduits à travers les étendues immaculées de la montagne. Les vétérans nous considéraient avec pitié: « Pauvres agneaux, ils ne savent pas ce que c'est! »... C'est après le déjeuner qu'a commencé la grande descente. Nous n'avons pas fait de prouesses. Le pauvre Pierre ne savait plus où donner de la tête pour remettre en piste tant de novices qui semblaient avoir perdu tout contrôle des bras et des jambes... Cette descente a marqué la fin de nos vacances. Nous aurions bien voulu recommencer mais le lendemain nous devions dire adieu au paradis des skieurs.

A · Traduire en français

Our sleep was interrupted every fifteen minutes by bells in a church steeple quite near our hotel. We went to bed before ten o'clock, in the hope of starting our ski lessons as early as

---

6. *en culottes . . . en vestes . . . en tricots.* Common use of *en*, followed by noun without article, in describing dress or costume

possible. In the morning we found our instructor waiting for us[7] at the foot of a very modern ski-lift, on[8] the other side of the valley, half a mile from our hotel. We later learned that this was a beginners' lift, only a few hundred meters high,[9] but it looked pretty terrifying.

Pierre, our instructor, outlined the fundamentals of skiing in a strange mixture of English, French, and Swiss-German. We tried to follow his instructions, but it was very discouraging to see Swiss children, hardly big enough to[10] walk, glide past us. Our lessons always ended with special exercises for the experienced members of the group. Pierre had promised that those who made a good showing could go down the famous Parsenn Run on our last day in Davos. That is why many of us[11] went down the practice slopes several times after each lesson.

The skiers, who came from most of the countries of Europe, and who wore all sorts of costumes, presented a most picturesque scene.[12] There were novices who wore dark ski suits, experienced skiers who wore fur-trimmed knitted sweaters, professionals whose woolen sweaters were ornamented with the insignia of their clubs.

The great ski-lift, which took us to the start of the Parsenn Run, looked like an unfinished elevator which had been built into the side of the mountain. The long descent of this famous trail was not accomplished without difficulty and minor mishaps. We went down slope after slope,[13] turning and falling, but carefully supervised by Pierre and by a young American who stayed behind our party to pull us out

---

7. *waiting for us* qui nous attendait

8. *on* de

9. *only a few hundred meters high* qui n'avait que quelques centaines de mètres de haut

10. pour

11. *many of us* beaucoup d'entre nous

12. *a most picturesque scene* une scène des plus pittoresques

13. *slope after slope* des pentes et des pentes

of snowbanks. We arrived at the bottom completely exhausted, but we should have been very glad to begin all over again the next day.

B · Traduire en français

[*Conversation on the cable car from Davos to the Weissflujoch*]

RICHARD. I admit I'm excited,[14] "thrilled,"[15] as you would say, Helen.

HELEN. Don't say anything, Dick. I'm trying to get used to the sway of this car and take in the view[16] at the same time.

JEAN. Did you know that the terminus is over eight thousand feet high?

---

14. *excited* tout excité
15. *"thrilled"* "emballé"
16. *take in the view* regarder le paysage

Le monte-pente des débutants

PAUL. I heard that the Weissflujoch is over nine thousand feet high.

JEAN. That's true. To get up there, we take the other ski-lift.

HELEN. Well, chums, I'll see you tonight[17] at the hotel.

RICHARD. You're not leaving us now?

HELEN. Oh, I don't know. I feel dizzy sometimes. Pierre says I'll be all right if I relax. And then Philip will be along to help me. Hey, Phil, think you can pull me out of a snowbank?

PHILIP. (*From the back of the car*[18]) It looks as though you have all the help you need.

HELEN. That's what you think.[19] Dick and Paul will be out of sight[20] in less than ten minutes.

RICHARD. Well, don't forget I made the ski team[21] at Dartmouth.

[*From the cable-railway terminus, overlooking the whole valley of Davos.*]

HELEN. Well, I'm going to look around[22] and have a *café complet* before doing anything else. What a view! What a view!

JEAN. What wonderful weather we've had on[23] this trip! I'll bet they haven't seen the sun in Geneva since we left. Let's go in without waiting for the boys.

HELEN. Pierre, come sit with us, and you too, Phil. We hope you'll stay with us, just in case something happens.[24]

PIERRE. Relax, girls.[25] We're going to take it slowly[26]; Phil will stay behind to help those who have trouble.

---

17. *I'll see you tonight* à ce soir
18. *From the back of the car* De l'arrière de la cabine
19. *That's what you think* C'est toi qui le dis
20. *will be out of sight* auront disparu
21. *I made the ski team* je faisais partie de l'équipe de ski
22. *to look around* faire un tour
23. *on* pendant
24. *just in case something happens* dans le cas où quelque chose arriverait
25. *Relax, girls* Ne vous énervez pas, les filles
26. *to take it slowly* aller doucement

PHILIP. Suppose I have trouble myself?

PIERRE. Impossible, Phil. A man can never weaken[27] in the presence of so many women.

HELEN. How much time before we start for the summit, Pierre?

PIERRE. Let's see. Just twenty minutes and we'll be on our way.

HELEN. That gives me time for some eggs. Don't say it, Jean. I can't keep from eating in this climate!

[*Later: Paul and Richard come to the girls' table just as Helen's eggs are served.*]

RICHARD. Can you beat it?[28] Helen's going to need a new wardrobe when she gets home. She eats more every day.

JEAN. Let her alone,[29] Dick. Can't you see she's storing up energy for the day's big effort?

RICHARD. OK, OK, no harm intended. Everybody ready? Pierre says that the lift leaves in three minutes.

PAUL. I need five minutes more, Dick— Hey, who do you think you are,[30] the director?

C · Employer chacune des expressions suivantes dans une phrase originale

de bonne heure early
afin de in order to
avoir beaucoup de mal à to have great difficulty in
être sur pied to be up (out of bed)
pente d'apprentissage practice slope
mettre en valeur to emphasize, bring out
commencer par to begin by

---

27. *A man can never weaken* Un homme ne devrait jamais faillir
28. *Can you beat it?* Qui dit mieux?
29. *Let her alone* Ne l'embête pas
30. *who do you think you are* pour qui te prends-tu

n'avoir rien à voir avec to have no connection with
se mettre en devoir de to prepare to
se prendre à to go about
faire des prouesses to perform feats, "shine"
ne savoir plus où donner de la tête not to know which way to turn

D · Répondre en français aux questions suivantes

1. Quel a été l'effet des cloches sur la narratrice?
2. Qui a baptisé la pente d'apprentissage « la colline des gourdes »? Pourquoi?
3. A quoi sert un funiculaire?
4. Pourquoi ne peut-on pas faire du ski sur de la neige molle?
5. Pourquoi les conducteurs injuriaient-ils les petits galopins?
6. Pourquoi le ski est-il le sport national de la Suisse?
7. Approuvez-vous la prudence du directeur?
8. Que pensez-vous des propos tenus à table par les étudiants?
9. Comment pouvait-on distinguer les différentes catégories de skieurs?
10. Avez-vous déjà fait du ski? Si oui, aimez-vous ce sport? Si non, aimeriez-vous le pratiquer?

20

La Vallée du Rhône

Pour aller de Genève à la côte méditérranéenne le mieux est de suivre la vallée du Rhône. Cet « enfant terrible échappé des Alpes », comme l'appelle le manuel de géographie de Jacques Martin,[1] a tracé entre ces montagnes et le Massif central[2] une voie idéale de communication. Il est à peine besoin de parler de Lyon, dont les soieries sont renommées dans le monde entier. Nous y avons passé rapidement en nous dirigeant sur les petites villes anciennes de la Provence.

Orange est plutôt un bourg qu'une ville. Comme la vie y semble facile! Les enfants gambadent dans les rues en poussant des cris perçants et les vieillards bavardent tranquillement en se chauffant au soleil du Midi. Cette vie d'un autre âge a pour cadre les monuments impérissables[3] créés par le génie romain. A côté d'un cinéma moderne, on peut admirer le théâtre antique, où chaque été des troupes venues de Paris présentent des tragédies grecques, des œuvres de Corneille ou de Racine, des concerts ou des opéras. Les bancs de pierre sont endommagés par le temps mais l'acoustique est encore parfaite.

---

1. *Jacques Martin.* One of the Martin boys, introduced in Lesson 10
2. *Massif central.* Vast plateau in that part of central France which lies south of the Loire and west of the Rhone
3. *monuments impérissables.* Built during the Roman colonization of Gaul, which followed the conquest terminated about 50 B.C.

VALLÉE du RHÔNE
et
CÔTE D'AZUR
SUISSE
Lac Léman
Genève
Lyon
Rhône
DAUPHINÉ
Isère
Grenoble
ALPES FRANÇAISES
ITALIE
MASSIF CENTRAL
Valence
Drôme
Montélimar
Rhône
Vaison-la-Romaine
Orange
Gard
Pont-du-Gard
Avignon
Nîmes
PROVENCE
Arles
Durance
Aix-en-Provence
Menton
MONACO
Nice
Cagnes-sur-Mer
Grasse
Juan-les-Pin
Cannes
LA CORNICHE
Saint-Raphaël
Saint-Tropez
Marseille
Toulon
Ile du Château d'If
Golfe du Lion
Mer Méditerranée

Plus loin, au bout de la grande rue, un arc de triomphe immortalise je ne sais plus quelle victoire d'un empereur romain. A quelques kilomètres d'Orange, des fouilles minutieuses ont remis à jour une vieille ville, Vaison-la-Romaine, qui garde l'aspect qu'elle avait au temps d'Auguste.[4] Dans le silence de la campagne provençale je croyais entendre les cris des conducteurs de chars et, me penchant sur les dalles

---

4. *Auguste.* Emperor Augustus (27 B.C.–14 A.D.)

La Maison carrée, parfait modèle d'architecture romaine

Marcel Louchet from French National Tourist Office

millénaires, je pouvais voir encore l'empreinte laissée par les roues. Un château-fort perché sur la colline qui domine la ville nous paraissait presque moderne à côté de ces antiques ruines. C'est pour se mettre sous la protection du seigneur du lieu que les habitants se groupèrent au pied de la butte, et leurs descendants y sont restés.

Nîmes, appelée[5] « la Rome française », a également une longue histoire. Très ancienne aussi, elle est beaucoup plus vivante qu'Orange: les cafés sont pleins de rires sonores et clairs, les marchandes de coquillages interpellent les passants, tout le monde s'apostrophe joyeusement. La Maison carrée, au centre de la ville, est un parfait modèle de l'architecture romaine du deuxième siècle après Jésus-Christ. Chose curieuse,[6] les ménagères, les ouvriers, les écoliers de Nîmes passent et repassent avec indifférence devant ces restes d'une glorieuse antiquité. On ne remarque jamais les belles choses que l'on a l'habitude de voir depuis sa plus tendre enfance! A quelques pas, nous découvrons les arènes, l'un des plus imposants monuments de l'époque de la domination romaine en Gaule. Là où autrefois les gladiateurs se livraient des combats acharnés, on donne aujourd'hui des courses de taureaux. Il y en avait une le jour de notre passage et toute la ville était pavoisée comme pour une fête nationale. Malheureusement nous avons dû partir sans pouvoir assister à ce spectacle que les Nîmois goûtent presque autant que les Espagnols.

Sur le pont d'Avignon,
L'on y danse, l'on y danse;
Sur le pont d'Avignon,
L'on y danse, tous en rond.

Quel drôle de pont! Je n'ai jamais vu de ma vie[7] un pont

5. *appelée.* Agrees with Nîmes, which is feminine
6. *Chose curieuse.* Elliptical for *il y a une chose curieuse*
7. *de ma vie* in my life

se terminer au milieu du fleuve. On le trouve tout près[8] des remparts du moyen âge qui entourent Avignon, et cela vaut vraiment la peine d'y aller en dansant joyeusement la vieille ronde populaire.

Le palais des Papes[9] est un superbe monument de l'architecture du quatorzième siècle. Le guide—un vrai méridional—raconte de sa belle voix sonore l'histoire du palais, sans oublier quelques vieilles superstitions. « Cela porte bonheur, » dit-il, « de toucher la porte d'entrée de la main gauche, et les fiancés doivent regarder le ciel par la grande cheminée de l'ancienne chambre à coucher des souverains pontifs. » Des tapisseries des Gobelins et de magnifiques tableaux garnissent les hauts murs des salles d'apparat hantées[10] jadis par les princes de l'Église.

Arles encore[11] est une ville charmante de la vallée du Rhône. L'église Saint-Trophime est un véritable bijou architectural. Son cloître, frais et sombre, est de deux styles différents: roman et gothique. Après avoir vu les arènes et le remarquable théâtre antique d'Arles, nous sommes sortis de

---

8. *tout près.* *tout* here used as an adverb, meaning *très*

9. *palais des Papes.* Vast palace, headquarters of the Papacy during part of the fourteenth century; recently restored by the French Ministry of Fine Arts

10. *hantées* occupied

11. *encore* also

Mais quel drôle de pont!

la ville pour visiter les Alyscamps,[12] longue allée de cyprès bordée de tombeaux romains.[13] Les petites dimensions de ces sarcophages m'ont fait penser que les Romains devaient être moins grands que les Américains. J'ai écouté ensuite, d'une oreille un peu distraite, les explications du guide qui décrivait un enterrement d'autrefois.

Enfin, de retour à Nîmes, nous nous sommes arrêtés pour voir le pont du Gard. Ces arcs grandioses au-dessus de la large vallée du Gard[14] sont les restes presque intacts d'un des rares aqueducs romains subsistant en Europe. La nature et l'homme paraissent avoir rivalisé pour faire de ce monument et du site qui l'entoure un ensemble harmonieux. Quelle splendide conclusion à notre voyage dans la vallée du Rhône!

A · *Traduire en français*

We had looked forward to our trip to the Rhone valley, to the ancient cities of Provence, and to the French Riviera. With much enthusiasm we rode through the green French countryside, following the general direction of the Rhone. After a brief stop in the historic town of Orange, our bus reached, at the end of the day, the ancient Roman capital of Nîmes.

We were definitely in the *Midi*. Pedestrians and motor traffic moved at a leisurely pace and the inhabitants of Nîmes, children as well as adults, seemed much slower in their movements than the French of the north. In the cities of the Rhone valley one finds the most striking contrasts; for example, a modern movie house a few steps away from an outdoor theater built by the Romans, which is still used during the summer

---

12. *les Alyscamps.* Roman burial ground on the outskirts of Arles
13. *longue allée . . . romains* long walk bordered with cypress trees and Roman tombs
14. *Gard.* A tributary of the Rhone

for performances of French seventeenth-century tragedies. Careful excavations, in modern times, uncovered innumerable ruins and recently a whole village was unearthed near Orange.

In Nîmes itself, where life is more animated than in the smaller towns, we found the usual sidewalk cafés, not to mention the stands of shellfish vendors, which were quite different from those that we had seen in northern France. Of course we visited the Maison Carrée, the imposing Roman temple built in the second century after Christ,[15] and the vast arena[16] where there were seats for more than forty thousand spectators.

Three excursions, to Avignon, Arles, and the Pont du Gard, were perhaps the most interesting part of our trip. After the ritualistic visit to the famous bridge at Avignon, broken off[17] in the middle of the river, we spent three hours in the mighty Palace of the Popes. This superb example of fourteenth-century architecture, now admirably restored, recalls the days when[18] Avignon was the headquarters[19] of the Papacy.

The next day's ride took us to Arles, by way of the Pont du Gard, the massive Roman aqueduct with its three stories of stone arches. We quickly understood why Arles has long been a favorite[20] of writers and painters and we were especially fascinated by the contrasts of architecture—Roman, medieval, and modern. After visiting the Roman theater, the arena, and the cemetery, we spent most of[21] the afternoon in the charming romanesque church of Saint Trophime, noted for its cloister, half in[22] romanesque style and half in[22] gothic. As

---

15. *in the second century after Christ* au deuxième siècle après Jésus-Christ [ʒezykri]
16. *the vast arena* les vastes arènes
17. *broken off* qui se termine
18. *when* où
19. *headquarters* le siège
20. *has long been a favorite* est depuis longtemps un lieu de prédilection
21. *most of* la plus grande partie de
22. *in . . . in* de . . . de

Orient and Occident Photo

Le palais des Papes, beau spécimen de l'architecture civile du quatorzième siècle

we prepared to leave for the Riviera, we assured ourselves that we should soon return to spend much more time in the charming towns and villages of Provence.

B · Traduire en français

[*Conversation in the garden of the Hotel Imperator, at Nîmes*]

JEAN. I have never seen so much in three days in my life. It had not occurred to me that there were so many things to see in the Rhone valley.

RICHARD. And we couldn't even stop at Vaison!

PAUL. Well, I have no complaints to make.[23]

---

23. *I have no complaints to make* je n'ai pas à me plaindre

JEAN. I can't get used to the animation here in Nîmes. It's so different from the smaller towns in Provence.

HELEN. And their way of building stores and movie houses a few feet away from[24] Roman ruins!

RICHARD. I don't think the natives pay any attention to these monuments. Why, the porter told me that he passes in front of the Maison Carrée a dozen times a day without looking at it.

PAUL. It's the same thing everywhere. Three fourths[25] of the inhabitants of New Haven don't know that Yale exists.

HELEN. The Maison Carrée is tops with me.[26] How many buildings eighteen centuries old can still be used as museums?

RICHARD. That's the way I feel about the[27] Pont du Gard. The lowest arcade is still used as a roadway. They have probably widened it a bit so that automobile traffic can pass over it easily.

PAUL. Most of these monuments were somewhat restored about a hundred years ago. Just like the cathedrals.

HELEN. Of all the monuments that we have seen during this trip, Montmajour has the greatest need of repair. In fact, if they don't do something soon, the whole building will fall into ruins.

PAUL. Helen, you ought to write about it to the Ministry of Fine Arts. They would probably pay attention to a letter from a foreigner.

HELEN. And they might tactfully suggest that I contribute a substantial sum for the purpose. No, really, it's a shame to neglect so fine a building[28] that way.

---

24. *a few feet away from* à quelques pas de

25. *Three fourths* Les trois-quarts

26. *The Maison Carrée is tops with me* Pour moi, la Maison carrée est ce qu'il y a de mieux

27. *That's the way I feel about the* C'est ce que je pense du

28. *so fine a building* un si bel édifice

[*After a silence*]

PAUL. Well, Arles is the town I like. I can understand why so many painters have settled there.

RICHARD. Didn't you like Avignon?

PAUL. Of course, if you mean the Papal Palace, the Bridge, and walls. The town itself seems terribly run down. Arles, for example, would be charming even without the Roman monuments. Take Saint Trophime. Now the cloister . . .

HELEN. Say, have you memorized the guide's speech? I've had my fill of those the last few days.[29] I wish they would follow Monsieur Romain's system. He *senses* when you want information and when you would rather think about what you're looking at.

PAUL. Naturally. And I'll bet that when we stop at Aix this afternoon he will give explanations only to those who want them.

HELEN. I hope he'll explain the mineral waters. The guidebook indicates that there are fountains in the middle of the streets.

RICHARD. Does it say anything about restaurants? What is the specialty of Aix?

HELEN. It says that the specialty of Aix is an almond cake called *calisson*. Maybe we can buy some . . . How much time before we leave?

PAUL. Just twenty minutes. Come on, let's finish packing.[30] All our baggage must be ready in[31] ten minutes.

C · Employer chacune des expressions suivantes dans une phrase originale

je ne sais plus quel I can't remember what
à quelques pas de a few steps away from

---

29. *I've had my fill of those the last few days.* J'en ai eu tout mon soûl [su] ces derniers jours.

30. *Come on, let's finish packing.* Allons, finissons de faire nos valises.

31. *in* dans

quel drôle de what a funny
de ma vie in my life
valoir la peine de to be worth while to
porter bonheur to bring good luck
salle d'apparat ceremonial room

D · Répondre en français aux questions suivantes

1. Le théâtre antique d'Orange à quoi sert-il aujourd'hui?
2. Pourquoi la vie semble-t-elle plus facile au Midi que dans le nord?
3. Qu'est-ce qui donne l'impression que la vie est assez facile dans certaines villes visitées par le groupe?
4. Quels souvenirs du temps d'Auguste sont évoqués par une visite à Vaison?
5. Pourquoi les châteaux-forts étaient-ils en général construits sur une colline?

Le pont du Gard

6. Quelles différences y a-t-il entre Nîmes et les plus petites villes visitées par le groupe? Expliquez ces différences.

7. Comment expliquez-vous l'indifférence des Nîmois à l'égard des monuments qui ornent leur ville?

8. Que pensez-vous des courses de taureaux?

9. Qu'est-ce qui a rendu célèbre le pont d'Avignon?

10. Quels vestiges du moyen âge trouve-t-on tout près du pont d'Avignon?

11. Que pensez-vous des superstitions évoquées par le guide pendant la visite au palais des Papes?

12. Quel intérêt a-t-on à visiter l'église Saint-Trophime?

13. Comment a-t-on pu conclure que les Romains étaient moins grands que les Américains?

14. Pourquoi les Romains ont-ils construit le pont du Gard?

21

Marseille

Notre car glisse entre de longues files de vieilles maisons grises et ternes, ralentit peu à peu, et s'arrête enfin au pied d'un escalier monumental. « La gare Saint-Charles, » annonce le chauffeur, « tout le monde descend. » Nous sommes à Marseille.

Est-ce bien la ville que nous avions cru connaître d'après les décors du cinéma ou les romans policiers, un mélange bigarré d'aventuriers et de trafiquants de toutes races et de toutes origines? Certes, Hélène eut grand'peur quand un Arabe mal rasé, porteur des objets les plus hétéroclites, l'aborda et lui dit en *petit nègre*: « Mamizelle, j'te vends un tapis. C'est pas[1] cher! » Hélène court encore... Cependant, la foule paraissait en général aussi convenable que dans toutes les villes du monde et les cris des chauffeurs de taxi étaient tout à fait rassurants: c'était le même « Taxi, madame! » que partout ailleurs.

Pour aller à notre hôtel nous avons suivi la légendaire Cannebière. Ce boulevard, qui, par son animation extraordinaire, était comme le symbole de Marseille, ne diffère plus beaucoup d'une autre grande avenue française: boutiques modernes, grands magasins, hôtels luxueux et cinémas où l'on projette surtout des films américains, et de temps à

---

1. *Mamizelle . . . j'te . . . C'est pas.* Spelling indicates grammar and pronunciation of the *petit nègre* speech of the Algerian.

André de Dienes

Marseille. Le Vieux Port

autre un bar ou une boîte de nuit. La Cannebière ne refléterait nullement la misère de beaucoup de Marseillais si des mendiants ne vous y sollicitaient pas assez souvent.

Notre hôtel était situé assez près du Vieux Port ou plutôt de ce qu'il en reste. En effet, une bonne partie de cet ancien quartier de Marseille a été rasée par les Allemands ou détruite par les bombes alliées. Dans le port, qui a repris son activité d'avant-guerre, et le long des quais, des marchands de poissons offraient moules et rascasses aux passants. De vieux marins s'y promenaient nonchalamment en évoquant le bon temps d'autrefois et en se racontant des histoires. Ce sont peut-être leurs récits qui ont donné aux Marseillais la réputation d'être des vantards—un peu comme les habitants du Texas chez nous. Ces méridionaux ont certainement la langue bien pendue et avec force gestes[2] ils savent raconter une histoire de la manière la plus comique; les deux héros en sont toujours Marius et Olive et c'est à qui aura le dernier mot.[3]

Du Vieux Port on voit très bien une colline où s'élève une église dominée par la grande statue de Notre-Dame de la Garde, protectrice des marins. De là-haut on a une vue magnifique sur la ville et sur le port qui s'étend au bord de la Méditerranée. L'intérieur de la basilique est également bien intéressant à cause de son autel oriental et de ses bateaux à voiles en miniature suspendus à des lustres. Il y a, scellés au mur, de nombreux ex-voto,[4] plaques de marbre portant les témoignages de gratitude de femmes et de mères de marins sauvés de naufrages. « Merci à Notre-Dame de m'avoir rendu mon mari. » Que d'angoisses, d'attentes anxieuses évoquent ces simples inscriptions!

Une des petites îles que l'on aperçoit de la basilique est l'île du château d'If, nom bien connu des lecteurs d'Alexandre Dumas.[5] Tous les jours des bateaux à moteur emmènent des touristes vers cette prison autrefois redoutable. L'excursion en vaut la peine. On s'éloigne lentement du Vieux Port en longeant le port marchand où de nombreux cargos sont à l'ancre. Le château, au fur et à mesure que l'on se rapproche, passe d'un ton rouge foncé à un ton crayeux. Enfin nous y

---

2. *force gestes* a great many gestures. Cf. Lesson 17, French text, note 9

3. *c'est . . . mot* each one tries to have the last word

4. *ex-voto*. Invariable

5. *Alexandre Dumas* (1803–1870). Dumas *père*, noted novelist and playwright

voilà. Le débarquement n'est pas facile; les vagues projettent le bateau contre le rocher, puis l'éloignent soudain. Il faut guetter le bon moment pour sauter, si l'on veut débarquer sans tomber à l'eau.

Une fois sur la terre ferme on monte au château par un escalier taillé dans le rocher. Nous visitons tous les cachots, et notamment celui d'Edmond Dantès,[6] ainsi que l'appartement de l'Homme au masque de fer.[7] Histoire ou légende, peu importe, les lugubres souvenirs qui planent sur ces lieux ne nous donnent guère envie d'y rester longtemps...

Et c'est le retour à Marseille, à ses foules cosmopolites, à ses rues étroites et malpropres, mais aussi à cette vie intense qui fait que la ville a vraiment une personnalité bien à elle.[8]

A · *Traduire en français*

The bus passed between long rows of gray and weather-beaten houses before it stopped near the Saint Charles station in Marseilles. As we walked along the streets, our first impressions were somewhat disappointing. Was this the city,[9] so often seen on the screen, of adventurers, of black marketeers of all races and colors?

Going down the famous Cannebière, the principal street, of which the Marseillais are so proud, we noted modern shops, movie houses, large stores, and luxurious hotels. Our hotel was located near what remained of the Old Port, the most picturesque part of the whole city. Along the docks we saw

---

6. *Edmond Dantès.* Protagonist of Dumas' novel, *Le Comte de Monte-Cristo*

7. *l'Homme au masque de fer.* Cf. Exercise B of this lesson for further information.

8. *une . . . elle* a personality very much her own

9. *Was this the city* Était-ce là la cité

groups of old men dressed in sailors' clothes,[10] who seemed to be musing on the good old days.

On a hill overlooking the sea stands Notre Dame de la Garde, a church dedicated to the patron saint of all sailors. We took the cable car to[11] this height in order to enjoy a sweeping view of the city, the port, and the Mediterranean. Inside the church we observed the model sailing-boats, which hang from the[12] chandeliers, and numerous marble plaques expressing gratitude for miraculous rescues of husbands and sons.

Two or three miles off shore[13] stands the famous Château d'If, which we had seen quite clearly from the promenade in front of the church. In a small motor launch we made the classic trip to the grim island where the Man in the Iron Mask and the hero of Dumas' *The Count of Monte Cristo* were imprisoned. Leaving the Old Port, our launch took us past[14] more than a score of merchant ships, flying the flags of over a dozen different nations.

We arrived at the rather primitive dock, and, after jumping from the launch just at the right time, we climbed the steps to the Château. It makes little difference whether we connect this spot with history or legend. The depressing atmosphere made us wish to get back to Marseilles with its cosmopolitan crowds, its narrow streets, and its famous restaurants. To end our visit, there was nothing more fitting than to[15] order a steaming bowl of *bouillabaisse*, the famous fish chowder which is Marseilles' leading culinary specialty.

---

10. *in sailors' clothes* dans leur costume de marin
11. *to* pour monter à
12. *which hang from the* suspendus aux
13. *Two or three miles off shore* A deux ou trois milles de la côte
14. *took us past* nous a fait passer devant
15. *than to* que de

B · Traduire en français

[*Conversation at a sidewalk café on the Cannebière, Marseilles*]

RICHARD. I don't know whether the Director liked our running off from the Group this way,[16] but there was just enough time to see Marseilles.

HELEN. He didn't mind. In fact, I think that's why[17] he made our schedule so flexible.

JEAN. He insists that[18] we see as much of France as possible.

PAUL. Well, nobody can say we haven't seen Marseilles.

JEAN. What part did you like best?

PAUL. I don't know. Probably the docks.

RICHARD. Well, there were some colorful old sailors. Too bad[19] none of us had nerve enough to[20] talk to them.

PAUL. Maybe we can talk with them when we go down to take the boat to go to the Château d'If. By the way, when does it leave?

JEAN. At two-fifteen; we can eat at noon, that is, in fifteen minutes, and we'll still have an hour to look around.[21]

PAUL. Dick, what's that tablet[22] on the building there near the corner?

RICHARD. I hadn't noticed it, Paul. Let's ask the waiter. Waiter!

WAITER. At your service, sir.

RICHARD. Waiter, what's that tablet on the building over there?

WAITER. That tablet, sir, marks the spot where King Alex-

---

16. *our running off from the Group this way* notre manière de laisser tomber le groupe
17. *that's why* que c'est pour cela (qu')
18. *He insists that* Il tient à ce que (with subjunctive)
19. *Too bad* Dommage que (with subjunctive)
20. *had nerve enough to* ait eu assez de toupet pour
21. *to look around* pour flâner
22. *what's that tablet* qu'est-ce que c'est que cette plaque

ander of Yugoslavia was assassinated while beginning a state visit to France in 1934. Very dramatic event, sir.

PAUL. I must have been in grade school then. I don't remember it. Why don't we have lunch here?

HELEN. All right with us.[23] It will take less time that way.

PAUL. Waiter!

WAITER. Sir?

PAUL. Bring us the luncheon menu, please.

WAITER. Right away, sir.

[*Conversation on motor boat returning from the Château d'If*]

HELEN. Well, that was quite a sight,[24] but I think I can live the rest of my life without going back.

RICHARD. Pretty grim, I call it.[25]

HELEN. I can't help wondering if all those stories are true.

JEAN. You don't believe Dumas' stories?

HELEN. I mean what the guide told us about the *Man in the Iron Mask.*

JEAN. I looked him up the other day in *Larousse,* which did not mention his stay in the Château d'If. He was presumably a traitor, who was forced to wear the Mask by order of Louis XIV, and who died in the Bastille in 1703.

HELEN. What a gruesome punishment! You know, that whole prison gave me the creeps.[26]

RICHARD. Well, let's forget the Château d'If and take in some night life.[27] That is, after spending an hour or two at a good restaurant.

PAUL. The bus driver said that the Café de Marseille is the best place. He said he wouldn't drive us back to Geneva if we didn't order *bouillabaisse* at least once while we were in Marseilles.

---

23. *All right with us* Ça nous va
24. *that was quite a sight* ça, c'était une chose à voir
25. *I call it* je dirais
26. *gave me the creeps* m'a donné la chair de poule
27. *take in some night life* faire la tournée des boîtes de nuit

JEAN. Well, let's go directly to our hotels as soon as we dock,[28] and you can call for us in the lobby in half an hour.

RICHARD. But we haven't heard[29] any Marseilles stories.

HELEN. If you really want to go to a night club, we'd better have an early dinner.[30] See you in the lobby of our hotel about quarter of seven.

C · Employer chacune des expressions suivantes dans une phrase originale

une boîte de nuit a night club
assez près (de) fairly near
avoir la langue bien pendue to be very talkative
c'est à qui (with future) each one tries (with infinitive)
le bon moment the right time
peu importe it makes little difference
qui fait que... a which gives

D · Répondre en français aux questions suivantes

1. Quelles ont été les impressions des membres du groupe à l'arrivée à Marseille?
2. Est-ce que ces impressions correspondent à celles que donnent les romans policiers et le cinéma?
3. Décrivez la Cannebière.
4. Comment est-ce qu'on s'aperçoit de la misère à Marseille?
5. Qui est-ce que les étudiants ont vu dans le Vieux Port?
6. Qu'est-ce qui fait la réputation des Marseillais en France?

---

28. *as soon as we dock* dès que nous débarquerons
29. *we haven't heard* on n'a pas entendu raconter
30. *we'd better have an early dinner* il vaudra mieux dîner de bonne heure

7. Qu'est-ce qui fait l'intérêt de Notre-Dame de la Garde?

8. Expliquez le nom donné à cette église.

9. Pourquoi le château d'If est-il bien connu des lecteurs d'Alexandre Dumas?

10. Décrivez l'excursion faite par les membres du groupe pour aller au château d'If.

11. Qu'est-ce qui fait l'intérêt de cette forteresse?

12. Comparez les deux héros, Edmond Dantès et l'Homme au masque de fer.

13. Quelle impression la forteresse a-t-elle faite sur les membres du groupe?

14. Quel est l'aspect actuel du port de Marseille?

22

La Côte d'Azur

Une visite à Marseille ne laisse pas au voyageur une trop favorable impression de la côte méditerranéenne française. Au fur et à mesure qu'on s'éloigne du grand port et qu'on se dirige vers l'est, on voit le paysage changer et on est peu à peu séduit par la beauté unique de la région. De Saint-Raphaël à Cannes la corniche[1] longe le littoral. Le contraste du bleu intense de la mer et du rouge des rochers sur les îles et sur la côte est saisissant. Ces roches aux formes bizarres, ces plages baignées de soleil, la silhouette gracieuse des palmiers donnent au paysage un caractère exotique presque irréel. Le port de Saint-Tropez, séjour préféré de nombreux écrivains et artistes, a l'air, avec ses barques de pêche aux voiles blanches, de sortir d'un tableau. Partout l'odeur vivifiante des pins se mêle à celle de la mer; partout le chant des cigales[2] anime la nature qui semble dormir au soleil.

A Cannes commence la Côte d'Azur, région de France où les centres de villégiature sont les plus nombreux et les plus mondains. La nature est toujours aussi belle, mais l'intervention de l'homme a complètement transformé le paysage. Tout[3] a été conçu pour en faire un séjour d'agrément. Les hôtels luxueux, les casinos, les parcs et les jardins ornés de

---

1. *la corniche.* Short for *la route en corniche*, the coast road
2. *le chant des cigales* the locusts' (shrill) notes
3. *Tout* Everything

Feher from French National Tourist Office

Nice, centre animé de la Côte d'Azur

palmiers, de mimosas et d'orangers odorants sont plus nombreux ici que partout ailleurs. Certes la beauté sauvage et naturelle du paysage en souffre parfois; mais il y a encore beaucoup de sites qui sont restés intacts. Nous nous étions installés à Cagnes-sur-Mer, petit port où la vie est moins chère qu'à Nice ou à Cannes; c'est de là que nous avons fait de nombreuses excursions. Nous avons essayé de prendre un bain de mer à la jolie plage de sable de Juan-les-Pins, mais la saison n'était pas encore assez avancée et l'eau nous a paru bien froide.

Nous n'avons pas manqué d'aller à Grasse, centre réputé dans le monde pour la fabrication des parfums. Cette petite ville est entourée de jardins de jasmins et d'autres fleurs aromatiques. C'est ici qu'on extrait les essences nécessaires à la fabrication de ces mélanges capiteux qui font la renommée des parfums français.

Nice est le centre le plus animé de la côte, mais Monte-Carlo est le meilleur exemple des villes artificielles, des villes d'opérette[4] que l'on trouve sur la Côte d'Azur. Elle est située dans la principauté de Monaco, petit état indépendant qui, tirant de grands revenus du tourisme et des salles de jeu, vit dans un luxe raffiné; c'est l'un des pays du monde où l'on paie le moins d'impôts. Nous sommes frappés par sa propreté et son charme aristocratique. Le palais du Prince, la belle cathédrale de construction moderne,[5] les immeubles administratifs, et les maisons anciennes de la ville de Monaco se serrent sur un rocher. Dans les jardins en bordure de la mer, le prince Albert Ier[6] a installé un aquarium où l'on peut admirer les variétés de poissons les plus curieuses.

Monte-Carlo est le centre mondain de la principauté. On y voit des hôtels de grand luxe dont les prix sont fort élevés. Bien qu'il y ait des touristes qui vont à Monte-Carlo pour

---

4. *villes d'opérette* comic-opera towns
5. *de . . . moderne. de* is used without article in adjectival phrase.
6. *le prince Albert Ier* (1848–1922). Prince of Monaco and distinguished oceanographer

Samuel Chamberlain

La place du marché, Nice

visiter l'aquarium et le jardin Exotique,[7] il est évident que c'est le casino qui attire la grande majorité des visiteurs. Nous n'avons pas manqué de visiter ce casino, du plus pur style 1900,[8] mais nous n'avons joué ni au baccara ni[9] à la roulette, car il est facile d'y perdre tout son argent en quelques minutes. La prudence commande de ne pas s'y attarder trop.

Tout compte fait, nous avons préféré les petites plages, comme celle de Saint-Jean-Cap-Ferrat, où nous avons déjeuné dans un restaurant tout près des filets qui séchaient sur la jetée. De la salle à manger nous pouvions contempler l'animation continuelle du port, avec ses petits bateaux qui s'éloignaient en dansant sur les ondes.

Il semble ainsi que le charme de la Côte d'Azur est fait de variétés et de contrastes: divertissements mondains et calme provincial, hôtels de luxe et maisons de pêcheurs, jardins et promenades à côté de ce que la nature dans sa simplicité peut offrir de plus séduisant.

A · *Traduire en français*

After we left the region of Marseilles we became aware of the beauty of the Mediterranean. As our bus took us along the famous Corniche Road, we were fascinated by the contrast between the deep blue of the sea and the red of the rocks along the coast. We approached Saint Tropez and Saint Raphaël, passing many sun-drenched beaches and long rows of graceful palm trees. It was easy to understand why the French Riviera had been a favorite vacation spot for so long.[10]

---

7. *jardin Exotique.* Extensive garden, overlooking the sea, noted for its many species of cactus and other rare plants

8. *style 1900.* The heavy, over-elaborate style of the turn of the century

9. *ni . . . ni* neither . . . nor. These words, replacing the usual *pas*, complete the negative introduced by *ne.*

10. *had been . . . so long* était . . . depuis si longtemps

The mild climate and the gentle sun, the odor of the sea, and the stimulating fragrance of the pine trees have made this region[11] an extraordinary pleasure resort.

Everything has been planned in this whole area for the benefit of[12] tourists, pleasure seekers, and convalescents. Everywhere we saw luxurious hotels, casinos, parks, and French gardens; on all sides there were flowering mimosas, fragrant orange trees, and several varieties of palms. We decided to stop at a hotel in Cagnes sur Mer, to avoid the high prices of Nice or Cannes and to relax in the quiet of a small town. We made excursions in all directions and we even tried the water at several beaches to see if we could go swimming without catching a cold.

Some of us took a most interesting excursion to Grasse, world-famous center of the manufacture of perfumes. This delightful town is situated in the hills some miles inland[13]

---

11. *have made this region* ont fait de cette région

12. *for the benefit of* pour favoriser

13. *is situated . . . some miles inland* se trouve . . . à quelques kilomètres de la côte

La vallée du Var à Entrevaux (Provence)

Samuel Chamberlain

and is surrounded by vast fields and gardens where a score of different flowers are cultivated. From these flowers the crude essences are obtained, to be later refined and shipped all over the world.[14]

All of us wanted[15] to visit Monte Carlo in order to see its famous casino. In the ornate rooms of this vast structure, where many fortunes have been lost in a few hours, some of the boys[16] lost several thousand francs in a few minutes. The others were satisfied to stroll through the gaming rooms, to observe the players, so intent and serious, and to marvel at the skill of the croupiers. We left the casino after a half-hour, since there were more interesting things to do.

B · *Traduire en français*

[*Conversation on the beach at Cagnes sur Mer*]

DIRECTOR. You know, I appreciate the interest that members of the Group take in my health.

HELEN. You mean that someone has suggested that you take pills?

DIRECTOR. No, I mean that a lot of people are trying to make me take more exercise. At Davos, they wanted me to ski, and now they are trying to make me swim in freezing water![17]

PAUL. Well, I don't blame you for not going in the water. After swimming for five minutes yesterday, I decided that it was enough to last me until June.[18]

DIRECTOR. It has always been mild enough along the Riviera to go boating in the middle of May.

JEAN. Is there anything planned[19] for this afternoon?

---

14. *all over the world* dans le monde entier
15. *All of us wanted* Nous voulions tous
16. *boys* jeunes gens
17. *in freezing water* dans l'eau glacée
18. *it was enough to last me until June* ça me suffirait jusqu'au mois de juin
19. *anything planned* quelque chose de prévu

DIRECTOR. Nothing official is on the program before we leave. Some of us are going up to the artists' quarter in Cagnes. Will you come along?[20]

JEAN. Of course. The clerk at the hotel said there were some little shops up there where we might find some real bargains. Shall we meet you after lunch?

DIRECTOR. Yes, come and have coffee[21] with us about half past one and we'll leave after that.

RICHARD. Is it all right if[22] we stay up there for dinner?

DIRECTOR. Why, yes. You're on your own[23] until Friday morning. I'll see you after lunch.

[*Conversation on the bus after leaving Nice*]

PAUL. Dick, I really think I could live on the Riviera indefinitely.

RICHARD. You mean at Monte Carlo?

PAUL. Not especially. Anywhere between Saint Raphaël and Menton.

HELEN. So could I.[24] But what did you think of the pastry at Monte Carlo?

RICHARD. Swell![25] And there were so many different kinds that I had to point. I suppose all those things[26] have names.

HELEN. Of course they have names. If you had been at the table with the Directress and me, you would have learned them.

RICHARD. I didn't come to the Riviera for a vocabulary lesson. How much did you lose at the Casino, Helen?

---

20. *Will you come along?* Serez-vous des nôtres?
21. *come and have coffee* venez prendre le café
22. *Is it all right if* Est-ce que ça va si
23. *You're on your own* Faites ce qui vous plaira
24. *So could I.* Moi aussi.
25. *Swell!* Épatant!
26. *all those things* tous ces machins-là

JEAN. Oh, Helen didn't play. That is,[27] officially. But I saw an old gentleman lose at least fifty thousand francs.

RICHARD. Well, they've been doing that at Monte Carlo for a long time. The guide said that during times of depression the Casino is kept going by[28] movie stars and industrial tycoons.[29]

---

27. *That is* C'est-à-dire
28. *is kept going by* continue à marcher grâce aux
29. *industrial tycoons* gros pontes de l'industrie

Villefranche-sur-Mer

Samuel Chamberlain

PAUL. The whole town looks fairly prosperous now. And didn't you hate to say[30] goodbye to Nice?

RICHARD. That's one town[31] I won't forget either. But when do we get to the next stop?

PAUL. Not before five o'clock. I'm going to try to make up for[32] the sleep I lost last night.

C · Employer chacune des expressions suivantes dans une phrase originale

au fur et à mesure que in proportion as, as
aux formes bizarres with strange shapes
se mêler à to mingle with
séjour d'agrément pleasure resort
manquer de to fail to, miss
ville d'opérette comic-opera town
se serrer to be crowded together
jouer au baccara to play baccarat
s'attarder to linger
tout compte fait all things considered

D · Répondre en français aux questions suivantes

1. Pourquoi faut-il quitter Marseille pour avoir une impression réelle de la côte méditerranéenne française?
2. Pourquoi le paysage de la Côte d'Azur a-t-il un caractère exotique?
3. Quel est le climat ordinaire de la Côte d'Azur?
4. Pourquoi les étudiants se sont-ils installés à Cagnes-sur-Mer?

---

30. *And didn't you hate to say* Ça ne t'a pas fait de peine de dire
31. *That's one town* Voilà une ville que
32. *make up for* rattraper

5. Quelle est l'importance de Grasse dans l'industrie française?

6. Quelles sont les curiosités de la principauté de Monaco?

7. Approuvez-vous les jeux de hasard? Justifiez votre opinion.

8. Pourquoi les habitants de Monaco paient-ils si peu d'impôts?

9. Préféreriez-vous passer vos vacances à Monte-Carlo ou à Cagnes-sur-Mer?

10. A quelle partie des États-Unis pouvez-vous comparer la Côte d'Azur? Justifiez votre réponse.

23

La Touraine

« Garçon, vous nous apporterez une bonne bouteille de Vouvray mousseux.

—Encore un nouveau vin! D'où vient-il?

—De la Touraine. Puisque nous voici de nouveau à Paris, qui en est tout proche, profitons de l'occasion pour visiter cette belle province.

—Entendu. Il paraît que c'est là qu'on parle le meilleur français. Est-ce vrai?

—C'est fort possible. Après Paris, la région de la Loire a toujours été un foyer de haute culture. Te souviens-tu du *Roman de la Rose*,[1] que nous avons étudié en classe?... Mais c'est surtout le seizième siècle qui a été l'âge d'or de la Touraine et c'est alors que ces bords de la Loire ont reçu le nom de « jardin de la France ».

—Pourquoi cela?

—Peut-être à cause du climat doux et agréable de cette province, « la douceur angevine » dont parle du Bellay.[2] D'ailleurs Paris était trop dangereux au temps des guerres de

---

1. *Roman de la Rose.* Long allegorical poem, written in the thirteenth century by Guillaume de Lorris and Jean de Meung, both natives of Touraine

2. *du Bellay* (1522–1560). French poet and critic, member of the *Pléiade.* See Lesson 15, note 8.

religion.[3] Et puis les rois de France aimaient à venir chasser dans les plaines et les grandes forêts qui bordaient la Loire. C'est pourquoi ces princes et leurs courtisans ont élevé de si beaux châteaux dans toute la région qui s'étend d'Orléans à Angers.

—J'ai hâte de me mettre en route.

—Moi aussi. Commençons par Tours et les petits châteaux[4] pour terminer par les grandes demeures royales. »

Il y a plusieurs heures de route de Paris à Tours. Comme nous ne connaissions pas bien le trajet, nous avons un peu flâné en chemin. A sept heures précises nous étions attablés devant un excellent dîner à l'hôtel Métropole dans la vieille capitale tourangelle.

La ville, encerclée de quais et de boulevards, garde encore l'allure d'une capitale princière. Le tombeau de Saint-Martin y est devenu un lieu de pèlerinage de plus en plus fréquenté. Saint-Martin est cet évêque qui, par un jour glacé de novembre, partagea son manteau avec un pauvre mendiant. La légende raconte que pour le récompenser Dieu adoucit immédiatement la température. Et, depuis ce temps, le bref retour d'un temps clément et doux que l'on connaît souvent en novembre s'appelle « l'été de la Saint-Martin ».[5]

Le lendemain nous nous mettons en route de bon matin car notre programme est chargé. Nous ne pourrons pas visiter tous les petits châteaux. Certains, tels que Chinon, rappellent que, dès le moyen âge, les grands seigneurs aimaient les bords ensoleillés de la Vienne[6]; d'autres, comme Azay-le-Rideau, évoquent la vie facile de la Renaissance.

Nous admirons Luynes et Cinq-Mars au passage et nous

---

3. *guerres de religion.* Usual French name for the hostilities between Roman Catholics and Protestants, which lasted from 1562 until 1598

4. *les petits châteaux.* Minor, or less pretentious castles, such as Luynes, Cinq-Mars, and Cheverny

5. *l'été de la Saint-Martin.* The period we call Indian summer.

6. *la Vienne.* Tributary of the Loire

French National Tourist Office

Château de Luynes

arrivons à Langeais. Construit à la fin de la guerre de Cent Ans,[7] c'est l'un des premiers châteaux dont l'architecture répond à la fois aux deux besoins de l'époque: vivre dans un cadre harmonieux et confortable et pouvoir se défendre contre une attaque toujours possible.

A quelques kilomètres de là, Ussé a l'air de sortir d'un conte de fées; on ne serait pas surpris d'y trouver des pages et des archers. C'est un vrai château pour servir de demeure à la Belle au bois dormant! Abrité par une forêt, protégé par une rivière et dominant une garenne sauvage, Ussé est une délicieuse propriété privée. Il passa entre les mains de plusieurs grandes familles françaises, qui toutes y apportèrent un élément nouveau. La chapelle Renaissance est probablement la plus belle partie de l'ensemble.

Après Ussé nous faisons un pèlerinage à Chinon, château démantelé du moyen âge, où Jeanne d'Arc rencontra pour la première fois le futur roi Charles VII.[8] Ses tours et créneaux

---

7. *la guerre de Cent Ans.* The Hundred Years' War between France and England (1338–1453)

8. King of France, 1422–1461; meeting referred to took place in 1429.

French National Tourist Office

Le château d'Ussé a l'air de sortir d'un conte de fées

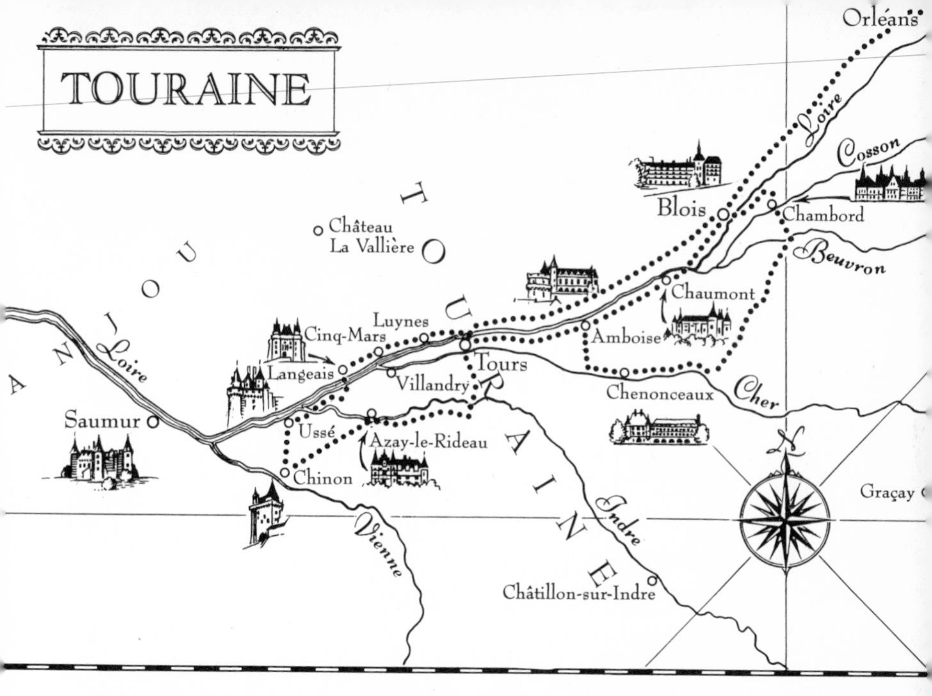

couronnent la petite ville qui dort à ses pieds et qui garde encore de nombreuses traces du passé: vieilles rues, églises et l'hospice, jadis couvent des sœurs du Calvaire,[9] qui fut fondé par le père Joseph, l'Éminence grise[10] de Richelieu.

Notre excursion se termine par Azay-le-Rideau. Construit par un riche financier au début du seizième siècle, il ne fut achevé qu'à la fin du dix-septième. Depuis 1905 il appartient au gouvernement français, qui l'a splendidement orné de tapisseries, d'œuvres d'art et de meubles du seizième siècle. On est vraiment ébloui quand on voit pour la première fois cette demeure élégante, qui mire, dans les eaux tranquilles de l'Indre,[11] ses hautes cheminées et ses toits en aigrette, ses balcons délicatement ouvragés et ses portes sculptées dans la belle pierre blanche du pays...

---

9. *sœurs du Calvaire.* Religious order noted for its charitable works
10. *Éminence grise.* Priest closely associated with Richelieu and reputedly responsible for many of his policies; so called because of his gray habit
11. *l'Indre.* Tributary of the Loire

Rassasiés d'art et d'histoire, nous nous arrachons à regret à Azay-le-Rideau, dont la façade commence à se dorer aux derniers rayons du soleil couchant, et nous regagnons rapidement la ville de Tours.

A · *Traduire en français*

The drive from Paris to Tours can easily be made in one day. We left the capital fairly early and stopped for lunch at an old inn near Orléans. Upon reaching our destination in the[12] middle of the afternoon, we visited the cathedral, Saint Martin's tomb, and other important points of interest.

We decided that Tours would be an excellent center for excursions, so we planned a three-day visit to the famous castles of the Loire valley. The oldest castles, like Chinon and Cinq Mars, were included in our itinerary, as well as Azay-le-Rideau and Chambord, which were built during the sixteenth century.

At Langeais, by studying the various wings, we could trace the development of the French castle to the[13] beginning of the sixteenth century. This great structure, which overlooks a section of the town of the same name, is especially noted for its *chemin de ronde*, which permitted its defenders to move rapidly from one side of the roof to another.

At Villandry we saw a fine example of seventeenth-century architecture. In fact, as we visited one castle after another,[14] we were able to get a rather complete idea of the life of the upper classes during the times of Francis I and of his successors. In Azay le Rideau, already referred to,[15] we noted the luxurious furnishings. Azay was bought by the French govern-

12. *in the* au
13. *to the* jusqu'au
14. *one castle after another* tant de châteaux, l'un après l'autre
15. *already referred to* dont nous avons parlé plus haut

Marcel Louchet from French National Tourist Office

Azay-le-Rideau signifie à la fois grâce et solidité

ment in 1905 and has been furnished in a manner to[16] evoke the life of its sixteenth- and seventeenth-century owners. Upon our return to Tours we were eager to continue our visit to the princely residences north and east of[17] that center, especially Amboise, Chambord, Chenonceaux, and Blois.

---

16. *in a manner to* de manière à
17. *north and east of* au nord et à l'est de

B · Traduire en français

[Conversation at a luncheon given by M. and Mme. Cozette at "La Gagnerie," their estate near Tours]

M. COZETTE. Well, it is a real joy to receive you and your students[18] at "La Gagnerie." It has been a long time since you were here.[19]

DIRECTOR. I'm delighted to see you and Mme. Cozette again[20]. . . We're staying at[21] the Métropole and we have already seen some of the castles. We hope to spend some time in Tours itself.

MME. COZETTE. Many of your groups spent two months here.

M. COZETTE. I'm sure that you know that your students are very welcome at Tours. The townspeople expect to see a new group every year.

DIRECTOR. They are very happy at Tours. My predecessor told me that some of them didn't want to leave Tours when the time came to begin the school year at the Sorbonne.

M. COZETTE. That's very flattering for us. Naturally, we are delighted that they resumed their stay[22] in our city.

DIRECTOR. Yes, next year's group should reach Tours about the fifteenth of September.

M. COZETTE. Have you talked with anyone at the Institute[23] since you arrived?

DIRECTOR. Yes, I had a long talk this morning with the Director. He tells me that you have received several groups of English students . . .

---

18. *to receive you and your students* de vous recevoir, vous et vos étudiants
19. *It has been a long time since you were here.* Il y a longtemps qu'on ne vous a vu.
20. *to see you and Mme. Cozette again* de vous revoir, Mme Cozette et vous
21. *We're staying at* Nous sommes descendus à
22. *that they have resumed their stay* qu'ils aient recommencé à séjourner
23. *Institute* l'institut (*m.*) de Touraine

MME. COZETTE. Are your students always so quiet and respectful?

DIRECTOR. I'm afraid I haven't given them much chance to talk, but they're really quite excited about Touraine.

JEAN. Tell them about our invitation for this afternoon.

DIRECTOR. You tell them about it, Jean.[24]

JEAN. Well, we have been invited to visit the Vouvray cellars at Rochecorbon.

M. COZETTE. I know you will like that.[25] I hope they take you to Monsieur Brédif's.

JEAN. Yes, I think that's the name. They say that he is one of the largest producers of Vouvray and that his cellars extend quite far underground.

RICHARD. Are they like the cellars at Reims? I always regretted missing them.[26]

M. COZETTE. The principle is the same, although the cellars in Touraine are not so extensive. What castles are you going to visit tomorrow?

PAUL. We are supposed to begin with Langeais, Villandry, Ussé, and Azay le Rideau.

M. COZETTE. That's about enough[27] for one day. But if you can drive over this way[28] in the middle of the afternoon, I should like to be your guide at Chenonceaux myself. It's a few kilometers to the east, on the Cher, which you can see down there in the valley.

DIRECTOR. That's a wonderful invitation. You may count on all of us[29] and I hope that Mme. Cozette will go along with us, too.

---

24. *You tell them about it, Jean.* Voulez-vous leur en parler, Jeanne.
25. *I know you will like that.* Je sais que cela vous plaira.
26. *missing them* de les avoir manquées
27. *That's about enough* Cela suffit bien
28. *drive over this way* passer par ici
29. *count on all of us* compter sur nous tous

C · Employer chacune des expressions suivantes dans une phrase originale

encore un still another
plusieurs heures de route several hours' travel
flâner en chemin to drive at a leisurely pace
par un jour glacé on a frosty day
l'été de la Saint-Martin Indian summer
se mettre en route to start out
de bon matin early in the morning
au passage as we pass by
passer entre les mains de plusieurs... to belong successively to several . . .
rassasié de satiated with

D · Répondre en français aux questions suivantes

1. Le Vouvray est-il le seul vin mousseux qu'on peut déguster en France?

2. Pourquoi a-t-on fait construire tant de châteaux en Touraine?

3. Expliquez pourquoi la vallée de la Loire fut un centre intellectuel et artistique au seizième siècle.

4. Expliquez pourquoi il y avait des guerres de religion à cette époque.

5. Quelles ont été les impressions des étudiants à leur arrivée à Tours?

6. Quelle est l'origine de l'expression « été de la Saint-Martin »?

7. Quel est l'intérêt particulier du château de Langeais?

8. Qu'est-ce qui distingue le château d'Ussé des autres châteaux visités par le groupe?

9. Quel rapport y a-t-il entre l'histoire de Jeanne d'Arc et le château de Chinon?

10. Pourquoi le gouvernement français a-t-il acheté Azay-le-Rideau?

24

La Touraine (suite)

La brise matinale nous fouette agréablement le visage alors que nous remontons la vallée de la Loire en direction d'Amboise. Nous traversons un véritable jardin de rosiers et d'arbres fruitiers et, sur les coteaux, des pieds de vigne bien alignés nous rappellent qu'au retour nous devons nous arrêter chez un propriétaire de vignobles pour déguster les délicieux vins blancs du pays.

Amboise est l'une des villes les plus caractéristiques[1] de Touraine. Le château, entouré par les hautes futaies du parc, ressemble à un immense joyau serti dans un anneau de bronze. On ne voit que sa silhouette élégante ornée de pignons dentelés, de lucarnes, de tourelles et de gargouilles. De Louis XI à François Ier,[2] artistes français et étrangers attirés par les rois travaillèrent à créer ce qu'un ambassadeur vénitien appela—nous dit notre guide—« une des plus belles choses de France ». Mme de Sévigné[3] et La Fontaine[4] aimèrent Amboise et on peut penser que du haut des terrasses

---

1. *l'une . . . caractéristiques.* Both article and adjective agree in gender with *villes.*

2. *Louis XI.* King of France from 1461 to 1483, largely responsible for the country's rapid recovery after the Hundred Years' War; *François Ier.* Cf. Lesson 7, note 19.

3. See Lesson 6, note 13.

4. *La Fontaine* (1621–1695). Master of the fable

magnifiques de cette royale résidence, ils s'attardaient à contempler la vue impressionnante que l'on a sur la vallée de la Loire.

Si Amboise garde encore quelques traces du moyen âge, Chenonceaux, notre étape suivante, est l'un des exemples les plus séduisants du pur style de la Renaissance. Il n'est pas dû au génie d'un seul artiste, mais à la collaboration de tout un groupe d'architectes, de peintres et de décorateurs qui se sont succédés pour en faire une demeure de rêve. Destiné d'abord à Diane de Poitiers,[5] favorite du roi Henri II,[6] Chenonceaux devint ensuite la possession de Marie de Médicis.[7] C'est à cette reine et à l'architecte Philibert Delorme[8] qu'on

---

5. *Diane de Poitiers* (1499–1559). Ambitious and domineering favorite of Henri II, whose private affairs she sought to control

6. *Henri II.* King of France from 1547 to 1559, noted patron of arts and letters

7. *Marie de Médicis* (1573–1642). Wife of Henri IV, mother of Louis XIII

8. *Philibert Delorme* (1515–1570). Distinguished architect, noted for his contributions to Fontainebleau, the Tuileries, Saint Germain, Anet, and Chenonceaux

Chenonceaux, expression du génie de la Renaissance

doit le pont surmonté d'une élégante galerie à deux étages qui se mire dans le Cher.[9] Les fastes de Chenonceaux se poursuivirent jusqu'au dix-huitième siècle.

Nous roulons ensuite à travers une campagne verdoyante vers le château de Chambord. Vu de loin, c'est comme une vision fantastique. Une forêt de tourelles, de cheminées et de lanternes[10] se dresse au-dessus du toit. On est séduit par la noblesse de l'ensemble, la symétrie des tours et des lanternes, la décoration d'une étonnante richesse. La merveille de Chambord est le grand escalier.[11] Il n'est pas seulement célèbre pour ses proportions, mais aussi pour la disposition ingénieuse de ses rampes à double spirale. Chambord est aussi le plus grand des châteaux de la Renaissance. Il comprend trois cent soixante-cinq pièces (et trois cent soixante-cinq cheminées!) et treize escaliers. Du toit du château la vue s'étend sur un domaine de plus de cinq mille hectares, dont les trois-quarts sont boisés. Vide aujourd'hui, il abrita pendant la guerre de 1939–1945 les chefs-d'œuvre de plusieurs musées français.

Nous terminons cette promenade dans la France de la Renaissance par une visite au château de Blois. La ville de Blois elle-même est des plus pittoresques. Les maisons sont construites sur une colline abrupte au-dessus de laquelle se dresse l'ancienne résidence royale. Les artistes qui avaient eu l'occasion d'exercer leurs talents à Amboise furent invités à Blois, qui apparaît ainsi comme le chef-d'œuvre de la période la plus brillante, la plus hardie et la plus active de la Renaissance française. Le célèbre escalier à loggias[12] est incontestablement la partie de ce vaste palais où le génie de l'artiste se manifeste avec le plus d'éclat.

---

9. *le Cher*. Tributary of the Loire

10. *lanternes*. A *lanterne* is a small cupola, or tower-like member, crowning a larger one, as an ornament or to admit light.

11. *le grand escalier*. Monumental double staircase with two completely independent circular flights of stairs

12. *escalier à loggias*. Outside staircase with roofed open galleries

Chambord—une fôret de tourelles, de cheminées et de lanternes se dresse au-dessus du toit

Avant de regagner Paris nous n'avons que le temps de jeter un coup d'œil au château de Chaumont, véritable château-fort de cinéma! On dit que Catherine de Médicis[13] y donna des séances de magie, mais rien n'est moins certain...

A · Traduire en français

Having decided to spend a whole morning visiting the castle of Amboise, we drove from Tours through the lovely vineyards and farms between the rolling hills on either side of the Loire. Quite often we noticed roadside stands adjoining the principal vineyards, where tourists were invited to stop long

13. *Catherine de Médicis.* Wife of Henri II (1519–1589)

enough to drink a glass of chilled wine. The town of Amboise, which extends along the massive ramparts of its castle, seems to disappear behind those imposing walls.

During more than a century Amboise was embellished by French and Italian artists, architects, and craftsmen. It became, in the[14] middle of the sixteenth century, one of France's most magnificent royal residences. Amboise is especially famous for its circular ramp, which permitted horsemen to reach the principal apartments of the castle on the upper level. Here again the lavishly decorated rooms recall sixteenth-century life in this garden spot of France.[15]

Chambord is the largest castle in Touraine and looks like a forest of towers, chimneys, and lanterns when seen from a distance.[16] The proportions of Chambord are grandiose and the symmetrical arrangement of the towers and chimneys is most impressive.[17] The double staircase[18] was built to correspond to its imposing dimensions, and the fact that this castle contains three hundred and sixty-five rooms explains why there are twelve additional staircases.

We were eager to see the castle of Blois, the[19] product of the most active and brilliant period of the French Renaissance. Here French and Italian artisans, who had developed their talents at Amboise, tried to outdo themselves. The Italian influence is quite marked, particularly in the elegant decorations of the staircases and fireplaces. We were far from the Gothic severity that we had seen at Langeais. At Blois the transformation of the medieval fortress into the Renaissance palace[20] was almost complete.

---

14. *in the* au
15. *this garden spot of France* ce jardin de la France
16. *when seen from a distance* quand on le voit de loin
17. *is most impressive* est des plus impressionnantes
18. *the double staircase* l'escalier à double spirale
19. Omit.
20. *into the Renaissance palace* en palais de la Renaissance

B · Traduire en français

[*Conversation at the restaurant of the Hôtel Métropole, Tours*]

RICHARD. After having seen five castles yesterday and Amboise this morning, I don't know whether I can assimilate[21] Chambord and Blois this afternoon.

PAUL. We saw too many in too little time. Which one did you like best?

RICHARD. I don't know, Paul. Each one has its special features.

HELEN. You mean the seventeenth-century style at Villandry, the medieval fortifications at Langeais, the furniture and decorations at Azay, and the fact that Chenonceaux was built across[22] a river?

RICHARD. Yes, that's it.[23] And that's why I can't say which one I prefer. Wait until we've seen[24] Chambord and Blois and then I'll tell you.

JEAN. Well, nobody has asked my opinion, but I can't imagine anything more beautiful[25] than Amboise.

PAUL. Why Amboise rather than Chenonceaux?

JEAN. Well, first, there's the fine location of Amboise on a rise overlooking the river valley, then[26] the walls, which could really be used for defense, then[26] the spiral ramp, which must be unique in Europe, and finally Saint Hubert's chapel, which is really a gem.[27]

PAUL. Dick, I can't deny all those facts.

HELEN. I was interested in the restoration of the chapel. It was damaged during the war and the roof on the right side is now very ingeniously supported.

---

21. *assimilate* absorber
22. *across* sur
23. *that's it* c'est ça
24. *Wait until we've seen* Attends qu'on ait vu
25. *anything more beautiful* rien de plus beau
26. *then* puis
27. *is really a gem* est vraiment un petit bijou

RICHARD. We've seen a great deal of restoration of monuments damaged during the war in France.

HELEN. Yes, and this afternoon we'll see the restoration of the chapel at Blois.

[*Conversation while driving back to Paris, later the same day*]

RICHARD. I wish these short trips of ours lasted three weeks. We try to cover so much ground[28] in so little time that we can't remember half that we see.[29]

PAUL. Well, Dick, the only alternative[30] would be to limit our trips to a few chosen points of interest.

JEAN. That's what the Director said when we were visiting the Roman cities in Provence. I agree with him. Of course, we should try to see as many different monuments as possible.

HELEN. That's what I think, too. It may be years before we are able to visit Europe again.[31]

JEAN. If you had had to omit some of these castles, which ones would you have omitted?[32]

HELEN. Not one,[33] and certainly neither of the two we visited this afternoon. Chambord is imposing, but I think that Blois is the most interesting of all.

RICHARD. That's just what I was going to say. Remember when you asked me this morning which one I liked best?

PAUL. Yes, you said you'd give your answer after having seen Chambord and Blois.

RICHARD. My answer is Blois.[34] The general plan, the magnificent fireplaces, the decorations, and the beautiful

---

28. *to cover so much ground* voir tant de choses
29. *half that we see* la moitié de ce que nous voyons
30. *the only alternative* la seule autre possibilité
31. *It may be years before we are able to visit Europe again.* Peut-être ne reverrons-nous pas l'Europe avant bien des années.
32. *which ones would you have omitted* lesquels auriez-vous laissés de côté
33. *Not one* Pas un seul
34. *My answer is Blois.* Je dirais Blois.

outside staircase make Blois[35] the finest Renaissance building I've ever seen—that is, except Fontainebleau.

C · *Employer chacune des expressions suivantes dans une phrase originale*

en direction de toward
pieds de vigne vinestocks
au retour on the way back
s'attarder à to linger
se succéder to follow each other
destiné à intended for
à deux étages with two stories
escalier à double spirale double spiral staircase
jeter un coup d'œil à to glance at

D · *Répondre en français aux questions suivantes*

1. Pourquoi appelle-t-on la Touraine « le jardin de la France »?
2. Quelles sont les particularités du château d'Amboise?
3. Quelles sont les particularités du château de Chenonceaux?
4. Quelles sont les particularités du château de Chambord?
5. Quelles sont les particularités du château de Blois?
6. A quoi le château de Chambord a-t-il servi pendant la guerre de 1939?
7. Pourquoi Blois est-il une expression raffinée de l'art de la Renaissance française?
8. Comment entendez-vous l'expression « château-fort de cinéma »?
9. Citez quelques caractères de l'architecture de la Renaissance d'après les observations faites par les membres du groupe.

---

35. *make Blois* font que Blois est

25

Une Petite Ville de France

Notre séjour à Paris devant se prolonger[1] pendant quelque temps, nous décidons d'étudier la vie d'une petite ville de deux mille habitants environ dans la région de Fontainebleau.

Moret-sur-Loing, comme beaucoup de petites cités françaises, a un passé lointain. Le cachet de la poste dit « Moret, antique et royale cité ». La ville a conservé deux vieilles portes médiévales, une belle église du treizième siècle, deux maisons Renaissance. Ces reliques du passé—et de délicieux sucres d'orge fabriqués par des religieuses!—attirent à Moret de nombreux touristes. En été, les peintres installent leur chevalet sur les bords du Loing[2]; des pêcheurs viennent y taquiner la perche et le goujon. Pour les loger, Moret a de petits hôtels, simples d'apparence, mais où l'on fait de bons repas à des prix abordables. Une de leurs spécialités est la friture de poisson.

Sur la place principale voisinent l'hôtel de Ville et le monument aux morts des deux dernières guerres. Devant ce monument, le jour de la Toussaint et le jour de l'Armistice, se retrouvent tous ceux qui viennent rendre hommage aux

---

1. *devant se prolonger.* Use of *devoir* to express probability
2. *Loing.* Tributary of the Seine

soldats morts pour la patrie. On y vient aussi les jours de réjouissance populaire, notamment le quatorze juillet,[3] fête nationale des Français. Nous sommes contents que le début de notre visite coïncide avec cette fête. Dès la veille les rues sont ornées de drapeaux et de guirlandes électriques multicolores, les maisons sont pavoisées. Le soir la jeunesse participe à la traditionnelle retraite aux flambeaux. C'est une sorte de pittoresque défilé où figurent la fanfare municipale, les sapeurs-pompiers et les enfants qui portent de longues perches où sont attachés des lampions. Sur leur trajet des feux de Bengale s'allument, des pétards éclatent un peu partout et un grand bal en plein air clôture le tout.

Le quatorze juillet est en même temps le jour où commencent les vacances scolaires, le jour de la distribution des prix aux enfants des écoles. Il y a à Moret une école maternelle pour les bambins de deux à six ans et deux écoles communales pour les enfants de six à quatorze ans: une école de filles et une école de garçons, car dans les villes on ignore les écoles mixtes. Les meilleurs élèves reçoivent de beaux livres rouges en récompense de leur travail. La cérémonie a lieu dans la salle des fêtes. Sur une estrade se trouvent les officiels, le maire, les adjoints, les notabilités.

La salle est déjà pleine de parents et d'enfants, tous endimanchés. Dans un silence profond ils écoutent monsieur le maire, qui, ceint de son écharpe tricolore, fait un petit discours. Les enfants offrent à leurs parents une représentation théâtrale, et chantent des chœurs avant de monter sur l'estrade pour recevoir leurs prix.

Présider une distribution de prix n'est pas la seule fonction du maire. Il dirige les délibérations du conseil municipal, il célèbre les mariages, il représente la commune en toute occasion. Il est respecté, ce qui ne l'empêche pas d'être critiqué, surtout par le petit journal local qui paraît deux fois

---

3. *le quatorze juillet.* French national holiday; commemorates the capture of the Bastille prison in Paris by the revolutionaries in 1789.

Samuel Chamberlain

Pont-de-l'Arche, petite ville de la Normandie,
sur la Seine

par semaine sur quatre pages. Bien des gens pensent que ce journal publie surtout des « cancans », c'est-à-dire des commérages, mais tout le monde le lit. On achète aussi les journaux de Paris, qui paraissent tous les jours sauf le dimanche.

Moret est seulement à une heure et demie de Paris; c'est pourquoi beaucoup de Morétains vont travailler dans la capitale. Ils prennent le train tous les matins. Deux grandes lignes de chemin de fer se rejoignent à la gare de Moret, petite gare très propre, très coquette, entourée de jardins et de massifs de fleurs. L'électrification du réseau[4] a fait de Moret un centre ferroviaire important.

Nous constatons pourtant que tous les habitants ne vont pas travailler à Paris. Moret a de petites industries qui emploient de vingt à cent ouvriers: une usine de machines-outils de précision, des usines de pièces détachées pour bicyclettes et une fabrique de piles électriques. Le matin, à sept heures ou à sept heures trente, une sirène appelle les ouvriers au travail. C'est très tôt, à notre avis... Il est vrai que la tasse de café et la tartine qui composent le petit déjeuner des Français sont vite avalées. Le travail, interrompu à midi pour le déjeuner, reprend à une heure et demie pour cesser à cinq heures et demie environ. Chacun rentre chez soi. Au printemps[5] ou en été, bien peu d'ouvriers regagnent leur logis directement. Ils font un crochet par leur jardin. La majorité d'entre eux font pousser tous les légumes qu'ils consomment. Vers sept heures et demie, à l'heure du souper, on les voit rentrer, à pied ou à bicyclette,[6] chargés d'un panier bien garni de choux, de salades ou de carottes.

Ceux qui n'ont pas de jardin vont chez le fruitier. Les ménagères françaises n'ont pas la chance des Américaines;

---

4. *réseau* railway network. Reference is to one of the six regional networks into which the French railway system is divided.

5. *Au printemps.* In the spring; cf. *en été*, *en automne*, *en hiver*.

6. *à pied ou à bicyclette.* Use of *à* to express means of locomotion; cf. *en avion*, *en auto*.

pour faire leur marché elles doivent aller dans quatre ou cinq boutiques différentes. Comme les glacières électriques sont encore un luxe, tous les matins elles doivent passer chez le boucher, chez le crémier, etc.... sans oublier le boulanger, qui leur vend la baguette ou le pain de deux livres[7] quotidiens. Et encore sont-elles favorisées! Moret fait figure de petite ville, et nous remarquons qu'on peut y trouver tout ce dont on a besoin: il y a une quincaillerie, une mercerie, une papeterie. Du bureau des P. T. T. on peut envoyer des paquets et des lettres recommandées, téléphoner ou télégraphier. Trois grandes banques parisiennes ont des succursales à Moret; les agents de l'État y résident: percepteur, adjudant de gendarmerie, juge de paix, ingénieur des ponts et chaussées.

Le soir, les rues de Moret sont plutôt sombres et calmes. En semaine, tout le monde se couche de bonne heure. Seules quelques salles de café sont éclairées; on y fait une partie de cartes ou de billard en buvant un verre de vin. Le samedi et le dimanche, la ville s'anime un peu. Les jeunes gens organisent souvent des bals; le cinéma présente des films qui ne sont pas vieux de plus de trois ou quatre ans.[8] Le dimanche matin, les gens pieux vont à la messe de dix heures. Les autres se contentent de faire la grasse matinée; et, rasés de frais, ils vont faire leur petit tour de ville. Ils bavardent avec des amis, prennent l'apéritif à la terrasse d'un café et rentrent à la maison pour le repas dominical, toujours un peu plus copieux que d'habitude.

L'après-midi, beaucoup des Morétains vont au stade voir un match de football[9] ou de basket-ball. Moret n'est pas peu fier de son équipe, qui a remporté de nombreuses victoires dans la région. Ceux que le sport n'intéresse pas vont se promener en famille, sur les bords du Loing ou dans la forêt. Quand la saison s'y prête, on ramasse des champignons,

---

7. *deux livres.* Equivalent to one kilogram, 2.2 U.S. pounds

8. *qui . . . ans* not more than three or four years old

9. *football.* Short for *football association,* American soccer

on cueille un bouquet de fleurs des champs. Des bandes de jeunes gens vont faire des randonnées à bicyclette ou des parties de canot sur la rivière. La fête patronale annuelle[10] est un événement. Ce jour-là, des chevaux de bois, des baraques de jeux d'adresse, des marchands de confiserie s'installent sur une grande place qu'on appelle le Champ de Mars.[11] Tout le monde se donne du bon temps et les réjouissances se terminent par un feu d'artifice. Puis chacun rentre à son domicile, prêt à reprendre la vie simple et calme d'un habitant d'une petite ville française.

A · *Traduire en français*

We had been so favorably impressed by[12] the region of Fontainebleau that we returned to visit Moret-sur-Loing, a typical French town of two thousand inhabitants. Moret still possesses, in addition to two ancient gateways, a beautiful thirteenth-century church and several houses dating from the Renaissance. These picturesque monuments have made Moret[13] a center for artists, who set up their easels all summer long on the banks of the Loing.

There is also the ubiquitous monument to the war dead, now all too common[14] in France. On[15] holidays, particularly the fourteenth of July and All Saints' Day, there

---

10. *fête . . . annuelle.* French towns often hold popular celebrations on the feast day of their patron saint.

11. *Champ de Mars.* A public parade ground or common; the name derives from rather frequent use of these areas in past centuries as military drill grounds.

12. *We had been so favorably impressed by* Nous avions reçu une impression si favorable de

13. *have made Moret* ont fait de Moret

14. *now all too common* qui n'est maintenant que trop commun

15. Omit.

Three Lions

La pêche, divertissement précieux des villageois

are commemorative ceremonies at[16] this monument. On other holidays the local band, the fire department, and school children participate in a manner which reminds the[17] American visitor of Old Home Week[18] in Iowa. The people of Moret, like Iowans, seem to enjoy these festivities.

It was our good fortune to be present at the commencement-day exercises of the public schools. The mayor and town officials, all dressed in their Sunday best, were seated on the

16. *at* devant
17. *reminds the* rappelle au
18. Use English phrase.

platform, and they listened to dry and repetitious speeches with the resigned docility of American college professors. To preside at such exercises is only one of the many functions of a small-town mayor. For example, he must direct the meetings of the municipal council and perform civil marriage ceremonies.[19]

There is a striking similarity between small-town newspapers in France and those in the United States. Both are full of gossip and give very little space to world events. In fact, all papers within[20] two hundred kilometers of Paris are overshadowed by the great metropolitan dailies, which are delivered by truck or train in a very short time.

In several respects, life at Moret has changed little since the nineteenth century. People usually go to bed early and it is only on Saturday and Sunday evenings that there is some animation in the streets. Nowadays the movies[21] are becoming more and more popular, as well as dances organized by different groups. Older people are content to sip their *apéritif* at the sidewalk cafés in the center of town, to go walking with their families[22] along the Loing, or to attend family gatherings. On holidays there are the usual amusements for the children—merry-go-rounds, booths for games of skill, and stands of candy vendors, which are set up along the main streets.

B · Traduire en français

[*Conversation at the Hôtel du Prieuré at Moret-sur-Loing*]

JEAN. I don't feel very keen about having to[23] begin studying again after my return to the States. I am barely beginning to know Paris.

---

19. *perform civil marriage ceremonies* célébrer les mariages civils
20. *within* dans un rayon de
21. Use singular.
22. *to go walking with their families* se promener en famille
23. *I don't feel very keen about having to* Ça ne me dit rien de devoir

HELEN. After all these trips, I'm afraid that a year of study will be terribly dull.

PAUL. We'll all have great difficulty in settling down to work.

RICHARD. I'm coming back as soon as I get my diploma. I want to apply for[24] a fellowship to study at the School of Political Science.

HELEN. Would you like to live in a small town like Moret?

RICHARD. From what[25] I have seen, it must be boring, especially in winter.

PAUL. Why more in winter than in other seasons?

RICHARD. What is there to do when bad weather drives everyone indoors? It's wonderful here now, but what can you do in winter?

HELEN. If I lived at Moret, I wouldn't spend winter here.

JEAN. You mean you'd go to the Riviera?

HELEN. Yes, for part of the time; then I'd spend at least a month at Davos and Saint Moritz. Of course, the weather in Paris isn't really bad until after Christmas.

RICHARD. In any case, I agree that life wouldn't be very exciting at Moret from January to March.

PAUL. Right. I think I'd try to arrange[26] the same kind of trip as Helen.

[*Later: at the outdoor café of the Hôtel du Cheval Noir*]

PAUL. I suppose it would take weeks[27] to know a town like Moret, but my impression is that[28] it is a very compact and well-organized whole. Take the schools, for example.

HELEN. No more lectures, Paul, please.[29] I'm more in-

---

24. *to apply for* poser ma candidature pour
25. *From what* D'après ce que
26. *to arrange* organiser
27. *it would take weeks* il faudrait des semaines
28. *my impression is that* j'ai l'impression que
29. *No more lectures, Paul, please.* Plus de laïus, Paul, s'il te plaît.

terested in those factories along the railroad. I noticed that in one they made machine tools, in another electric batteries, and in a third spare parts of bicycles. I wish we could visit some of those shops.

PAUL. Good. I was beginning to think that you were going to give us a lecture. Personally, I'd rather wait for you here. I've visited, visited, and visited so much in the last few months, that I wouldn't walk fifty yards[30] to see the crown jewels of England.

RICHARD. I agree. I don't know where the girls find all their energy. We'll wait for you here and in the meantime I'll read the local paper.

PAUL. That's a good idea, Dick. Let's see if we can get a copy. It's published[31] only once a week. Waiter!

WAITER. Sir?

PAUL. Do you have a copy of the paper inside?

WAITER. Right away, sir. I'll bring it to you.[32]

PAUL. OK, girls.[33] Dick and I will bring ourselves up to date on[34] the latest news of Moret while you visit the spare-parts factory.

C · *Employer chacune des expressions suivantes dans une phrase originale*

taquiner la perche to fish for perch
figurer to be conspicuous, appear
jour de la distribution des prix commencement day
avoir lieu to take place
en toute occasion at all times
faire un crochet to turn off suddenly, detour
en semaine on weekdays

---

30. *I wouldn't walk fifty yards* je ne ferais pas un pas
31. *It's published* Il paraît
32. *I'll bring it to you.* Je vous l'apporte.
33. *OK, girls.* D'accord, les filles.
34. *will bring ourselves up to date on* nous nous mettrons au courant de

faire une partie de cartes, de billard to play cards, billiards
se contenter de to be satisfied to
faire la grasse matinée to sleep late
se prêter à to be favorable to
se donner du bon temps to enjoy oneself

D · *Répondre en français aux questions suivantes*

1. Quelles sont les principales curiosités de Moret?
2. Est-ce que vous aimez la pêche? Pourquoi?
3. Trouvez-vous qu'on célèbre la fête nationale de la même manière en France qu'aux États-Unis?
4. Expliquez pourquoi le quatorze juillet est la fête nationale française.
5. Que pensez-vous de l'habitude française de donner des livres comme récompense aux écoliers?
6. Est-ce que le maire d'une petite ville a les mêmes fonctions en France qu'aux États-Unis?
7. Comparez les journaux d'une petite ville française à ceux d'une petite ville américaine.
8. Pourquoi est-ce que la majorité des ouvriers français ne rentrent pas chez eux immédiatement après le travail?
9. Préférez-vous le sort de la ménagère française à celui de la ménagère américaine?
10. Que pensez-vous des distractions offertes aux jeunes gens dans une petite ville française?
11. Y a-t-il aux États-Unis un équivalent des fêtes patronales françaises?

26

Un Petit Village de France

Juillet est le mois des moissons. « Vous devriez aller passer une journée[1] chez mon cousin de Villecerf », nous dit notre hôtelier de Moret, « vous verriez un peu comment on vit dans un village français. Si vous voulez, je vous prête des bicyclettes ».

Une heure après, nous sommes déjà en train de pédaler le long du canal, sur la route de Moret à Villecerf. Du sommet d'une côte, nous découvrons un plateau où alternent les champs de blé et de betteraves. Au bord de la route, une femme assise dans l'herbe s'occupe à repriser des chaussettes. Elle surveille quelques vaches qui broutent l'herbe. Que[2] l'une d'elles s'écarte, un chien la remet vite dans le droit chemin. Plus loin une ligne de peupliers, des masures à moitié effondrées, annoncent l'entrée du village. Contrairement aux rues de Moret, celles de Villecerf ne sont point pavées. Les trottoirs sont envahis par les mauvaises herbes et par toutes sortes de détritus. Des poules, des canards, des dindons se promènent partout.

Nous mettons pied à terre un instant pour demander à un

---

1. *une journée.* Expresses duration of time.
2. *Que.* Here has the force of *si.*

passant l'adresse de la ferme du cousin de l'hôtelier, M. Dupont.

« Pardon, Monsieur, voulez-vous nous dire où habite M. Dupont?

—Dupont? Lequel? Il y en a trois ici. Est-ce que c'est Arthur, Paul ou Robert?

—Robert, je crois.

—Eh bien, ce n'est pas difficile. Vous n'avez qu'à aller jusqu'à la fontaine; là, vous tournez à gauche, vous trouvez d'abord la ferme Langellier, puis l'atelier de Popelin, le charron; après, vous êtes chez Robert.

—Ah oui, je vois... Merci, Monsieur.

—Il n'y a pas de quoi, mes jeunes amis, à votre service. »

Il s'agit maintenant de trouver la fontaine; nous tournons un peu en rond. Enfin! Nous y voilà!

La ferme est entourée d'un mur de pierre où s'ouvre une grille de fer à deux battants. Des aboiements furieux nous accueillent. Nous hésitons... Est-ce que les chiens sont en liberté? Non, ils sont à l'attache.[3] Nous entrons dans une cour dont les principaux ornements sont un tas de fumier malodorant, des clapiers et une bergerie. Il y a aussi une pompe à eau, Villecerf n'a pas l'eau courante! D'un côté de la cour se dresse l'habitation du fermier. Comme presque toutes les maisons de France, celle-ci est en pierre. Elle n'a qu'un étage surmonté d'un grenier à blé et à avoine. La fermière sort souriante, la main tendue vers nous.

« Bonjour, messieurs-dames,[4] comment allez-vous? Le cousin Jean nous a bien parlé de vous. Nous sommes heureux de vous avoir ici. Entrez donc. »

Nous entrons dans la grand'salle[5] de la ferme. Comme les volets sont fermés, elle est sombre et fraîche. Mme Dupont est seule. Depuis l'aube les hommes sont aux champs; il y a

---

3. *à l'attache* tied. Use of *à* to express condition

4. *messieurs-dames*. Common familiar form of address

5. *grand'salle*. Irregular feminine; cf. *grand'rue*, *grand'mère*.

Samuel Chamberlain

Meule de foin en train de se faire près de Beauvais, Ile-de-France

M. Dupont, son fils, son gendre et les voisins qui sont venus aider. Quand la moisson sera finie chez eux, les Dupont iront à leur tour donner un coup de main aux[6] voisins. Il faut nourrir tout ce monde. Mme Dupont, qui prépare les repas, nous dit que les hommes ne rentreront pas avant six heures du soir. Elle suggère que nous fassions « un tour du pays »[7] en attendant.

Tout en déambulant dans les trois ou quatre rues de Villecerf, nous engageons la conversation avec plusieurs passants et nous apprenons des détails pittoresques sur la vie du village.

---

6. *donner un coup de main aux* (fam.) to help out the
7. *fassions « un tour du pays »* (fam.) take a little walk (*or* ride)

A bien des égards Villecerf dépend de Moret. Il n'y a ni médecin, ni pharmacien, ni dentiste; le coiffeur vient deux fois par semaine et s'installe dans le café du village. En semaine les fermiers sont trop fatigués par les travaux des champs pour songer à se distraire; dès neuf heures du soir tout dort. Deux fois par mois un cinéma ambulant projette des films vieux de quinze ou vingt ans, et à l'occasion des fêtes les jeunes gens dansent au son d'un accordéon. Les plus grandes distractions sont les fêtes familiales, notamment les mariages, occasions de festins pantagruéliques. A l'école, qui aurait bien besoin d'être modernisée, garçons et filles sont réunis dans la même classe.

Nous sommes attirés par un roulement de tambour. Un vieux bonhomme, coiffé d'une casquette galonnée, tape sur sa caisse avec conviction. Quelques curieux se groupent autour de lui. Quand il a fini, il met ses lunettes et sort un papier de sa poche. Il commence à lire à haute voix:

« Premier avis: Le maire rappelle aux habitants de la commune qu'ils doivent déposer leur déclaration de récolte à la mairie avant le premier octobre.

Deuxième avis: Le percepteur passera à la mairie le vingt-deux septembre de 14 heures à 16 heures.[8]

Le maire: Langellier ... »

Nouveau roulement de tambour, et il va répéter la même annonce un peu plus loin. Nous questionnons: c'est le garde-champêtre, personnage important du village. Il colporte les plis officiels, balaie la mairie et poursuit les maraudeurs dans les champs.

Mais il est bientôt six heures. Nous revenons chez M. Dupont. Presque en même temps que nous arrivent de lourds chars, tirés par des chevaux, chargés de gerbes de blé. Les chevaux sont dételés, conduits à l'écurie. Les moissonneurs

---

8. *de 14 heures à 16 heures* from 2 to 4 P.M. Time is usually indicated in European countries on a 24-hour basis starting at midnight, especially in official announcements, notices, and timetables.

se lavent les mains et le visage à la pompe et chacun se dirige vers la salle où la table est dressée.

Quel repas! De la charcuterie, du poulet, du gigot, des crèmes et des tartes. Tout le monde est joyeux et le repas se termine par des chants et de bonnes histoires.

Nous prenons congé de la famille Dupont, heureux de cette journée passée au grand air, heureux d'avoir goûté l'hospitalité simple et cordiale de si braves gens.

A · *Traduire en français*

Life in French villages is intimately connected with that of the country; that is why summer is an excellent time to[9] observe life in Villecerf. As we pedaled along the canal

---

9. *an excellent time to* un moment excellent pour

Scène typique dans la petite ville de Lapalisse

Three Lions

between Moret and Villecerf, we passed many fields of wheat and sugar beets. A few farmhouses, sleeping in the sun[10] along the poplar-lined road, indicated that we were approaching the village. In front of the first houses, we noticed that the street was no longer paved, that the sidewalks were overgrown with grass, and that chickens and ducks were walking in all directions.

With some difficulty[11] we found Monsieur Dupont's farm on[12] the other side of the village. Passing through the double iron gate,[13] we came to the section of the building where the family lived. As in most French farmhouses, the living quarters were in one wing of the long building, as far removed from the barnyard as possible. Mme. Dupont welcomed us heartily and introduced us to her husband and sons, who had been working[14] in the fields since dawn. After a copious dinner served in country style, we went back to the center of the village and tried to engage the grocer and the postmaster in conversation.

In the center of Villecerf there are no stores, except the grocery of M. Dupuis and two small cafés. At the main crossroads, a school badly in need of modernization,[15] the post office, and the old church are the only important buildings. In general, Villecerf depends upon Moret for everything except its most essential needs.

The most picturesque event occurred just before we left.[16] The town crier, an old man in an out-of-date uniform, appeared in[17] the square, beating his drum furiously. As his

---

10. *sleeping in the sun* endormies au soleil
11. *With some difficulty* C'est avec quelque difficulté que
12. *on* de
13. *double iron gate* porte de fer à deux battants
14. Use imperfect of verb, with *depuis*.
15. Cf. French text.
16. *before we left* avant notre départ
17. *in* sur

predecessors had done[18] for centuries, this venerable figure read in a loud voice an announcement which said that farmers were required to declare the amount of their harvests[19] before a certain date. Five minutes later we heard him repeat the same announcement at another crossroad, a hundred meters away.[20] When we left Villecerf we wondered how long French villages would continue to live half in the past and half in the present.

B · Traduire en français

[*Conversation while bicycling along the road from Moret to Villecerf*]

HELEN. Well, this time we managed to get an hour's start on the boys.[21]

JEAN. Yes, but they will soon catch up with us.[22] That is, if it doesn't take too long[23] to have the radiator repaired.

HELEN. Anyway, it was a good excuse to travel by bike. Lucky the man was able to rent us some. He had four left[24]: two for men and two for women.

JEAN. That's just what we needed. . . . How far do we have to go?[25]

HELEN. You're not getting tired, are you?[26] I think it's only five kilometers. There's a signpost on your right.

JEAN. [*Reading*] "Villecerf, 5 kilomètres." Well, I'm glad there aren't any steep grades. This is grand country[27] for bicycling.

---

18. *had done* l'avaient fait
19. *to declare the amount of their harvests* déposer leur déclaration de récolte
20. *a hundred meters away* à cents mètres de là
21. *to get an hour's start on the boys* devancer les garçons d'une heure
22. *they will soon catch up with us* ils nous rattraperont bientôt
23. *if it doesn't take too long* si ça ne prend pas trop longtemps
24. *He had four left* Il lui en restait quatre
25. *How far do we have to go?* Quelle distance faut-il faire?
26. *are you* n'est-ce pas
27. *grand country* un pays épatant

HELEN. Yes, and in certain parts of France there are special bicycle trails along the main highways. Did you see them in Fontainebleau forest?

JEAN. You mean those wide paved strips on both sides of the[28] roads? Why, there are many kilometers of them.[29]

HELEN. Yes, that's one of the reasons why there were so many campers there. They all had bicycles.

JEAN. No doubt; I imagine that there will be more and more campers until October. Even later in southern France—French universities don't open until November,[30] you know.

[*Later: Paul and Richard, pedaling fast, overtake Jean and Helen just as they are about to enter Villecerf*]

HELEN. Well, you made it just in time.[31] Anything serious wrong with the radiator?[32]

PAUL. Nothing much, but we must have it flushed.[33] You two must have taken your time.[34] We thought that you would have reached the Dupont farm.

JEAN. We can't figure out[35] where it is. Slow up a bit, so that we can get our bearings.

RICHARD. That fountain ahead must be in the center of town. Paul, ask the postman who's coming on the other side of the street.

PAUL. [*To the postman*] Excuse me, sir. Can you direct us to the Dupont farm?

POSTMAN. Dupont? Do you know which one? There are at least three in Villecerf: Robert, Paul, and Arthur.

---

28. *on both sides of the* des deux côtés des

29. *there are many kilometers of them* il y en a des kilomètres

30. *French universities don't open until November* la rentrée aux universités françaises n'a lieu qu'en novembre

31. *you made it just in time* vous arrivez juste à l'heure

32. *Anything serious wrong with the radiator?* Rien de grave au radiateur?

33. *we must have it flushed* il faut le faire détartrer

34. *You two must have taken your time.* Vous deux, vous avez dû prendre tout votre temps.

35. *We can't figure out* Nous n'avons pas pu démêler

PAUL. I think it's Robert Dupont, sir.

POSTMAN. Well, turn to the left beyond the fountain and go as far as Langellier's bakery. A little farther, on your right, opposite Picard's blacksmith's shop, take the lane which leads to Robert Dupont's place.[36] It's the second farm on the left after the bridge.

PAUL. Thank you very much; we'll find it very easily.

RICHARD. What directions! Takes a genius to suggest[37] asking the postman.

C · *Employer chacune des expressions suivantes dans une phrase originale*

mettre pied à terre to stop (when bicycling)
à votre service glad to help you
s'agir de (impersonal) to be a question of
tourner en rond to go in a circle (walking or driving)
nous y voilà here we are
à deux battants double (door or gate)
à l'attache tied
donner un coup de main à (fam.) to help out
se diriger vers to go toward
au grand air in the open air

D · *Répondre en français aux questions suivantes*

1. Est-il préférable de visiter un pays à bicyclette ou en auto? Justifiez votre réponse.
2. Est-ce que les abords de Villecerf sont très engageants?
3. Y a-t-il beaucoup de différences entre l'aspect d'un village agricole français et américain? Lesquelles?

---

36. *Robert Dupont's place* la propriété de Robert Dupont
37. *Takes a genius to suggest* C'est un coup de génie que de suggérer

4. Est-ce que les indications données par le passant sont très claires?

5. Comparez une cour de ferme américaine à celle de la ferme Robert Dupont.

6. Que pensez-vous de la manière dont on fait la moisson à Villecerf?

7. Trouvez-vous extraordinaire que garçons et filles soient dans la même classe? Savez-vous pourquoi ceci est étonnant en France?

8. Que pensez-vous des distractions que Villecerf offre à la jeunesse?

9. Quelles sont les fonctions du garde-champêtre?

10. Que pensez-vous de l'accueil fait par les fermiers aux étudiants?

27

Le Havre — Adieu, l'Europe!

En 1937 Le Havre était un des ports les plus actifs de France. De là partaient les grandes lignes de navigation de l'Atlantique. Dans un bassin construit spécialement, on pouvait admirer assez souvent entre autres le superbe paquebot *Normandie*, orgueil de la Compagnie générale transatlantique. C'est actuellement l'*Ile-de-France*, le *Liberté* et le *Flandre*, les unités les plus importantes de la marine marchande française, qui assurent le service régulier Le Havre–New-York.

En été, avant la guerre, la plage était grouillante de nombreux baigneurs, et les parasols, les maillots aux couleurs vives, les cabines y jetaient des taches claires.[1] Entre la plage et le quartier commerçant, sur la pente de la colline, des villas cachées au fond de beaux jardins témoignaient de la prospérité de la cité. En ville, les devantures exposaient des articles pour tous les goûts et toutes les bourses. Tout cela disparut en 1944. Les terribles bombardements alliés, la farouche résistance des Allemands anéantirent le port et la ville, mais ne purent réduire l'opiniâtreté des habitants.

Pendant deux ou trois ans Le Havre donna le spectacle d'une ville française en pleine reconstruction. Des aménage-

---

1. *claires* light-colored. Cf. *foncé*, dark.

Philadelphia Museum of Art, courtesy of Rev. Theodore Pitcairn

Terrasse au bord de la mer près du Havre,
par Claude Monet

ments provisoires permirent au port de reprendre une partie de son activité. En ville des quantités de baraquements improvisés ou « préfabriqués »[2] servaient d'habitations ou de magasins; à cette époque la pauvreté des étalages reflétait la misère de la France.

Mais Le Havre affirmait sa volonté de vivre. La population avait diminué de quatre-vingt-dix pour cent; peu de temps après la victoire, elle atteignit plus des trois-quarts du chiffre d'avant-guerre. N'est-ce pas un émouvant témoignage de confiance dans ses destinées que nous offre cette ville? De fait, sa situation, à l'embouchure d'un fleuve navigable, est

---

2. *préfabriqués.* An anglicism which is rapidly becoming a French word

d'autant plus favorable que[3] la France est obligée d'importer de nombreuses denrées de l'Amérique du Nord... Aussi, Le Havre a-t-il retrouvé, après ces dures années, son ancienne place sur le marché mondial. Ce n'est pas un exemple isolé que celui du Havre; beaucoup de Français dans bien d'autres villes et villages ont montré le même attachement pour leur pays; ils ont aimé mieux être malheureux chez eux, logés dans des installations de fortune,[4] qu'heureux loin de leur ville natale. Ils en sont récompensés.

Aujourd'hui une gare maritime ultra-moderne remplace celle qui a été détruite sur le côté est du principal bassin du Havre. Les carcasses des bateaux coulés par les Allemands pour empêcher tout mouvement de navires après leur départ ont été enlevées. Le port reprend son allure normale. Quant à la ville, elle est reconstruite méthodiquement selon des plans tracés par les meilleurs urbanistes. Le Havre joue un rôle de premier plan dans l'économie française. C'est par là que le coton brut et le pétrole entrent en France. Ce port est toujours la tête de ligne de la « Transat »,[5] comme nous l'avons déjà dit, et le port d'escale de nombreuses lignes étrangères. C'est de là que, comme nous, des milliers de touristes américains reprennent chaque semaine, au mois de septembre, le chemin du retour.

Partir! Dire adieu à tant de merveilles que peut-être on ne reverra jamais! Nous accomplissons, le cœur gros, les formalités de l'embarquement. Nous quittons avec une tristesse voilée ces rives que nous avions abordées, à Dieppe, dix mois auparavant, avec une joie si fervente. Il semble que chacun de nous perd un ami en disant au revoir à ceux qui nous ont accompagnés au Havre. C'est un déchirement de se

---

3. *d'autant . . . que* all the more favorable since

4. *de fortune* makeshift. *De* followed by noun forms an adjectival construction.

5. Common abbreviation for *Compagnie générale transatlantique,* the French Line

serrer les mains quand tant de souvenirs brillent dans les yeux. Certes, nous sommes heureux de retrouver bientôt notre famille, notre maison, notre pays, mais un peu de notre cœur va demeurer dans la vieille Europe.

Notre bateau s'éloigne du quai dans un ronflement et fait lentement son chemin vers le large. La côte disparaît peu à peu, devient invisible. Non, ce n'est pas un adieu que nous disons à l'Europe, mais un au revoir. Il y a des pays que l'on ne peut oublier.

A · Traduire en français

Of all the French cities Le Havre is undoubtedly one which has been most completely rebuilt. It has long been[6] the flourishing terminus of many French steamship lines, including the French Line itself, owner of the *Liberté* and the *Ile-de-France*, which have carried thousands of Americans to and from Europe.[7] The pre-war city was indeed a bustling center and the suburbs, with their beaches, their villas, and their resort areas, as well as the business section, gave an air of prosperity to the whole region.

In[8] many different ways, Le Havre is reasserting her will to live. Her population, which during the occupation fell to one-tenth of the pre-war figure, has reached over seventy-five per cent of that total. The natives of Le Havre are so attached to their city that they have carried out many of their plans for reconstruction without waiting for governmental assistance. The ultra-modern *gare maritime*, long enough to accommodate three great ships, has been entirely rebuilt. The whole port is now functioning again and the waterfront has regained its former activity.

---

6. *It has long been* Il est depuis longtemps
7. *to and from Europe* des États-Unis en Europe et vice-versa
8. *In* De

It was with mingled feelings[9] that we crossed the vast corridors of the magnificent *gare maritime* on our way to[10] the customs hall. Customs inspection this time reminded us that within a short time we should be on our way back[11] to the States. For once we were in no hurry to get through with customs, but soon we were walking up the gangplank of the *Ile-de-France*.

As some members of the group said good-by to Parisian friends who had accompanied them to Le Havre, the rest of us exchanged, rather nervously, offhand observations about our year's experiences. On one point we were unanimous: we would not exchange[12] our year in Europe for two years at an American university.

We talked about the many sections of France and Switzerland that we had visited, of our courses at the University, and of our "families" and friends in Geneva. In spite of our happiness at the prospect of seeing our own families again, we had strong feelings of regret as[13] our ship slowly left the harbor. Our customary gayety failed us and each one preferred to think his own thoughts[14] as the French coastline gradually disappeared.

B · Traduire en français

[*Conversation on a beach between Le Havre and Deauville*]

PAUL. Well, did you find a good hotel at Rouen?

HELEN. We stayed at the Hôtel du Nord, near the Big Clock, one of the monuments at Rouen that have been spared.

---

9. *with mingled feelings* avec des sentiments contradictoires
10. *on our way to* en allant à
11. *on our way back* sur le chemin du retour
12. *we would not exchange . . . for* nous n'aurions pas donné . . . pour
13. *strong feelings of regret as* des regrets profonds pendant que
14. *each one preferred to think his own thoughts* chacun préférait la compagnie de ses propres pensées

PAUL. From[15] what we saw of Rouen, the city will never be the same.

JEAN. Certainly not.[16] Many of the points of interest mentioned in the guide, the timbered houses, as well as the Old Market have disappeared. And you saw the Palais de Justice!

RICHARD. Nothing but a shell remains.[17] That's probably the greatest loss of all.

PAUL. Did you notice the large building of white limestone? It's the new telephone exchange.

JEAN. There are many new buildings in France of the same style. As for the cathedral, two bays on the right side of the nave were destroyed.

RICHARD. Believe me, the cathedral must be more solid than it looks,[18] not to collapse[19] entirely.

[*Conversation on the afterdeck of the* Ile-de-France, *shortly after leaving Le Havre*]

DIRECTRESS. At last I think that my year's work is done; no more arrangements to make,[20] no more permissions to grant.

JEAN. We realize now that you had your hands full[21] at the beginning of the year.

HELEN. Yes, it must have been hard[22] looking after so many people before you knew them.

DIRECTRESS. Well, it would have been hard if everyone hadn't co-operated so well. In fact, I find this job fascinating.

---

15. *From* D'après
16. *Certainly not.* Sûrement pas.
17. *Nothing but a shell remains.* Il n'en reste que la carcasse.
18. *than it looks* qu'elle n'en a l'air
19. *not to collapse* pour ne pas s'effondrer
20. *no more arrangements to make* plus de dispositions à prendre
21. *that you had your hands full* que vous aviez fort à faire
22. *it must have been hard* cela a dû être difficile de

That's why I've accepted the offer to be Directress of next year's Group.

HELEN. Next year's Group? You mean that the next Group will soon leave the States?

DIRECTRESS. Why, yes; I shall have barely a month with my family before meeting next year's Group on[23] the eve of its sailing from New York.

JEAN. I envy them. We were saying in the train that we have got more out of[24] this year than from our first two years together.

[*Later, Richard and Paul, who had been looking at the French coast from the upper deck, join Helen and Jean*]

RICHARD. What about[25] a little deck tennis? All the others are so down in the mouth[26] that their conversation's getting depressing.

HELEN. That's the best idea you've had since you suggested going up into the belfry at Chartres.

JEAN. And it'll probably turn out to be[27] just as fatiguing. Let's play anyway, Helen. Otherwise we'll stay here and brood.[28]

C · *Employer chacune des expressions suivantes dans une phrase originale*

aux couleurs vives bright-colored
en pleine reconstruction rapidly being rebuilt
d'autant plus...que all the more . . . since
installations de fortune makeshift houses
quant à as for

---

23. Omit.
24. *we have got more out of* nous avons plus profité de
25. *What about* Que diriez-vous de
26. *are so down in the mouth* font une telle tête
27. *And it'll probably turn out to be* Et ça se révèlera sans doute
28. *and brood* à broyer du noir

de premier plan of first importance
tête de ligne home port
port d'escale port of call
faire son chemin to make one's way, proceed

D · *Répondre en français aux questions suivantes*

1. Quel était l'aspect du Havre avant la guerre?
2. Pourquoi Le Havre était-il un des ports les plus prospères de France?
3. Pourquoi les alliés ont-ils bombardé Le Havre en 1944?
4. Qu'a-t-on fait pour abriter provisoirement la population du Havre?
5. Comment les Havrais ont-ils affirmé leur volonté de vivre?
6. Pensez-vous qu'il soit préférable d'être malheureux chez soi qu'heureux loin de son pays? Pourquoi?
7. Pouvez-vous comparer les ports du Havre et de Marseille?
8. Pourquoi les membres du groupe avaient-ils l'impression qu'ils perdaient un ami en disant au revoir à ceux qui les avaient accompagnés au Havre?
9. Comprenez-vous les sentiments des étudiants au moment où ils quittent l'Europe?

[The sign ~ means the repetition of the word in black type at the beginning of the paragraph; **à l'~ de** under **abri** means **à l'abri de.**]

acad.	= academic	*neg.*	= negative
adj.	= adjective	*obj.*	= object
adv.	= adverb	*oper.*	= operations
arch.	= architecture	*p.*	= past
archeol.	= archeology	*part.*	= participle
conj.	= conjunction	*pl.*	= plural
educ.	= education	*poss.*	= possessive
f.	= feminine	*prep.*	= preposition
fam.	= familiar	*pres.*	= present
fortif.	= fortification	*pron.*	= pronoun
ind.	= indirect	*qqch.*	= quelque chose
inf.	= infinitive	*qqun.*	= quelqu'un
Ital.	= Italian	*rlwy.*	= railway
m.	= masculine	*sing.*	= singular
med.	= medical	*subj.*	= subjunctive
mil.	= military	*theat.*	= theater
naut.	= nautical	*v.*	= verb

Vocabulaire Français—Anglais

NOTE: Words of extremely high frequency and a number of easily recognizable cognates have been omitted from this vocabulary.

abat-jour *m.* lampshade
abattre to bring down, shoot down, kill
abbaye *f.* abbey
abeille *f.* bee
abîmer to ruin, spoil
aboiement *m.* barking
abonder to abound
abonnement *m.* subscription; **prendre un ~** to subscribe
abord *m.* landing, approach; **d'~** at first
abordable reasonable
aborder to dock, accost
abri *m.* shelter; **à l'~ de** sheltered from
abriter to shelter, house, contain
abrupt steep, abrupt
abside *f.* apse
acajou *m.* mahogany
accessoire *m.* accessory
accord *m.* agreement, harmony; **d'~** agreed, OK, all right; **~ parfait** complete harmony
accordéon *m.* accordion
s'accouder à to lean on, rest one's elbows on
accrocher to hook; **s'~ (à)** to hang on (to)
accueil *m.* reception, welcome
accueillir to greet, welcome, receive
accumuler to accumulate, pile up
achever to end, complete, come to an end
acoustique *f.* acoustics
acteur *m.* actor
actuel(-le) present, present-day, current
actuellement at the present time
adepte *m.* or *f.* devotee
adieu *m.* good-by, farewell
adjoint *m.* associate, assistant
adjudant *m.* adjutant
adorer to adore, be very fond of
adoucir to soften, moderate
adresse *f.* skill, address
affaire *f.* affair, matter, thing
affamé hungry, ravenous

affiche *f.* sign, notice, poster
âge *m.* age; ~ **d'or** Golden Age
âgé old
agence de voyage *f.* travel agency
s'agenouiller to kneel; **agenouillé** kneeling
agent *m.* agent, employee, policeman; ~ **de police** policeman
agilité *f.* agility
agir to act; **s'**~ **de** to be a question of
agitation *f.* agitation, bustle
agiter to shake; ~ **la main en signe d'adieu** to wave good-by
agneau *m.* lamb
agréable agreeable, pleasant, congenial
agricole *adj.* agricultural, farm
aigle *m.* eagle
aile *f.* wing, aisle
ailleurs elsewhere; **d'**~ besides, furthermore, moreover
aimable pleasant, kind
aimer to like, love; ~ **mieux** to prefer
ainsi thus; **pour** ~ **dire** so to speak
air *m.* air, look, song, tune; ~ **populaire** folk song; **à l'**~ **triste** sad-looking, with a sad look; **au grand** ~ in the open air; **avoir l'**~ **de** to look like, seem; **avoir l'**~ **engageant** to look attractive; **en plein** ~ in the open (air)
ajourée: cheminée ~ chimney with perforated stone trim
ajouter to add
aligner to align, range
alimentaire alimentary
alléchant enticing, tempting
allée *f.* walk, lane
Allemagne *f.* Germany
allemand *m.* German (language); *adj.* German
Allemand *m.* German (person)
aller to go, function; ~ **à pied** to go on foot; ~ **de . . . à** to range from . . . to; **ça va très bien** that's fine; **il va sans dire** it's understood
alliance *f.*: **réaliser l'**~ to combine
allier to ally, join together
allonger to stretch out; **s'**~ to extend
allumer to light; **s'**~ to become lighted
allure *f.* speed, pace, appearance; **à vive** ~ at a rapid pace, full tilt
alors then, since, at that time; ~ **que** when, since, while
Alpes *f. pl.* Alps
alpin Alpine
altérer to change
alterner to alternate
amande *f.* almond
amaretti *m. pl.* (*Ital.*) almond cookies
amarrer to tie up
amateur *m.* amateur, lover
ambiance *f.* environment, atmosphere
améliorer to improve, ameliorate
aménagement *m.* installation
aménager to fit, arrange, execute
amende *f.* fine
amener to take along with, bring
américain *adj.* American
Américain *m.* American (person)
Amérique *f.* America
ami(-e) *m.* (*f.*) friend
amical friendly
amitié *f.* friendship, friendliness
ampoule *f.* (electric-light) bulb; ~ **brûlée** burnt-out bulb
amuser to amuse; **s'**~ to have fun, have a good time
analyse *f.* analysis

ancien(-ne) old, ancient, former
ancre *f.* anchor; **à l'~** at anchor
anéantir to wipe out, annihilate
ange *m.* angel
angevin Angevin (of or pertaining to Anjou, province in west-central France)
anglais *m.* English (language)
Anglais *m.* Englishman
Angleterre *f.* England; **la Nouvelle-~** New England
angoisse *f.* anguish
animation *f.* animation, movement; **~ mondaine** social whirl, sophisticated gaiety
animé lively, animated
animer to animate, enliven; **s'~** to become animated
anneau *m.* ring
année *f.* year; **l'~ à venir** the coming year
annonce *f.* announcement
s'annoncer to promise to be, augur (well)
antiquaire *m.* antiquarian, antique dealer
antique *adj.* ancient, old
antiquité *f.* antiquity, antique
anxieux(-se) anxious
août *m.* August
apercevoir to see, catch sight of, notice, observe; **s'~ de** to be conscious of, to become aware of
apéritif *m.* a small alcoholic drink taken before a meal as an appetizer
apogée *f.* apogee, farthest *or* highest point, apex
apostropher to reproach; **s'~** to greet loudly
apparaître to appear
appareil *m.* apparatus, machine; **~ de photo** (*also* **~ photographique**) camera
apparence *f.* appearance
appartement *m.* apartment, series (suite) of rooms; **~ d'apparat** ceremonial rooms
appartenir to belong
appel *m.* call
appeler to call; **s'~** to be named
appétissant tasty, appetizing
appliquer to apply
apprécier to appreciate, enjoy; **~ les mérites de** to evaluate
apprendre to learn, find out, inform, tell; **on m'apprit** I was told
apprenti *m.* apprentice, novice
approcher to approach, bring near; **s'~ de** to approach
approfondi thorough
après after, next to; **d'~** according to, from, after having (read, seen, etc.)
après-guerre *m.* post-war period
après-midi *m. or f.* afternoon; **~ de liberté** free afternoon
aqueduc *m.* aqueduct
arabe *adj.* Arabic
Arabe *m.* one whose native language is some variant of Arabic, probably an Algerian
arbre *m.* tree; **~ de Noël** Christmas tree
arc *m.* arch
arènes *f. pl.* arena
argotique slangy
aristocratie *f.* aristocracy
armer to arm, equip
armistice *m.* armistice; **jour de l'~** Armistice Day
armoire *f.* closet
aromatique aromatic
arracher to pull, draw, tear, snatch; **~ des cris d'admiration**

to provoke cries of admiration; **s'~ à** to tear oneself away from
arranger to help; **~ les choses** to help matters
arrêt *m.* stop; **à l'~** pointing (of a hunting dog), at rest
arrêter to stop; **s'~** to stop
arrivée *f.* arrival; **à notre ~** on our arrival
arriver to arrive, come, happen; **~ à** to succeed in, reach
artère *f.* artery, thoroughfare
article *m.* article, item
ascenseur *m.* elevator
aspect *m.* appearance, aspect
assaisonné seasoned
s'asseoir to sit down; **assis** seated, sitting
assez enough, rather, pretty
assiette *f.* plate, dish
assistance *f.* audience, guests
assister à to be present at, attend
association *f.* association; **association des Étudiants** Student Body Organization
assurance *f.* insurance
assurer to take care of, assure
atelier *m.* workshop
attablé seated at a table
attache *f.* leash, chain; **à l'~** tied up
attachement *m.* attachment, devotion
attacher to attach, fasten
s'attarder (à) to linger, loiter
atteindre to reach
attente *f.* waiting, expectation
attirail *m.* equipment, paraphernalia
attirer to attract, draw; **~ nos regards** to attract our attention
attrayant attractive
aube *f.* dawn
auberge *f.* inn, tavern
aucun any, anyone; **ne . . . ~** none, no one
audace *f.* daring, boldness
au-dessous (de) under
au-dessus (de) above, over
auditeur(-trice) *m.* (*f.*) listener, auditor, student
Augustin *m.* member of the Augustinian order
auprès de near, connected with
aussi also; so, therefore; **~ . . . que** as . . . as
aussitôt at once, immediately; **~ que** as soon as
autant as much, as (so) many; **~ que** as much as; **d'~ plus que** all the more . . . as
autel *m.* altar
autocar *m.* sight-seeing bus
automne *m.* or *f.* autumn, fall
auto(mobile) *f.* car, automobile; *adj.* motor
autour (de) around
autre other; **nous ~s Américains** we Americans; **un ~ âge** an earlier age
autrefois formerly; **d'~** of former days
avaler to swallow
avancer to advance, pass, proceed; **s'~** to progress, advance
avant (de) before (*in time*)
avant-guerre *m.* pre-war period
averse *f.* sudden shower (*of rain*), downpour
avidement eagerly, greedily
avis *m.* opinion, notice
avoir to have, possess; **~ à** (*with inf.*) to have, be obliged; **~ beau faire qqch.** to do something in vain; **~ beaucoup de mal à** to have great difficulty in; **~ de la chance** to be lucky; **~ faim** to

be hungry; ~ **la chance de** to have the luck to; ~ **la langue bien pendue** to be very talkative; ~ **l'air de** to seem, to look like; ~ **les faveurs de** to be preferred by; ~ **l'habitude de** to be used to, become accustomed to; ~ **lieu** to take place; ~ **du mal à** to have difficulty in; ~ **l'occasion de** to have the opportunity of; ~ **peine à** to have difficulty in; ~ **plaisir à** to be pleased to, to take pleasure in; ~ **tout son temps** to have plenty of time; ~ **une tendence (de)** to be inclined (to); ~ **vue sur** to look out on (*or* over); **il y a** there is, there are, ago; **n'~ rien à voir avec** to have nothing to do with

avouer to admit

baccara *m.* baccarat, a game of chance

bagages *m. pl.* baggage

baguette *f.* long thin loaf of bread

baie *f.* large window

baigner to bathe; **se** ~ to take a bath, go swimming; **baigné de soleil** sun-drenched

baigneur(-euse) *m* (*f.*) bather

baignoire *f.* bathtub

bain *m.* bath, swim

baiser *m.* kiss

bal *m.* ball, dance

balai *m.* broom

balayer to sweep

balustrade *f.* balustrade, railing

bambin *m.* little one, "kid"

banc *m.* bench; ~ **de neige** snowbank

bande *f.* band, group, "gang"

banlieue *f.* suburb(s); **grande** ~ all the suburbs of a city

banque *f.* bank

banquette *f.* bench, seat

baptiser to christen, baptize

bar *m.* bar, cocktail lounge

baraque *f.* outdoor booth; ~ **de jeux d'adresse** booth for games of skill

baraquement *m.* temporary wooden house

barque *f.* boat; ~ **de pêche** fishing boat

barres *f. pl.* prisoner's base (*a game*)

barrière *f.* barrier

basilique *f.* basilica (*a church building of simple oblong type, often with a semicircular end*)

bassin *m.* basin, dock

bastion *m.* bastion, fortress

bateau *m.* boat, ship; ~ **à roues** side-wheeler; ~ **à voile(s)** sailboat

bâtiment *m.* building; ~ **séparé** different building, separate building

bâtir to build, construct

bâtisseur *m.* builder

bâton *m.* stick; **à ~s rompus** (*of conversation*) desultory, rambling

battant *m.* half (one side) of a double gate *or* door; **porte à deux ~s** double gate *or* door

battre to beat; **se** ~ to fight

bavarder to chat, gossip

beau (bel, belle) beautiful, fine, handsome

beaucoup (de) a lot, a great deal, a great many, much

belle *f.* beauty; **la Belle au bois dormant** the Sleeping Beauty

bénéficier (de) to enjoy, benefit (from)

berceau *m.* cradle

bergerie *f.* sheepfold, pen

besoin need; **avoir ~ de** to need
bétail *m.* cattle
Bethléem Bethlehem
betterave *f.* beet
beurre *m.* butter
beurré buttered
bibelot *m.* curio, small decorative article; *pl.* odds and ends
bibliothèque *f.* library
bicyclette *f.* bicycle; **à ~** on (by) bicycle
bien well, very, very much, quite, greatly, really, surely, indeed; **~ de** many; **~ des** a number of; **~ de** + *article* (*sing.*) a great deal of; **~** + *article* (*pl.*) many; **~ entendu** of course; **~ que** although; **~ sûr** of course; **c'était ~ cela** it was really that; **si ~ que** so that
bien-aimé *m.* beloved
bienfait *m.* benefit
bifteck *m.* beefsteak
bigarré multicolored
bigoudi *m.* pin curl
bijou *m.* jewel
billet *m.* ticket; **~ d'entrée** admission ticket
bizarre odd, strange; **trouver ~** to consider strange
blague *f.* joke; **sans ~** "no kidding"
blanc (blanche) white
blanchâtre whitish
blancheur *f.* whiteness
blé *m.* wheat
blessure *f.* wound
bleu *m. and adj.* blue
bleuté *adj.* somewhat blue
bois *m.* wood; **~ sculpté** carved wood
boisé wooded
boiserie *f.* wainscoting
boisson *f.* drink, beverage
boîte *f.* box; **~ à musique** music box; **~ de nuit** night club
bon(ne) good, pleasant, delightful; **à quoi ~** what's the use of; **une ~ partie** a large part; **une ~ histoire** a joke
bonder to fill, cram
bonheur *m.* happiness
bonhomme *m.* codger; simple, good-natured man
bonne *f.* servant, maid
bord *m.* edge, bank, shore; **à ~** on board (ship)
border to border, line
bordure *f.* edge, rim; **en bordure de** along the edge of
boucher *m.* butcher
boucherie *f.* butcher's shop
bougie *f.* candle
boulanger *m.* baker
boule *f.* bubble, ball; **~ de verre** Christmas-tree ball
boulette *f.* little ball; **~ de papier** paper wad
bouquiniste *m.* second-hand bookseller
bourdonner to hum, buzz
bourg *m.* small market-town
bourse *f.* purse; **avoir une ~ bien garnie** to have plenty of money
bousculade *f.* jostling, hustle, rush
bout *m.* end; **à tout ~ de champ** at every turn; **par quel ~ commencer?** where (should we) begin?
bouteille *f.* bottle
boutique *f.* shop
bouton d'or *m.* buttercup
braisé braised (*browned in fat and then simmered in a small amount of liquid*)
braquer to fix (the eyes)
brave good, brave
bref, brève brief; *adv.* in short

Brésilien(-ne) *m.* (*f.*) Brazilian (person)
bridge *m.* bridge (*card game*)
brillant brilliant
briller to shine
brise *f.* breeze
brocart *m.* brocade
broché brocaded
broder to embroider
brouillard *m.* fog
brouter to graze
bruine *f.* mist, drizzle
bruit *m.* noise
brûler to burn, burn out
brume *f.* mist, haze
brune *f.* dusk; **à la ~** at dusk
brusque abrupt, sharp
brusquement brusquely, abruptly, suddenly
brut raw
bruyant noisy
bruyère *f.* heather
bulletin *m.* bulletin, report; **~ météorologique** weather report
bureau *m.* office, desk; **Bureau international du travail** International Labor Office; **~ de poste** post office
but *m.* goal, purpose
butte *f.* hill, butte

cabine *f.* bathhouse, stateroom
cacher to hide, conceal
cachet *m.* stamp, postmark
cachot *m.* dungeon, cell
cadeau *m.* gift
cadre *m.* setting, frame
café *m.* coffee, café; **~au lait** coffee containing approximately equal quantities of hot coffee and hot milk
caisse *f.* drum, box
calme *m.* calm, calmness; **au ~** undisturbed; *adj.* calm, quiet
camarade *m.* or *f.* friend; **~ de toujours** friend for life
camaraderie *f.* comradeship, fellowship
camion *m.* truck
campagne *f.* country, country district; **à la ~** in *or* to the country
campeur *m.* camper
Canadien(-ne) *m.* (*f.*) Canadian (person)
canard *m.* duck
cancan *m.* gossip
canif *m.* penknife; **coup de ~** stroke (*or* cut) of a penknife
cantique *m.* hymn, carol
canton *m.* canton (*political subdivision of Switzerland*)
capiteux(-se) heady
capricieux(-se) capricious, temperamental
car *conj.* for, because
car *m.* sight-seeing bus
caractère marqué *m.* definite character
caractéristique *f.* characteristic
carcasse *f.* skeleton, wreck
cargo *m.* cargo, freighter
carillon *m.* chimes, carillon
carotte *f.* carrot
carpe *f.* carp (fish)
carré *adj.* square
carrefour *m.* crossroad, crossing, square
carte *f.* map, card
carton *m.* box; **~ à chapeaux** hatbox
cas *m.* case; **en tout ~** in any case
casquette *f.* cap; **~ galonnée** braid-trimmed cap
casser to break
catégorie *f.* category, class
cause *f.* cause; **à ~ de** because of
causer to talk, chat

céder to yield, give up, hand over; **~ la place à** to give way to
ceint (de) girt (with)
célébration *f.* celebration, observance
célèbre famous, known
célébrer to celebrate
cellule *f.* cell
cendres *f. pl.* ashes
(une) centaine *f.* (about a) hundred
cependant however, yet
cercueil *m.* coffin
céréale *f.* cereal
cérémonieux(-euse) ceremonious, formal
certes certainly, of course
cesse: sans ~ unceasingly
cesser to stop
c'est à dire that is to say, in other words
chacun *m.* each one
chair *f.* flesh; **~ de poule** gooseflesh
chaleur *f.* heat
chambre *f.* room, bedroom; **~ à coucher** bedroom; **~ de torture** torture chamber
champ *m.* field; **~ d'honneur** battlefield
champignon *m.* mushroom
chance *f.* chance, luck; **avoir la ~** to be lucky
changement *m.* change, transfer (*train*)
chanson *f.* song
chant *m.* song
chanteur *m.* singer
chaos *m.* chaos; **~ de rochers** rocky abyss, chasm
chapelet *m.* rosary
chapelle *f.* chapel
chaque each, every
char *m.* farm wagon, chariot, car
charcuterie *f.* pork-meat products
charger to load; **programme chargé** full program
charme *m.* charm, attraction
charmer to charm
charron *m.* wheelwright
chasse *f.* hunt, chase, hunting
chasser to hunt
chat *m.* cat; **~ perché** long tag (*a child's game*)
château *m.* castle, palace; **~-fort** fortified castle
châteaubriant *m.* grilled steak
chaud warm, hot; **avoir ~** to be warm
chauffer to heat; **se ~** to get warm
chaussette *f.* sock
chaussure *f.* shoe; **~ de voyage** walking shoes
chef-d'œuvre *m.* masterpiece
chemin *m.* road, way; **~ de fer** railroad; **~ du pays** way home (from abroad); **~ faisant** on the way, as we went along
cheminée *f.* fireplace, chimney
chêne *m.* oak, oak tree
cher (chère) dear, expensive
chère *f.* fare, food
chéri *m.* dear, darling
cheval *m.* (*pl.* **chevaux**) horse; **chevaux de bois** merry-go-round
chevalet *m.* easel
chevalier *m.* knight
cheveux *m. pl.* hair; **~ d'anges** angels' hair (*fine strands of spun glass used to decorate Christmas trees*)
chez at (*or* in) the house of; **~ nous** at our house, in our country, at home, home; **~ soi** at one's own house, at home
chien *m.* dog
chiffre *m.* figure, number

chimère *f.* chimera, vain fancy
chimie *f.* chemistry
chinois *m.* Chinese (language)
chœur *m.* choir, chorus
choix *m.* choice
choquer to shock
chou *m.* cabbage
chrétien(-ne) *m.* (*f.*) Christian
cicatrice *f.* scar, mark
ciel *m.* (*pl.* **cieux**) sky, heaven
cigale *f.* locust (cicada)
cimetière *m.* cemetery
cinéma *m.* movies, movie theater; ~ **ambulant** itinerant *or* traveling movie show
circulation *f.* traffic
circuler to circulate, travel
citadin *m.* city dweller
cité *f.* city
citer to cite, mention, quote
clair clear, bright, light (*of a color*), fair (*of weather*)
clapier *m.* rabbit hutch
classe *f.* class, classroom
classique classic, traditional, classical
clef *f.* solution, key
clément mild
client *m.* client, customer
cloche *f.* bell
clocher *m.* belfry
clochette *f.* little bell
cloître *m.* cloister
clôturer to close (*of a ceremony or session*)
cœur *m.* heart, center
coiffer to have on (one's head), to dress one's hair
coiffeur *m.* barber, hairdresser
coin *m.* corner; **au** ~ **de leur feu** beside their fire, at their fireside
col *m.* pass
collection *f.* collection, set (of books)
collège *m.* municipal or private institution of secondary level
colline *f.* hill
coloré colored
colporter to peddle, deliver
combat *m.* fight, combat
combattant *m.* fighter
comédie *f.* comedy
comique comical
commander to order, dictate
comme as, since, how, like, for
commencer to begin; **pour** ~ first, to begin with
commérage *m.* gossip
commerçant *adj.* commercial, business
commode convenient, easy
commun common
commune *f.* community, township
communication *f.* communication
compagnie *f.* company; **Compagnie générale transatlantique** French Line
compagnon *m.* companion
comparaison *f.* comparison
compartiment *m.* compartment
compatriote *m.* compatriot
complaisant obliging, accommodating
complet *m.* suit
compléter to supplement
complexe complicated
complice *adj.* sympathetic, understanding
compliqué complicated
comporter to include, call for
composition *f.* composition; ~ **française** essay in French, original theme in French
comprendre to understand, in-

clude, comprise; **y compris** including
compromis *m.* compromise
compte *m.* account; **tout ∾ fait** all things considered
compter to count, count on, reckon, allow
concerner to concern; **en ce qui concerne . . .** as far as . . . is concerned
concevoir to conceive, devise; **conçu** conceived, arranged
concurrence *f.* competition; **faire ∾ à** to compete with
conducteur *m.* driver
conduire to drive, lead, take
conduite *f.* conduct, behavior
confectionner to make (*dresses*)
conférence *f.* lecture
confiance *f.* confidence, trust
confidence *f.* confidence, secrecy
confier to entrust, confide
confiserie *f.* confectionery
confiture *f.* preserves, jam
confondre to confuse, blend; **se ∾ (à)** to mingle (with)
conforme conformable, in harmony; **être ∾ à** to be in keeping with
confort *m.* comfort
confusion *f.* confusion, "mess"
connaissance *f.* acquaintance, knowledge, friendship
connaître to know, be (*or* become) acquainted with; **se connaître** to meet
connu *adj.* known, famous; **(le) plus ∾** best known
conquérir to conquer, win over; **conquis** conquered, captivated
consacrer to devote
conscient conscious
conseil *m.* council
conseiller (de) to advise
conséquence *f.* consequence, result
conséquent: par ∾ consequently, therefore
conserver to preserve, keep
considérer to consider, look on
consommateur *m.* consumer
consommer to consume
constamment constantly
constater to observe, verify
constituer to constitute, make up
construction *f.* construction, building
construire to construct, build
construit constructed
conte *m.* short story, story; **∾ de fées** fairy tale
contempler to contemplate, look at
contenir to contain, restrain
contenter: se ∾ de to be satisfied with, be contented with
conteste: sans ∾ indisputably
continuel(-le) continuous
continuer to continue; **∾ sa route** to keep on going
contourné winding, twisted
contraire *m.* contrary; **au ∾** on the contrary
contrairement to the contrary
contrefort *m.* spur
contrôle *m.* control
contrôler to control, operate
contrôleur *m.* conductor
convaincre to convince; **se convaincre de** to be convinced of
convenable convenient, proper
conventionnel(-le) conventional
conviction *f.* conviction; **avec ∾** with gusto
copieux(-se) copious, plentiful
coquet(-te) coquettish, trim, smart
coquillage *m.* shellfish

corne *f.* horn
corniche *f.* coast road, ledge
corporation *f.* guild
cosmopolite cosmopolitan
costume *m.* costume, dress; ∾ **de ski** ski outfit
côte *f.* coast, steep grade; **la Côte d'Azur** the Riviera
côté *m.* side; **à** ∾ **de** in addition to; **du** ∾ **de** in the direction of
coteau *m.* hill, slope
coton *m.* cotton
cou *m.* neck
couche *f.*: ∾ **de neige** snowfall
coucher *m.* sunset; **au** ∾ **du soleil** at sunset; *v.* to put to bed; **se** ∾ to go to bed
couchette *f.* cot, bunk
couler to run, flow, sink
couloir *m.* corridor
coup *m.* blow, stroke, thrust, cut; **tout à** ∾ all of a sudden, suddenly
coupe *f.* cup
couper to cut
coupole *f.* cupola
cour *f.* court, yard
couramment fluently
courant running, current, recent; **être au** ∾ **de** to know all about (something), be well-posted on
courbe *f.* curve
courir to run
couronner to rise over, top, crown, surmount
cours *m.* course; **au** ∾ **de** in the course of; ∾ **particulier** private course
course *f.* race; ∾ **à pied** foot race; ∾ **de taureaux** bullfight
courtisan *m.* courtier
coussin *m.* cushion
coutume *f.* custom
couvent *m.* convent
couvrir to cover; **couvert de** covered with
crainte *f.* fear, dread
crayeux(-se) chalky
créer to create, found
crème *f.* cream, custard
crémier *m.* dairyman
créneau *m.* crenelation
crénelé crenelated (*provided with parapet having open spaces*)
crépi *adj.* covered with rough plaster
crépuscule *m.* twilight
criard gaudy
crier to shout, cry out; ∾ **comme un sourd** to cry out very loudly
crieur *m.* crier; ∾ **de journaux** newspaper vendor
crinière *f.* mane
crinoline *f.* crinoline
critiquer to criticize
croire (à) to believe (in), think
croisade *f.* crusade
Croix-Rouge *f.* Red Cross
croquet *m.* hard cookie
croustillant crisp
crypte *f.* crypt
cueillir to pick, gather
cuir *m.* leather
cuisine *f.* cooking, kitchen
cuisiner to cook, "grill" (*in questioning a person*)
cuisse *f.* thigh, leg
culotte *f.* pants; ∾ **de ski** ski pants
culte *m.* cult; ∾ **de souvenir** devotion to the past
cultivé cultured
culture *f.* culture, crops
culturel(-le) cultural
curé *m.* priest
curieux(-se) *m.* (*f.*) inquisitive person; *adj.* curious, rare
curiosité *f.* point of interest, sight

cycliste *m.* cyclist
cyprès *m.* cypress (tree)

dalle *f.* slab (of marble), flagstone
dater to date; ~ **de** to date from
déambuler to walk about
débarquement *m.* disembarkation, landing
déborder to overflow
déboucher to come out, emerge, issue forth
debout standing
début *m.* beginning; **dès le** ~ at once, from the outset
débutant *m.* beginner
déchiqueté *adj.* jagged
déchiré *adj.* ragged
déchirement *m.* heart-rending experience
décider decide
décor *m.* setting
décorer to decorate, adorn
découper to cut out, cut
découverte *f.* discovery; **à la** ~ **de** to explore
découvrir to discover, come upon suddenly
décrire to describe
dédaigneusement scornfully
dédale *m.* labyrinth, maze
dédier to dedicate
défaite *f.* defeat
défilé *m.* parade
défiler to parade, pass in procession, pass by
définer to interpret
dégager to give off
déguster to taste, sample
dehors outside, out of doors; **en** ~ **de** in addition to, outside
déjeuner to have lunch, lunch; **aller** ~ to go (home) to lunch
déjeuner *m.* lunch; **petit** ~ breakfast
déjouer to thwart, stop, prevent
délicatesse *f.* delicacy, fragility
délicieux(-se) delicious, delightful
demander (à) to ask; **se** ~ to wonder
démanteler to dismantle
demeure *f.* residence, dwelling; ~ **de rêve** dream house
demi half; **à** ~ half; **à** ~ **conscient** half conscious; ~**-mal** *m.* nothing very serious; **il n'y aurait eu que** ~**-mal** things would not have been too bad
démonétiser to withdraw from circulation
denrée *f.* (*usually pl.*) article, product, foodstuff; ~ **alimentaire** foodstuff
denteler to indent, notch
dentelle *f.* lace
Dents du Midi mountains east of Lake Geneva
départ *m.* leave-taking, departure
dépasser to surpass, exceed, be beyond
dépaysement *m.* removal from usual surroundings
dépêcher to hurry; **se** ~ to hurry
dépenaillé in rags, ill-dressed, ragged
dépendre to depend
dépérir to waste away
dépit *m.* spite, disappointment; **en** ~ **de** in spite of
déplaisant displeasing, disagreeable
déposer to place, deposit, lay aside
depuis since, from, beginning with
dernier(-ère) last, latest
dernier *m.* last
dérouler: se ~ to take place
dès from (the time that), since, beginning with, as early as
désaltérer: se ~ to quench one's thirst

désastre *m.* disaster
descendre to come down, get off, stop, put up (*at a hotel*)
désespoir *m.* despair
désireux(-se) desirous, anxious
désolation *f.* desolation, ruin
désordonné disorderly, disordered; **plus ∾** less well regulated
désordre *m.* disorder, untidiness
désormais henceforth
desservir to clear (a table)
dessin *m.* design, plan
dessiner to draw, outline, indicate, plan
dessus *adv.* on top, above
destin *m.* destiny, fate
destinée *f.* destiny, future; *pl.* future
destiner to intend; **destiné à** intended for
détachement *m.* detachment, nonchalance
détacher: se ∾ sur to stand out against
détaillé detailed
dételer to unhitch
détonner to be out of tune, be out of keeping, make a disagreeable contrast
détritus *m.* rubbish
détruire to destroy
deuil *m.* mourning
devanture *f.* (shop) window
déveine *f.* (run of) bad luck
deviner to guess
devoir *m.* duty, assignment, school exercise; *v.* to owe, ought, must, be to, have to; **se ∾ (de)** to owe it to oneself (to)
différent different; *pl.* various
digne worthy
dimension *f.* dimension, size
diminuer to diminish, decrease
dindon *m.* turkey
dîner to dine, have dinner
diplômer: être diplômé to be graduated
dire to say, tell; **∾ adieu** to say good-by; **∾ son chapelet** to say one's beads; **∾ volontiers** to be inclined to say, be fond of saying; **et ∾ que!** just think!; **ne dire rien à** to mean nothing to; **dis (dites) donc** say, by the way, see here
direction *f.* direction, supervision, management
diriger to direct, preside over; **se ∾ vers** to head toward, go toward
discours *m.* talk, speech
discuter to discuss, argue
disparaître to disappear
disparate disparate, incongruous
disparu *m.* deceased, (one) who has gone
disperser to scatter
disponible available
disposer to dispose, arrange; **∾ de** to have available; **mal disposé** in a bad mood
disposition *f.* arrangement
disputer to dispute, contend; **se ∾** to vie for
dissimuler to conceal, hide; **se ∾** to hide
dissiper: ∾ notre fatigue to take away our fatigue
distinguer to distinguish, make out; **se ∾ (de)** to differ (from), stand out (among)
distraction *f.* pleasure, enjoyment
distraire to amuse
distrait distracted, preoccupied
distribution *f.* distribution; **∾ des prix** commencement exercises
dit(-e) claimed to be

divers different, various, many
(une) dizaine *f.* (about) ten; **quelques ~s** a few (some) tens
domaine *m.* domain, property, estate, field of study *or* investigation
domicile *m.* house, apartment
dominer to dominate, overlook, tower over
dominical *adj.* Sunday
dommage *m.* loss, damage, pity; **c'est ~** that's too bad
donc *adv.* therefore, then
donner to give, lend, convey; **~ de la grandeur** to give an appearance of grandeur; **~ du fil à retordre** to give trouble, give serious difficulty; **~ envie de** to give the desire to; **~ sur** to face, look out on; **~ un coup de main** to give a lift; **ne savoir où ~ de la tête** not to know which way to turn; **se ~ du bon temps** to have a good time; **se ~ des gifles** to slap each other
doré gilded, golden
dorer to gild; **se ~** to become golden
dortoir *m.* sleeping-quarters
dos *m.* back
douane *f.* customs office, customs house
douanier *m.* customs officer
douanier(-ère) *adj.* customs
doubler to line, double, pass
douceur *f.* sweetness, gentleness; **~ angevine** the mildness of Anjou; **~ de vivre** good living, good things of life
doute *m.* doubt; **sans ~** of course, probably
doux(-ce) gentle, sweet, mild, soft
drap *m.* cloth, goods, bed sheet
drapeau *m.* flag
dresser to set upright; **se ~** to stand (upright), rise
droit *m.* right, duty, law; **~ de douane** customs duty; **~ chemin** right path; **faire son ~** to study law
droite *f.* right; **à notre ~** on our right
drôle funny, queer; **quel ~ de** (+ *noun*) what a funny
durement *adv.* hard
durer to last

eau *f.* water; **~ courante** running water
éblouir to dazzle
s'ébranler to begin to move, get under way, start, set in motion
écaillé scaled, chipped
écarter to push aside, move apart; **s'~** to go astray
échange *m.* exchange, barter
échanger to exchange, barter; **~ des poignées de main** to shake hands
échapper (à) to escape
écharpe *f.* scarf, kerchief
échelle *f.* scale, ladder
échoppe *f.* booth, stall, shop
éclaircie *f.* clearing (*weather*)
éclairer to light up
éclat *m.* outburst, brilliance
éclatant bright, shining
éclater to burst (forth); **~ de rire** to burst out laughing
école *f.* school; **~ maternelle** kindergarten; **~ communale** grade school; **~ mixte** grade school for both boys and girls
écolier(-ère) *m.* (*f.*) schoolboy (girl)
écouter to listen (to)
écrivain *m.* writer, author

écurie *f.* horse stable
édifice *m.* building, structure
édifier to erect
édition *f.* edition, printing; ~ **originale** first edition
édredon *m.* eiderdown quilt
éducation *f.* education, training
effet *m.* effect, impression
effondrer to crumble
s'efforcer de to strive, endeavor
également likewise, equally, also
égard *m.* regard, sake; **à l'~ de** with respect to, to, toward; **à notre ~** with respect to us, at our expense, as far as we were concerned; **à plusieurs ~s** in several respects
s'égarer to get lost
Égyptien *m.* Egyptian
égyptien(-ne) *adj.* Egyptian
eh bien! well!
élargir to broaden, widen
élégant elegant, fashionable, graceful
élément *m.* element, part
élevé high
élever to raise, bring up; **s'~** to rise, get up
élimer to wear threadbare
éloignement *m.* remoteness, distance
éloigner to put away, push away, carry away; **s'~ (de)** to go away (from)
emballé (*fam.*) excited, thrilled
embarquer to embark, go aboard (a) ship
embarras *m.* embarrassment; ~ **du choix** too many to choose from
embarrasser to embarrass, encumber, tangle up
embêter (*slang*) annoy
embouchure *f.* mouth (*of a river*)
embrasser to kiss, embrace, take in
embrumé misty, hazy
émerger to emerge
émerveiller to astonish
émerveillement *m.* amazement, wonder
émettre to express, utter
emmener to take along (*of persons*)
émouvoir to move, stir, disturb; **ému** aroused, moved
empêcher to prevent; **s'~ de** to keep (oneself) from
emploi *m.* use, job; ~ **du temps** course program
emplacement *m.* site
employer to use, employ
emporter to carry away
empreinte *f.* mark
emprunter to borrow, take, follow; ~ **le col** to follow the course of the pass
ému *p. part. of* **émouvoir**
encadrer to frame, surround
encercler to surround, encircle
enchantement *m.* enchantment; **comme par ~** as if by magic
s'enchâsser to set, enshrine
encombrant bulky, cumbersome
encore again, still, else
endimanché dressed in one's best
endive *f.* an herb, the leaves of which are used in salad
endommager to damage
endormi asleep, sleepy
s'endormir to go to sleep
endroit *m.* place, spot
enfance *f.* childhood
enfant *m.* or *f.* child; **Enfant Jésus** Christ Child; ~ **terrible** problem child
enfantin childish
enfin finally, at last
enfumé smoky, smoke-filled

engageant attractive, engaging
engager to engage, urge, encourage, advise; **~ la conversation** to engage in conversation, strike up a conversation
engloutir to engulf, submerge
enivrant intoxicating
enjouement *m.* playfulness
enlever to take away
énorme enormous, great
enseigne *f.* sign
enseignement *m.* teaching, instruction
ensemble *m.* ensemble, whole, group
ensoleillé sunny
ensorcelant fascinating
entailler to notch, gash, slash
entamer to dampen, break into, begin
entasser to pile
entendre to hear, understand
entendu all right; **bien ~** of course
enterrement *m.* burial
enterrer to bury
entier(-ère) whole, entire
entonner to start singing in a loud voice
entourer to surround
entr'acte *m.* intermission
entr'aide *f.* mutual assistance
entrain *m.* enthusiasm
entraîner to carry along, carry away, sweep along
entre among, between; **~ les mains** in his hands
entrée *f.* entrance; **billet d'~** admission ticket; **porte d'~** front door
entreprendre to undertake
entretenir to keep up, maintain
entrevoir to catch a glimpse of
envahir to invade, overrun, overgrow
envie *f.* desire
environ around, about
environnant surrounding
environs *m. pl.* suburbs, surroundings, outskirts
épais(-se) thick
épaisseur *f.* thickness
épaule *m.* shoulder
épicier *m.* grocer
époque *f.* epoch, period; **à cette ~** at that time
époux *m. pl.* husband and wife; **jeunes ~** newlyweds
éprouver to experience
équilibrer to balance, regulate
équipe *f.* team
ère *f.* era
érection *f.* erection, building
ériger to erect
errer dans to wander through
escale *f.* stop (*of a boat*); **faire ~** to call (stop); **point d'~** *m.* port of call
escalier *m.* stairs, staircase; **~ à loggia** staircase with loggias (roofed open galleries); **rue en ~** steep street, street of stairs
escargot *m.* snail; **~ de Bourgogne** edible snail
espace *m.* space, interval; **dans l'~ de** within
espagnol *m.* Spanish (language)
Espagnol *m.* Spaniard
espèce *f.* species, kind
esprit *m.* mind, spirit, wit; **avoir l'~ vif et prompt à la repartie** to be witty and quick at repartee; **~ de corps** group spirit
esquisser to outline, sketch
essai *m.* try, attempt, essay
essence *f.* essence, gasoline

est *m.* east
estimer to consider, be of the opinion that
s'estomper to become indistinct, fade, grow blurred
estrade *f.* platform
établir to establish, build; **établi** built, located
établissement *m.* institution
étage *m.* story, floor (*of a building*), ~ **principal** main floor; ~ **au-dessus** next floor; **gâteau à plusieurs ~s** layer cake
étager: s'~ to rise in tiers
étalage *m.* display; ~ **de luxe** display of wealth
étang *m.* pond, pool
étape *f.* stage, step, run, stop; **~s de l'année** periods of the year
état *m.* state, condition
état-major *m.* general staff
États-Unis *m. pl.* United States
été *m.* summer; ~ **de la Saint-Martin** Indian Summer
étendre to stretch (out); **s'~** to stretch out, extend
étendu extensive
étendue *f.* stretch, area, expanse
éternel(-le) eternal, everlasting, perpetual, same old
éternité *f.* eternity; **de toute ~** from time immemorial
ethnographie *f.* ethnography
étincelant *adj.* sparkling, shining
étinceler to sparkle
étoffe *f.* fabric, material
étoile *f.* star
étonner to astonish, surprise
étranger *m.* foreigner, stranger, foreign country; **à l'~** abroad; *adj.* foreign
être to be; ~ **bon de** to be a good thing to; ~ **censé** to be supposed; ~ **en train de** to be in the act of; ~ **sur pied** to be up (out of bed); **ce ne sont que** there are nothing but; **c'est que** the fact is that; **est-il besoin de** is there any need to
étroit narrow
étude *f.* study, course of study
Européen *m.* European
européen(-ne) *adj.* European
évacuer to evacuate, let out
évangile *m.* gospel
éveiller to awaken, arouse
événement *m.* event
évêque *m.* bishop
évident evident, plain, obvious
évocateur(-trice) evocative, tending to call forth
évoluer to evolve, change, improve
évoquer to evoke, recall, describe, act out
examen *m.* examination; ~ **de fin d'année** final examination; **passer un ~** to take an examination
exceptionnel(-le) exceptional, unusual
excitation *f.* excitement
exciter to excite, arouse, provoke
s'exclamer to exclaim
excursion *f.* excursion, trip
exécuter to carry out, execute
exemple *m.* example
exercer to exercise; **s'~ à** to practice
exhumer to dig up
exiger to exact, require
exiler to exile; **s'~** to go into exile
existence *f.* existence, life
expédier to dispose of, send, hurry through, get out of the way
explication *f.* explanation; ~ **par**

geste explanation in sign language

expliquer to explain; **s'∼** to be explained

exposé *m.* exposé, presentation of a topic; **∼ écrit** paper; **∼ oral** report

exposer to expose, present, display

exposition *f.* exposition, exhibit

expression *f.* expression; **∼ toute faite** ready-made expression

s'exprimer to express oneself

extérieurement on the outside

extraire to extract

extrémité *f.* extremity, end

exubérant exuberant, superabundant, lush

ex-voto *m.* ex-voto (votive offering)

fabrication *f.* manufacture

fabrique *f.* factory

fabriquer to manufacture

façade *f.* facade, front

face *f.* face; **∼ à** opposite, facing

fâcher to make angry; **se ∼** to become angry, lose one's temper

facilité *f.* facility, ease

façon *f.* way, manner; **de cette ∼** in this way

faculté *f.* faculty, school; **faculté des Lettres** College of Liberal Arts (equivalent to the divisions of Humanities and Social Sciences of an American Liberal Arts faculty)

faim *f.* hunger

faire to do, make; **∼ appel à** to call on, appeal to; **∼ beau** to be fine weather; **∼ beaucoup d'effet** to be very impressive; **∼ du camping** to go camping; **∼ un crochet** to take a roundabout route; **∼ un cours** to give *or* teach a course; **∼ son chemin** to make one's way; **∼ défaut** to be lacking; **∼ son droit** to study law; **∼ des échanges** to barter, swap (*slang*); **∼ escale à** to call at (*naut.*); **∼ ses essais** to test one's ability; **∼ des études** to study; **∼ face à** to face; **∼ figure de** to resemble somewhat; **∼ une halte** to stop briefly; **∼ marcher** to operate, run; **∼ son marché** to do one's marketing; **∼ la grasse matinée** to sleep late; **∼ sa médecine** to study medicine; **∼ naître** to give rise to, cause, bring about; **∼ une partie de canot** to go rowing; **∼ une partie de cartes, de billard** to play cards, billiards; **∼ grand plaisir à qqun.** to please someone very much; **∼ pousser** to grow, raise; **∼ une promenade en bateau** to go sailing; **∼ des prouesses** to perform feats of valor, to "shine"; **∼ quelques centaines de mètres** to cover a few hundred meters; **∼ la queue** to stand in line; **∼ des randonnées** to take long trips; **∼ des recherches** to do research; **∼ un repas** to have a meal; **∼ réserver** to have reserved; **∼ un saut** to jump, make a quick visit; **∼ signe** to signal; **∼ des signes d'adieu** to wave good-by; **∼ du ski** to go skiing; **∼ un petit somme** to take a little nap; **∼ le tour de** to visit, walk around; **∼ un tour** to take a short walk; **∼ uniquement** to do nothing more than; **∼ du vent** to be windy; **∼ une visite** to pay a visit; **se ∼** to make oneself; **se ∼ des amis** to make friends; **se ∼**

une idée to get an idea, form (have) an idea
fait *m.* fact, event; **de** ~ in fact; **du** ~ **que** because of the fact that
falloir to be necessary, must
familial *adj.* family
famille *f.* family; **en** ~ among friends, at home
fanfare *f.* fanfare, band
farouche savage, fierce
fasciner to fascinate, charm
fastes *m. pl.* show, pageantry
fatigant fatiguing, tiresome
fatigue *f.* fatigue, weariness
fatigué tired
fauteuil *m.* armchair
fauve tawny, buff
faux (fausse) false
faveur *f.* favor, patronage
favori(-te) favorite
favorisé fortunate
favorite *f.* favorite, mistress
félicitations *f. pl.* congratulations
fée *f.* fairy
fer *m.* iron; ~ **à cheval** horseshoe; **en** ~ **à cheval** in the shape of a horseshoe, horseshoe-shaped; ~ **forgé** wrought iron
ferme *f.* farm
ferme *adj.* firm, solid
fermier(-ière) *m.* farmer (*f.* farmer's wife)
féroce wild, ferocious
ferroviaire *adj.* railroad
festin *m.* feast
fête *f.* feast, holiday, celebration; ~ **de nuit** outdoor evening festival
fêter to celebrate, entertain
feu *m.* fire, flame; ~ **d'artifice** fireworks; ~**x de Bengale** colored flares
feuille *f.* leaf, sheet
feuilleter to leaf through
fiancé(-e) *m.* (*f.*) betrothed; **(les) fiancés** engaged couples
ficelle *f.* string, cord
fidèle faithful, loyal, true
fier (fière) proud
fierté *f.* pride
figer: se ~ to congeal
figuier *m.* fig tree
figurer to participate, take place, be included
file *f.* line, row
filer to go rapidly
filet *m.* luggage rack (*rlwy.*), fishing net
fille *f.* daughter; (*usually preceded by* **jeune**) girl; **vieille** ~ old maid
fillette *f.* little girl
film *m.* movie, film
fils *m.* son
fin *f.* end
finir to finish; **en** ~ **avec** to get through with, make an end of, have done with; **en** ~ **de** to get through
flambeau *m.* torch
flanc *m.* side
flâner to stroll
flanqué flanked, having along its side
flèche *f.* spire
fleur *f.* flower; ~ **des champs** wild flower
fleurir to blossom, bloom
fleuve *m.* river
flot *m.* wave, rush, stream, flood
flotte *f.* fleet
fois *f.* time; **à la** ~ at the same time; **une** ~ once
foncé dark (*of color*)
fond *m.* bottom, back, background; **au** ~ **de** at the bottom of, in the back of

fondant *m.* fondant (*chocolate*)
fonder to found, establish
fondue *f.* fondue, dish described in Lesson 11, part A
fontaine *f.* fountain
foot-ball *m.* soccer
force *adj.* many
forestier(-ière) *adj.* forest
former to form, train, educate, develop, constitute
formidable terrific, tremendous
formuler to formulate
fort strong, marked, very
fouetter to whip
fougueux(-se) powerful
fouille *f.* excavation
foule *f.* crowd, mob
fourmi *f.* ant
fournir to furnish
fourrure *f.* fur
foyer *m.* hall, dormitory, lobby, center
fracas *m.* noise, racket
fracture *f.* fracture, break
frais (fraîche) fresh, cool
français *m.* French (language); *adj.* French; **à la française** in the French manner *or* style
Français(-e) *m.* Frenchman (*f.* Frenchwoman)
franchir to cross
frappant striking
frapper to strike, impress
fraternité *f.* fellowship
fraude *f.* fraud
fréquemment frequently
fréquenter to attend, frequent, visit often
fresque *f.* fresco
frissonner to shiver, thrill
frit fried
friture *f.* frying; **∾ de poisson** fried fish
fromage *m.* cheese
frotter to rub, polish
frugal frugal, skimpy
fruit *m.* (piece of) fruit, result
fruitier *m.* fruit-and-vegetable dealer
fumée *f.* smoke
fumier *m.* dung, manure
funéraire funeral
funiculaire *m.* cable railway
fur: au ∾ et à mesure que in proportion as
furieux(-se) furious
futaie *f.* grove of trees from which underbrush has been cut away, timber, tree, forest; **∾ de hêtre** beech grove

gagner to gain, earn, reach, make; **∾ à être vu** to improve upon being viewed
gaieté *f.* gaiety
galette *f.* a flat round cake
gallicisme *m.* peculiarly French expression
galonner to braid, lace
galopin *m.* urchin
garçon *m.* boy, waiter, steward
garçonnet *m.* little boy
garde *m.* guard; **∾-champêtre** *m.* rural policeman
garder to keep, guard, protect, retain
gardien *m.* attendant, caretaker
gare *f.* (railroad) station; **∾ maritime** station serving rail and steamship lines
gare à too bad for
garenne *f.* warren
gargouille *f.* gargoyle
garnir to trim, adorn, fill
gastronomie *f.* gastronomy (*science of good eating*)

gâteau *m.* cake
gâter to spoil
gauche left, awkward
gaufre *f.* waffle
gazon *m.* lawn
geler to freeze; ∾ **à pierre fendre** to freeze hard
gémir to moan
gendarmerie *f.* police force, constabulary
gendre *m.* son-in-law
gêner to bother, hinder, inconvenience
genevois Genevan
génie *m.* genius
genou *m.* knee; **les ∾x** *pl.* knees, lap
genre *m.* type, kind
gens *m. pl.* people; **jeunes** ∾ young men, young people
gérant *m.* manager, proprietor
gerbe *f.* sheaf, bunch
geste *m.* gesture; **par ∾s** in sign language
gesticuler to gesticulate
gibet *m.* gibbet, gallows
gifle *f.* slap
gigot *m.* leg (of mutton, lamb)
glace *f.* ice, ice cream
glacé icy, frosty, iced
glacière *f.* refrigerator
glisser to slip; **se** ∾ to glide
globe *m.* globe, world
Gobelins (les) *m. pl.* noted factory *or* make of tapestry
goujon *m.* gudgeon (*fish*)
gourde *f.* awkward beginner (*slang*)
goût *m.* taste, liking, pleasure
goûter to enjoy, take an afternoon snack; ∾ **à** to taste; ∾ **de** to enjoy
grâce *f.* gracefulness, graciousness; ∾ **à** thanks to
gracieux(-se) gracious, graceful
gradin *m.* row (*of an amphitheatre*), step
grand big, large, great; **∾'chose** much, a great deal; **∾'route** *f.* highway; **∾'rue** *f.* main street; **∾'salle** *f.* combined kitchen and dining-room of a farm-house; **tout** ∾ wide
grandeur *f.* grandeur, greatness, splendor
granit *m.* granite
gratte-ciel *m.* skyscraper
graver to engrave
gravir to climb
gravure *f.* engraving, picture, print
gré *m.* wish, liking; **à mon** ∾ to my liking, in my opinion
grec *m.* Greek (language)
Grec (Grecque) *m.* (*f.*) Greek (person)
grec (grecque) *adj.* Greek
grenier *m.* attic, granary; ∾ **à blé** wheat loft; ∾ **à avoine** oats loft
grenouille *f.* frog
grille *f.* gate
grimper to climb
grincheux(-se) crabbed, grumpy
gris gray
Grisons *m. pl.* Grisons (*canton in eastern Switzerland*)
gros(-se) big, stout, large
grouillant swarming
groupement *m.* grouping, group; ∾ **urbain** urban district
grouper to group; **se** ∾ to form a group, gather
ne . . . guère scarcely, hardly
guerre *f.* war; **avant-** ∾ *m.* pre-war period; **∾s de religion** religious wars (*in France, XVIth century*); ∾ **de Cent Ans** Hundred Years' War

guetter to watch for
gui *m.* mistletoe
guirlande *f.* garland; ~ **électrique** string of electric-light bulbs
gutturale *f.* guttural tone

habileté *f.* ability, skill
habit *m.* dress, costume; *pl.* clothes
habitant *m.* inhabitant, resident
habitation *f.* dwelling, house
habitude *f.* habit, custom; **avoir l'~ de** to be used to; **que d'~** than usual
habitué *m.* frequenter, habitué; *adj.* accustomed
habituel(-le) habitual, usual
habituellement customarily, usually
habituer to accustom; **s'~ à** to get used to
*[1]**haillons** *m. pl.* rags; **en ~** in rags, ragged
***hameau** *m.* hamlet
***hanter** to frequent, haunt
***hantise** *f.* obsession
***harassé** harassed
***hardi** bold
***harnais** *m.* harness
***hasard** *m.* chance; **au ~** at random
***hâte** *f.* haste; **en toute ~** very hurriedly, at top speed
***hâter: se ~** to hurry
***haut** *m.* top
***haut** high, tall; **de ~** in height, high; **~es études** advanced studies; **tout en ~** at the very top
***haut-relief** *m.* high relief
***hauteur** *f.* height; **à la ~ de** as far as, even with, opposite
***Havrais(e)** *m.* (*f.*) native of Le Havre
hectare *m.* hectare ($2\frac{1}{2}$ acres)
hélas alas
herbe *f.* grass; **mauvaise ~** weed
herbier *m.* herbarium (*collection of dried plants, usually mounted and classified*)
***hérisser: se ~** to bristle, rise sharply
hétéroclite odd, queer, freakish
***hêtre** *m.* beech tree
heure *f.* hour, o'clock; **demi-~** half hour; **de bonne ~** early; **heure(s) de route** hour(s) of travel
heureusement fortunately, happily
***heurter** to jostle, bump against
histoire *f.* history, story; **bonne ~** humorous story; **~ sainte** Biblical history
***Hollandais(-e)** *m.* (*f.*) Dutch (person)
***hollandais** *adj.* Dutch
hommage *m.* homage
homme *m.* man; **mon petit ~** (*fam.*) young man
homogène homogeneous
***Hongrois(-e)** *m.* (*f.*) Hungarian (person)
honoré honorable, honored
horloge *f.* clock (*especially town or church*)
***hors de** outside, out of
***hors-d'œuvre** *m.* hors d'oeuvre, appetizer
hospice *m.* hospice, hostel
hôte(-esse) *m.* host (*f.* hostess); guest
hôtel *m.* hotel; **~ de ville** town hall, city hall
hôtelier *m.* hotel keeper, hotel owner
***huer** to boo
huile *f.* oil
humeur *f.* humor, mood; **moment d'~** outburst of temper

[1]The asterisk indicates aspirate **h.**

if *m.* yew tree
ignorer to be ignorant of
illuminer to light, illuminate
illustrer to illustrate; **s'~** to become famous
image *f.* image, picture
imaginable conceivable
imaginer to imagine, devise; **s'imaginer** to imagine
immaculé immaculate, spotless
immeuble *m.* building, apartment house
immortaliser to make immortal
impassible impassive, unmoved
impatient anxious, impatient
impérissable imperishable
importance *f.* importance, size
importation *f.* import
importer to import; **peu importe** it makes little difference
impôt *m.* tax
imprenable impregnable
impressionnant impressive
impressionner to impress
imprimé *m.* book, printed matter
imprimerie *f.* printing press
inciter (à) to encourage, incite, urge
inconfortable uncomfortable
inconnu unknown
incroyable unbelievable
indiquer to indicate; **tout indiqué** well-adapted
inerte inert, sluggish
infini infinite
infliger to inflict
ingénieur *m.* engineer; **~ des ponts et chaussées** highway commissioner
ingénieux(-se) ingenious
ingéniosité *f.* ingeniousness
initier (à) to initiate; **s'~ à** to be initiated into
injure *f.* ravage, insult
injurier to insult, call (*someone*) names
inné innate, inborn
innombrable innumerable
inoubliable unforgettable
inquiétude *f.* anxiety, uneasiness
inscrire to inscribe, write; **s'~** to register (*for courses*)
insister (sur) to insist (upon)
installation *f.* installation, establishment; **~ de fortune** makeshift shelter
installer to place, arrange, establish, house; **s'~** to take a seat, to settle oneself
instant *m.* instant, moment; **à tout ~** constantly
insuffisance *f.* shortage
intarissable inexhaustible
intense intensive, heavy (*of traffic*), deep
intention *f.* intention; **à l'~ de** in memory of, intended for
intérieur *m.* interior, inside; *pl.* homes; **à l'~ (de)** inside; *adj.* inland
intermédiaire intermediary
interpeler to call
interprète *m.* interpreter
interrogation *f.* question; **~ écrite** quiz
interroger to question
interrompre to interrupt
intimité *f.* intimacy
introduire to introduce
inutile useless
invariablement invariably
irréel(-le) unreal
Italien(-ne) *m.* (*f.*) Italian (person)
italien *m.* Italian (language); *adj.* Italian

jadis formerly
jamais ever; **à** ~ forever
jambe *f.* leg
jargon *m.* jargon, slang
jasmin *m.* jasmine
jésuite *adj.* Jesuit
jetée *f.* jetty
jeter to throw, cast; ~ **un coup d'œil** to glance, take a look
jeu *m.* play, game, set; ~ **de coupons, d'outils** set of coupons, tools
jeunesse *f.* youth, young people
Joconde (la) Mona Lisa
joli nice, pretty
joue *f.* cheek
jouer to play; ~ **à** to play (*a game*); ~ **de** to play (*an instrument*)
jouir de to enjoy
jour *m.* day, daylight; **beaux ~s** prosperous times; ~ **de distribution de prix** commencement day; **point du** ~ daybreak
journal *m.* newspaper, diary
journaliste *m.* reporter
journée *f.* day
joyau *m.* jewel
joyeusement joyously, happily
juché perched
juge *m.* judge; ~ **de paix** justice of the peace
juger to judge
jusqu'à (up) to, until, as far as
jusque until, as far as
juste just, exact, correct; ~ **à temps** just in time
justifier to justify

kilomètre *m.* kilometer (.62 of a mile)

là there, then
laine *f.* wool
laisser to leave
laisser-aller *m.* untidiness
lait *m.* milk
lampion *m.* (Japanese) lantern
lancer to throw, toss; **se** ~ to start, venture
lande *f.* moor
langue *f.* language, tongue; **avoir la** ~ **bien pendue** to be very talkative, have a glib tongue; ~ **maternelle** mother tongue; ~ **vivante** modern language
languir to languish
lanterne *f.* lantern
large wide; *m.* open sea
larme *f.* tear
las(-se) tired, weary
laver to wash
lecteur *m.* reader
lecture *f.* reading
légendaire legendary, fabulous
légende *f.* legend; **de** ~ legendary, fabulous
léger(-ère) light
léguer to bequeath
légume *m.* vegetable
Léman: le lac ~ Lake Geneva
lendemain *m.* next day, day after; **dès le** ~ (starting) the next day
lentement slowly
lenteur *f.* slowness
lettre *f.* letter; ~ **recommandée** registered letter; ~**s** *f. pl.* humanities (*academic*)
lettré *m.* learned man
lévrier *m.* greyhound
liberté *f.* liberty; **après-midi de** ~ afternoon off; **être en** ~ to be untied (*of animals*)
librairie *f.* bookstore
libre free
lié bound, tied; ~ **(à)** connected (with)
lieu *m.* place, spot; **au** ~ **de** instead of; **avoir** ~ to take place

ligne *f.* line; **grandes ~s** basic framework; **~ de navigation** steamship line; **tête de ~** home port
limpide clear, limpid
linguistique linguistic
lisière *f.* edge, border; **à la ~ de** on the edge of, on the outskirts of
lit *m.* bed, layer
littoral *m.* coast line
livre *m.* book; **~ d'images** picture book; **~ d'or** honorary register
livrer to deliver, surrender, fight
livreur *m.* delivery man
loger to lodge, house
logis *m.* house, lodging
loin far; **au ~** in the distance; **de ~** from far off
lointain distant, remote
loisir *m.* leisure; **à ~** at one's leisure; **plus à ~** in a more leisurely fashion
long(-ue) long; *m.* **de ~ en large** up and down; **le ~ de** along
longer to run along, skirt, go along
longtemps long, (for) a long time
longueur *f.* length
lors de at the time of
louche suspicious, shady
louer to rent; **~ des places** to reserve seats
lourd heavy
lucarne *f.* skylight
lueur *f.* glow, light
lugubre gloomy, lugubrious
lui-même itself, himself
lumière *f.* light
lumineux(-euse) luminous, bright, brilliant
lunettes *f. pl.* glasses
lustre *m.* crystal chandelier
lutter to fight, struggle, wrestle
luxe *m.* luxury
luxueux(-se) luxurious

machine-outil *f.* machine tool
madame (*pl.* **mesdames**) *f.* Mrs., lady
magasin *m.* store; **grand ~** department store
magie *f.* magic
magnifique magnificent
maigre meager, thin
maillot *m.* bathing suit, sweater
main *f.* hand
maint many (a)
maintenant now
maire *m.* mayor
mairie *f.* town hall
maïs *m.* corn
maître *m.* teacher, master; **~ de conférences** assistant professor, lecturer
majestueusement majestically
majestueux(-se) majestic
majorité *f.* majority
mal bad, badly; **demi-~** nothing very serious, not so bad; **avoir beaucoup de ~ à** to have great difficulty in; **ne pas être trop ~** to be fairly comfortable
mal de mer *m.* seasickness
malgré in spite of
malheureusement unfortunately
malle *f.* trunk
malodorant foul-smelling
malpropre dirty
mamizelle *f.* miss (*spelling indicates Algerian's pronunciation*)
Manche *f.* English Channel
manière *f.* manner, mannerism, way; **à leur ~** in their own way; **de toute ~** in any case
manifestation *f.* manifestation; **~ culturelle** public cultural and artistic gathering

manifeste obvious
manifester to show
manquer to miss, lack; ∾ **à** neglect, overlook
manteau *m.* cloak, coat
manuel *m.* textbook
maraudeur *m.* marauder, prowler
marbre *m.* marble
marchand(-e) *m.* (*f.*) merchant, vendor; ∾ **ambulant** itinerant merchant; ∾ **de poisson** fishmonger; *adj.* commercial
marchandise *f.* merchandise, goods
marche *f.* march, motion (of a boat); **avoir la** ∾ **très douce** to go along very smoothly, be smooth-running
marché *m.* market; **faire leur** ∾ to do their marketing; ∾ **noir** black market
marcher to walk, run (operate), succeed, go off well; **ça a marché quand même** things went pretty well anyway
mariage *m.* marriage, wedding
mariés *m. pl.*: **jeunes** ∾, **nouveaux** ∾ bride and groom
marin *m.* sailor
marine *f.*: ∾ **marchande** merchant marine
maritime: train ∾ boat train
maroquinerie *f.* leather goods
marque *f.* brand, make
marquer to indicate, mark clearly; ∾ **par** characterize by
marqueterie *f.* mosaic (of wood)
Marseillais *m.* native of Marseilles
masque *m.* mask
masse *f.* mass
massif *m.*: ∾ **de fleurs** flowerbed; **Massif central** large plateau in central France
masure *f.* hovel, ruin
match *m.* (*pl.* **matches**) game
matelot *m.* sailor
matériel *m.* material, equipment
matin *m.* morning; **de bon** ∾ early in the morning
matinal *adj.* morning, early
matinée *f.* morning
maudire to curse
mausolée *m.* mausoleum
mécanisme *m.*: ∾ **de précision** precision-built machinery
médaille *f.* medal, coin
méditerranéen(-ne) Mediterranean
méfait *m.* evil, misdeed, malpractice
mélange *m.* mixture
mêler to mix, mingle; **se** ∾ **(à)** to be mixed (with), be mingled (with)
même even, very, self, simple, same, equal; **quand** ∾ just the same
mémoire *f.* memory
menacer to menace, threaten
ménagère *f.* housewife
mendiant *m.* beggar
mener to lead
mentionner to mention
mer *f.* sea, ocean
mercerie *f.* dry goods *or* variety store
méridional *m.* Southerner; *adj.* southern
mériter to merit, deserve
merveille *f.* marvel, wonder
merveilleux(-se) marvellous
messe *f.* mass
métallique metallic
méthodiquement methodically
mètre *m.* meter (39.37 inches)
Métro *m.* subway (in Paris)
métropole *f.* metropolis
mettre to put, place, install; ∾ **à l'abri** to put in safekeeping; ∾ **de bonne humeur** to put in a

good mood; ~ **en gaieté** to cheer up; ~ **en évidence** to bring out; ~ **en valeur** to emphasize; ~ **les petits plats dans les grands** to serve an elaborate dinner; ~ **l'eau à la bouche à (qqun.)** to make (someone's) mouth water; ~ **pied à terre** to dismount; **se** ~ **à table** to sit down at the table; **se** ~ **au lit** to go to bed; **se** ~ **en devoir de** to endeavor; **se** ~ **en route** to set out
meuble *m.* piece of furniture; *pl.* furniture
meubler to furnish
meule de foin *f.* haystack
meurtrir to bruise
midi *m.* noon; **le Midi** the South of France
miel *m.* honey
mieux *m.* best; *adv.* better, best; **de notre** ~ as best we could; **le** ~ the best thing to do; **trouver de** ~ to like best
milieu *m.* middle, midst, center; *m. pl.* circles; **au** ~ **de** in the midst (middle) of, among
mille *m.* (a) thousand
millénaire thousand-year-old
millier *m.* thousand
mimique *f.* gesture, mimicry
minable wretched
mince slender, thin
miniature *f.* miniature; **bateau en** ~ model boat
ministère du Ravitaillement *m.* Food Ministry
minutieux(-se) detailed
mirer to reflect; **se** ~ to be reflected
mise-en-scène *f.* setting, staging
misère *f.* misery, poverty, wretchedness
mobilier *m.* furniture
modèle *m.* model; ~ **en reduction** small reproduction
moindre least, slightest, smallest, most trifling
moine *m.* monk
moins less; ~ **de** less than (*before a numeral*); **au** ~ at least
moisson *f.* harvest
moissonneur *m.* harvest worker
moitié *f.* half; **à** ~ half way
molle *f.* of **mou**
moment *m.* moment, time, while; **au bon** ~ at the right time; **au** ~ **où** the moment when
monarchie *f.* monarchy
mondain fashionable
monde *m.* world, people; **tout le** ~ everybody
mondial world, world-wide
monotone monotonous
monsieur (*pl.* **messieurs**) *m.* sir, Mr., gentleman; **messieurs-dames** (*fam.*) ladies and gentlemen
mont *m.* mount, mountain
montagnard *m.* mountaineer
montagne *f.* mountain; **en pleine** ~ in the midst of the mountains
montant hilly
montée *f.* ascent, climb
monte-pente *m.* ski-lift
monter (dans) to go up, get (in), board, put on, arrange, prepare
montre *f.* watch
monumental huge
se moquer de to make fun of
moraliste *m.* writer of observations on human behavior
morceau *m.* piece
morétain(-e) *m.* (*f.*) native of Moret
mort *m.* dead person
mot *m.* word
mou, mol, molle gentle, soft

mouchoir *m.* handkerchief
moule *f.* mussel
moulure *f.* moulding
mourir to die
mousseux(-se) sparkling (of wine)
moustachu mustached
moyen *m.* means; ∾ **âge** *m.* Middle Ages; **en** ∾**ne** on an average
muer: se ∾ **en** to develop into
multicolore multicolored
mutiler to wound, mutilate
mystérieux(-se) mysterious
mythologique mythological

nager to swim
naître to be born; **faire** ∾ to cause, bring about
nappe *f.* table cloth; ∾ **de papier** paper table cloth
narrateur(-trice) *m.* (*f.*) narrator
natal *adj.* native
naturellement naturally, of course
naufrage *m.* shipwreck
navire *m.* boat, ship
ne . . . que only
néanmoins nevertheless
négligé neglected
négligemment at random
négligence *f.* carelessness, negligence
nègre: petit ∾ "pidgin" French
neige *f.* snow
neigeux(-se) snowy, snow-covered
net(-te) clear, clean
nettement clearly
netteté *f.* cleanliness
neuf nine
Nîmois *m.* native of Nîmes
niveau *m.* level
noble noble, stately
noblesse *f.* nobility, noble proportions
nocturne *adj.* night, nocturnal
Noël *m.* Christmas
nom *m.* name
nombre *m.* number
nombreux(-se) numerous, many
nonchalamment nonchalantly
notabilité *f.* prominent citizen
notamment especially, in particular, among others
nôtre (*poss. pron.*): **le (la)** ∾ our own
Notre-Dame *f.* Our Lady
note *f.* note, grade
nourrir to feed, nourish; **mal nourri** undernourished
nourriture *f.* food
nouveau (nouvel, nouvelle) new; **à** ∾ again; **de** ∾ again
nouveauté *f.* novelty
nouveau-venu *m.* newcomer
nouvelle *f.* news
novice *m. or f.* novice, beginner; *adj.* inexperienced, "green"
noyé *adj.* blanketed
noyer to drown; **se** ∾ to get drowned
nuit *f.* night; **à la** ∾ **tombante** at dusk, nightfall
nul(-le) no, no one
nullement not at all, in no way
numéro *m.* number, copy, issue, selection, "act," "skit"

O. N. U. (Organisation des Nations-Unies) *f.* United Nations
obélisque *m.* obelisk (*a four-sided, tapering pillar ending in a pyramid at the top*)
objet *m.* object, article; ∾ **d'art** work of art
obligatoire required
obliger to oblige, force
obliquer to slant; ∾ **vers** to turn sharply toward
obscur obscure, dim

obscurité *f.* darkness
observateur *m.* observer
obtenir to obtain
occasion *f.* occasion, opportunity; **à l'~ de** at the time of; **avoir l'~ de** to have the opportunity of; **en toute ~** at all times
occidental western
occuper to occupy, fill, take up; **s'~ de** to be busy with, attend to
odeur *f.* odor, scent, fragrance
odorant fragrant
œil *m.* (*pl.* **yeux**) eye; **de nos yeux** with our own eyes
œuf *m.* egg
œuvre *f.* work
officiel(-le) official
officiellement officially
offrande *f.* offering
offrir to offer, present; **~ a nos regards** to meet our eyes; **offert** offered
ombrage *m.* shade
ombre *f.* shade, shadow, ghost
onde *f.* wave
opiniâtreté *f.* stubbornness
or *m.* gold
oranger *m.* orange tree
ordinaire ordinary, usual
ordre *m.* order, scope
oreille *f.* ear
organisation *f.* organization; **pour l'~** in arranging
organiser to organize
orgueil *m.* pride
origine *f.* origin, beginning
ornement *m.* ornament, decoration
orner to adorn, decorate
ôter to take off, detract from, take away
ou or; **~ bien** or else
où where, when; **d'~ que** (+ *subj.*) from wherever
oublier to forget
ouvrager to work, embellish
ouvrier *m.* worker
ouvrir to open; **s'~** to open

P.T.T. (Postes Télégraphes Téléphones) Post Office (*also* **bureau des P.T.T.**)
pain *m.* bread; **~ grillé** toast
paisible peaceful
palace *m.* palatial hotel
palais *m.* palace
palmier *m.* palm tree
panier *m.* basket
pantagruélique gigantic, enormous
papa *m.* papa, daddy
pape *m.* pope
papeterie *f.* stationery, stationery store
paquebot *m.* steamship, ship
Pâques *m.* Easter
paquet *m.* package, parcel
par by, on, with, at, through, by way of, along (a street); **~ delà** beyond, over; **deux fois ~ semaine** twice a week
paradis *m.* paradise, heaven
paraître (à) to appear, seem, resemble
parasol *m.* beach umbrella
parcourir to go through, travel over, cover
pareil(-le) similar, such a
parent *m.* parent, relative
parfait perfect
parfaitement perfectly
parfois sometimes, at times
parfum *m.* perfume, odor; **~ de marque** leading brand of perfume
Parisien(-ne) *m.* (*f.*) Parisian (person)
parisien(-ne) *adj.* Parisian, of Paris

parler *m.* language, speech; *v.* to talk, speak
parmi among
paroissial(-e) parish
parole *f.* word, promise
parquet *m.* hard-wood floor laid in a pattern
part *f.* part, share, piece; **à ~** aside, except, from; **à ~ moi** to myself; **de la ~ de** on the part of, on behalf of; **de ~ et d'autre** on both sides, here and there; **d'une ~ . . . d'autre ~** on one hand . . . on the other hand; **quelque ~** somewhere
partager to share
participe *m.* participle
participer (à) to take part (in)
particularité *f.* peculiarity
particulier(-ère) particular, private; *m. pl.* private families
particulièrement particularly; **tout ~** especially
partie *f.* part; **en ~** in part, partly; **une bonne ~** a large part
partir to leave; **à ~ de . . .** from . . . on
partout everywhere; **~ ailleurs** anywhere else; **un peu ~** all over the place
parvenir à to reach, arrive at
parvis *m.* square court; **~ de la cathédrale** square in front of the cathedral
pas *m.* step; **d'un ~ mal assuré** with unsteady steps; **être à deux ~ de** to be very near
passage *m.* passage; **au ~** as we passed by, in passing; **le jour de notre ~** the day on which we went (passed) through
passager(-ère) passing, occasional, short-lived
passant *m.* passer-by
passé *m.* past
passer to pass, go through, change, go, spend; **~ et repasser** to pass back and forth; **~ en dernier** to go last; **~ par** to go by way of; **~ un examen** to take an examination; **~ en premier** to go first; **je suis passée la dernière** I went last; **se ~** to take place, be spent, go on
passerelle *f.* gangplank
passe-temps *m.* pastime
pâte *f.* batter, dough
patiemment patiently
patinage *m.* skating
patinoire *f.* skating rink
pâtisserie *f.* pastry
pâtissier *m.* pastry cook, baker
patronal pertaining to a patron saint
pavé *m.* paving
pavillon *m.* pavilion, summer house
pavoiser to deck out, dress
payer to pay (for); **~ plus cher** to pay more (for)
paysage *m.* landscape
paysagiste *m.* landscape painter, landscape architect
peindre to paint, describe; **peint** painted
peine *f.* difficulty; **à ~** scarcely; **avoir ~ à** to have difficulty in
peintre *m.* painter, artist
peinture *f.* painting
pèlerinage *m.* pilgrimage
pelotonner to wind up in a ball; **se ~** to curl up, huddle, snuggle
pencher to lean; **se ~** to lean
pendant during, for
pendre to hang
pénétrer dans to penetrate into, enter, break into

pénible painful, hard
penser to think; ~ **à** to think about; ~ **à part soi** to think to oneself; ~ **de** to have an opinion of
pension *f.* boarding house; ~ **complète** room and board; **prendre** ~ to board
pensionnaire *m. or f.* boarder
pente *f.* slope; **en** ~ sloping; ~ **d'apprentissage** practice slope
perçant *adj.* piercing, shrill, penetrating
percepteur *m.* tax collector
percer to pierce, see through
perche *f.* pole, perch
perché *adj.* perched
perdre to lose; **se** ~ to get lost; **perdu** lost
perfectionner to perfect, improve; **se** ~ **en français** to improve one's French
permettre to permit, enable, allow
permis *m.* permit; ~ **de circulation** car registration
permission *f.* permission, short leave
personnage *m.* personage, character
personne *f.* person; **ne . . .** ~ no one
perspective *f.* perspective, view
peser to weigh, be heavy
pétard *m.* firecracker
petit small, little; ~ **à** ~ little by little; *m. or f.* little one; **les tout** ~**s** small children
pétrole *m.* petroleum, oil
peu (de) little, sparsely; ~ **à** ~ little by little; ~ **de chose** very little
peuple *m.* people, nation
peuplier *m.* poplar tree
pharmacien *m.* druggist, pharmacist
philosophique philosophical
phonétique *f.* phonetics
photo *f.* photograph, snapshot
photographie *f.* photograph, picture
photographique: appareil ~ *m.* camera
phrase *f.* sentence, phrase
physionomie *f.* face
pic *m.* summit; **à** ~ perpendicular(ly)
pièce *f.* piece, room; ~ **détachée** spare part
pied *m.* foot; **à** ~ on foot; **être sur** ~ to be up (out of bed); ~ **de vigne** vinestalk
pierreries *f. pl.* precious stones
piéton *m.* pedestrian
pieux(-se) devout, pious
pignon *m.* gable
pile *f.* battery (*of a flashlight*)
piloter to guide, pilot
pimpant spruce, smart, trim
pincé: ton ~ clipped accent
pire *adj.* worse; **le** ~ worst
pis *adv.* worst; **tant** ~ too bad, so much the worse, never mind
piste *f.* ski-run, trail
pittoresque *m.* picturesqueness; *adj.* picturesque
place *f.* place, square, seat
placer to place, put
plafond *m.* ceiling; ~ **à moulure** ceiling with ornamental molding
plage *f.* beach
plaine *f.* plain
plaire to please; **s'il vous plaît** please; **se** ~ **à** like to, take pleasure in
plaisanter to joke
plan *m.* plan, map (*of a city*); **de premier** ~ of importance
plancher *m.* floor

planer to hover
plaque *f.* plaque, tablet; ~ **tournante** turntable
plat *m.* dish, course
plat *adj.* flat, even
platane *m.* plane tree
plate-forme *f.* platform
plein full; **en ~ air** in the open air; **en ~e montagne** in the very heart of the mountains; **en ~ quartier latin** right in the midst (in the very midst) of the Latin Quarter; **en ~ vent** in the open
pli *m.* fold, envelope, notice
plonger to plunge, dig
la plupart most
plus more, most; **de ~ en ~** more and more; **des ~** (+ *adj.*) most; **en ~ de** in addition to; **ne . . . ~** no longer
plusieurs several
plutôt rather
poêle *m.* stove
poésie *f.* poetry
poignée *f.* handful, handle; ~ **de main** handshake
point *m.* point; **à tel ~** to such an extent; **le gros ~** the principal thing; ~ **de repère** landmark; ~ **de vue** point of view, lookout; ~ **du jour** daybreak; *adv.* not at all
poisson *m.* fish
politique *f.* politics
politique *adj.* political
polonais(-e) Polish
pomme *f.* apple, potato; ~ **de terre** potato; **~s frites** French-fried potatoes; **~s soufflées** soufflééd potatoes (*sliced potatoes puffed by cooking*)
pommette *f.* upper part of the cheek; **belles ~s rouges** lovely red cheeks
pompe *f.* pump; ~ **à eau** water pump
pompéien(-ne) Pompeian
pont *m.* bridge, deck (*of a ship*)
pontife *m.* pontiff
ponton *m.* floating wharf
porc *m.* pig, pork
port *m.* port, harbor; ~ **marchand** commercial port
portail *m.* portal (*of a church*), principal (main) door, great entrance way
porte *f.* door, gate; ~ **d'entrée** front *or* main door
porter to carry, wear, bear; ~ **bonheur** to bring good luck; ~ **sur** to deal with
porteur *m.* porter
portillon *m.* gate, small gate
poser to place, put; ~ **une question** to ask a question
posséder to possess
possibilité *f.* possibility
possible possible; **le plus ~** as much as possible
poste *f.* post office
posté on guard
potage *m.* soup
poteau indicateur *m.* sign post
poterie *f.* pottery
pouding *m.* pudding
poule *f.* hen
poulet *m.* chicken
pour for, to, in order to, concerning, because of; ~ **que** so that; ~ **ce qui est de . . .** as far as . . . is concerned
pourboire *m.* tip
pour cent per cent
poursuivre to continue, follow, pursue; ~ **sa route** to go on one's way

pourtant however, yet

pousser to push, push open, grow, utter (a cry); **études poussées** advanced studies

poussiéreux(-se) dusty

poutre *f.* beam, joist; **à ∼s de bois apparentes** with visible timbers, timbered

pouvoir to be able, can; **ne ∼ s'empêcher** not to be able to help

pratique *f.* practice

pratiquer to practice, indulge in, go in for

précédent preceding

précieux(-se) precious, rare, valuable

précipiter to hasten; **se ∼** to rush; **se ∼ dessus** pounce upon, snatch, snap at

précis precise, definite

prédicateur *m.* preacher

préfabriqué prefabricated

premier(-ère) first, first-class

prendre to take, take on, have; **∼ en charge** to look after, to take over; **∼ congé de** to take leave of; **∼ contact** to get in touch, come into contact; **∼ un abonnement** to subscribe, buy a season ticket; **∼ fin** to come to an end; **∼ l'habitude** to get (into) the habit; **se ∼ à** to go about; **∼ un bain de mer** to take a swim; **je prendrais bien** I wouldn't mind having

près (de) near; **à ∼ de** nearly

présage *m.* portent, omen

présider to preside (over)

presse *f.* press

presser to press, hurry; **le temps presse** time is short; **pressé** rushed

prétention *f.* pretension; **avoir la ∼ de** to presume to

prêter to lend; **se ∼ à** to be favorable to

preuve *f.* proof

prévenir to forestall, warn, be proof against

prévu foreseen, provided for

prie-Dieu *m.* prayer stool

prime *f.* premium; **∼ d'assurance** insurance premium

primitif(-ve) primitive, original

princier(-ère) princely

principal main

principauté *f.* principality

printanier(-ère) springlike

prisonnier *m.* prisoner

privation *f.* privation, hardship

privé private

privilégié privileged

prix *m.* price, cost, prize; **à ∼ élevé** at a high price; **de ∼** costly

probablement probably

problème *m.* problem

prochain next

proclamer to proclaim, declare

procurer: se ∼ to get

prodigalité *f.* waste, lavishness

produit *m.* product

profane *m.* layman

professeur *m.* professor, teacher, instructor

professionnel(-le) professional

profiter de to take advantage of

profondément profoundly

projeter to plan, project (a film), throw, toss

prolonger: se ∼ to prolong

promenade *f.* walk, avenue; **∼ en bateau** boat ride

promener to walk; **se ∼** to walk, to take a walk

promettre to promise, give promise of

prompt prompt; **∼ à la repartie** quick to reply

propager to propagate, spread
propos *m.* talk, remark; ~ **courants** remarks about current events; ~ **tenus** remarks made
proposer to propose, recommend; **se** ~ **de** to intend
propre clean, own; ~ **à** characteristic of, peculiar to
proprement dit itself, as such
propreté *f.* cleanliness, cleanness; **éclatant de** ~ sparkling clean
propriétaire *m.* owner, proprietor
prospère prosperous
protéger to protect
protester to protest
provençal pertaining to Provence
provisoire temporary
provoquer to provoke, arouse
prudence *f.* caution
publier to publish, print
puis then, well
pur pure, simple

quai *m.* quay, wharf
quand when; ~ **même** just the same
quant à as for
quart *m.* quarter
quartier *m.* quarter, district, section; ~ **général** headquarters; **quartier latin** Latin Quarter
quatre-vingts eighty
quatre-vingt-dix ninety
que what, whom, which, that, than; ~ **de . . .** what a lot of . . .; **qu'est-ce que c'est que?** what? (*when asking for a definition*)
quel(-le) what, what a
quelque(s) *adj.* some; **quelques** a few, some; ~ **peu** somewhat
quelqu'un someone
quelques uns *pron.* a few, some
question *f.* question, problem
qui who, whom, which, that
quincaillerie *f.* hardware, hardware store
(une) quinzaine *f.* (about) fifteen; **une** ~ **de jours** a fortnight
quitte: ~**s à nous arrêter** with the likelihood that we stop
quitter to leave
quotidien(-ne) daily
quotidiennement daily, every day

rabougri stunted
racler: se ~ **(la gorge)** to clear (one's throat)
raffinement *m.* refinement
raffiner to refine
rageur(-se) irate, angry
raideur *f.* stiffness
raison *f.* reason
ralentir to slow down
ramasser to gather, pick up
rame *f.* train (subway)
rampe *f.* ramp, banister
rangée *f.* row
rapidité *f.* rapidity, speed
rappel *m.* reminder, recall
rappeler to recall, remind; **se** ~ to remember
rapport *m.* relation; **par** ~ **à** in relation to, compared with
rapporter to bring back
rapprocher: se ~ to draw near, approach; ~ **de plus en plus** to come nearer and nearer
rarement rarely
rascasse *f.* hog-fish (*a fish of the Mediterranean*)
raser to raze, shave; **mal rasé** ill-shaven; **rasé de frais** clean-shaven, freshly shaven
rassasier to satisfy, sate, satiate
rassembler: se ~ to gather together
rassuré safe, secure

rassurer to reassure
rationnement *m.* rationing
ravin *m.* ravine
ravitaillement *m.* food supply, food
rayon *m.* ray
réaliser to accomplish, carry out, create
recevoir to receive, entertain
réchauffer to warm up
recherche *f.* research
récit *m.* tale, story
réclame *f.* advertisement, notice
récolte *f.* harvest
recommencer to begin again
récompense *f.* reward
récompenser to recompense, reward
réconcilier to reconcile; **se** ~ to become friends again
reconnaissance *f.* gratitude
reconnaître to recognize; ~ **à** to recognize by
reconstruire to reconstruct
recueillement *m.* meditation
recueillir to gather, collect, win; **se** ~ to meditate; **recueilli** reverent
redescendre to go down again
redevenir to become again
redire to repeat
redoutable fearful
réduire to reduce; **se** ~ **à** to amount to; to be nothing but
réellement really
refléter to reflect
refrain *m.* refrain, song
regagner to regain, get back to
regard(s) *m.* (*often pl.*) look, attention, eyes
regarder to look (at), watch
région *f.* region, district, area
régler to regulate, direct
régner to prevail, reign, rule
regret *m.* regret; **à** ~ regretfully
regretté *adj.* late, lamented
regretter to regret, be sorry
reine *f.* queen
rejoindre to join, meet; **se** ~ to join (*or* meet)
réjouir to gladden, cheer; **se** ~ **de** to be delighted at, to have fun in
réjouissance(s) *f.* merry-making, rejoicing
relatif(-ve) relating to, relative
relativement relatively
relever raise, poise
religieuse *f.* nun
relique *f.* relic
reliure *f.* bookbinding
remarquablement remarkably
remarquer to notice
remercier to thank
remettre to hand over, put back, remit; ~ **à jour** unearth; **se** ~ (*fam.*) to get over (something); **se** ~ **en route** to start out again
remonter to go back up
rempart(s) *m.* fortification(s)
remplacer to replace
remplir to fill, fulfill; ~ **toutes les formalités douanières** to go through all the customs formalities
remporter to win
rencontre *f.* meeting
rencontrer to meet
rendez-vous *m.* appointment, date
rendre to render, give back, make; ~ **service** to help; ~ **de grands services** to help greatly; **se** ~ **à** to go to
renommé *adj.* famous, renowned
renommée *f.* fame, reputation
rentrer to return, go back
repartie *f.* repartee, retort
repartir to set out again, divide

repas *m.* meal
repasser to pass again, iron
répétition *f.* rehearsal
répit *m.* rest, respite
réplique *f.* replica
répondre to answer, respond
réponse *f.* answer
repos *m.* rest
reposant restful, relaxing
reposer to rest, relax
reprendre to take again, retake, resume, continue, follow again
représentant *m.* representative; ~ **de la presse** reporter
représentation *f.* show, play, performance
reprise *f.*: **à plusieurs ~s** often, again and again
repriser to mend
réputé famous, renowned; ~ **pour** noted for
réseau *m.* system, network
réserver to reserve; **réservé à** reserved for, dedicated to
résider to reside, live
résistant strong, tough
résoudre to solve
respectabilité *f.* respectability
resplendir to shine
responsable *m. or f.* responsible party; *adj.* responsible
ressentir to feel
resserrer: se ~ to be crowded together
restaurateur *m.* restaurant owner
restaurer to restore
reste *m.* rest, remains
rester to remain, stay, be left; ~ **à** (*with ind. obj.*) to remain to (for); ~ **négligé** to lie neglected
résumer to sum up
retenir to hold back, restrain, repress
retentir to resound, echo
retirer to withdraw, retire
retour *m.* return; **au ~** on the way back; **de ~** back, on the way back
retourner to return, go back; **se ~** to turn around
retracer to trace, outline
retraite *f.* retreat, tattoo; ~ **aux flambeaux** torchlight procession
retrouver to find again; **se ~** to come together, to be found
réunion *f.* meeting, gathering
réunir: se ~ to meet, gather
réussir à to succeed in
rêve *m.* dream
revendre to resell
revenir to come back; ~ **au jour** to see the light of day again
revenu *m.* income
revêtir to clothe; **revêtu** clothed, dressed
revue *f.* magazine
riche rich, wealthy, abundant; ~ **en voyages** fertile in trips
richement richly
richesse *f.* wealth; **d'une ~ merveilleuse** marvelously elaborate
rigueur *f.* severity, rigor, strictness
rivage *m.* shore, bank
rivaliser to compete, vie
rive *f.* shore, bank
roche *f.* rock
rocher *m.* rock
roi *m.* king; **les Rois Mages** *m. pl.* the Wise Men
romain *adj.* Roman
roman *m.* novel; ~ **policier** detective story; *adj.* Romanesque
rompre to break; **rompu à** hardened to; **rompu de fatigue** worn out, tired out, exhausted

rond *m.* circle, ring; **en ~** in a circle; **~-point** *m.* square where several streets meet
ronde *f.* roundel (*an early lyric form*)
ronflement *m.* rumbling
rosace *f.* rose window
rose rose-colored, pink
rosier *m.* rosebush
rôti *m.* roast
rôtie *f.* toast
roue *f.* wheel
rouet *m.* spinning wheel
roulement *m.* rolling, beating
rouler to roll along, travel, move
route *f.* road, route, way; **en ~** on the way; **en ~ pour** on the way to; **~ nationale** main road, highway
ruban *m.* ribbon

S.D.N. (Société des nations) *f.* League of Nations
sable *m.* sand
sabot *m.* shoe (of horse), wooden shoe
sac *m.* sack, bag, knapsack
sacré sacred
sacrer to crown
sage wise, prudent
saint saintly, holy, sacred; **histoire ~e** biblical history
saisir to seize, grasp
saisissant gripping
saison *f.* season; **la belle ~** fine weather
salade *f.* salad, lettuce, salad greens
salamandre *f.* salamander
saleté *f.* dirt, filth
Salève *m.* Salève (*a mountain near Geneva*)
salle *f.* room, hall; **grand'~** great hall; **~ à manger** dining room; **~ d'apparat** ceremonial room; **~ d'assemblée** assembly room; **~ de bains** bathroom; **~ de bal** ballroom; **~ de café** café, tavern; **~ de classe** classroom; **~ de conférences** lecture hall; **~ de cours** lecture hall; **~ des fêtes** auditorium for public ceremonies
salon *m.* living room
saluer to greet, bow to, salute
sans without; **~ ça** (*fam.*) otherwise
sapeurs-pompiers *m. pl.* firemen
sapin *m.* fir tree
sarcophage *m.* sarcophagus
satisfaisant satisfactory
sauf except
saut *m.* jump
sauter to jump
sauvage savage, wild
sauver to save
savant *m.* scholar
savoir to know, find out, know how, be able; **ne ~ par quel bout commencer** not to know where to begin; **ne ~ plus où donner de la tête** not to know which way to turn
savon *m.* soap
sceller to seal, cement
scène *f.* scene, stage
science *f.* science, learning; **~s économiques** economics; **~s politiques** political science
scintillant sparkling, twinkling
scolaire *adj.* school, academic
sculpter to sculpture, carve
sculpteur *m.* sculptor
séance *f.* seance; **~ de magie** magician's performance
sec (sèche) dry
sécher to dry
seconde *f.* second class
secousse *f.* jolt, shock
section *f.* section, part

sécurité *f.* security
séduire to fascinate, seduce, charm
séduisant charming, seductive
seigneur *m.* lord
séjour *m.* stay; ~ **d'agrément** pleasure resort; ~ **de villégiature** vacation in the country
selon according to
semaine *f.* week; **en** ~ during the week; **par** ~ a week, weekly
sembler to seem
semestre *m.* semester
sempiternel eternal
sens *m.* sense, direction
sensiblement appreciably
sentinelle *f.* sentinel, guard
séparément separately
septentrional northern
serein serene
série *f.* series
serrer to press, squeeze; **se** ~ to be crowded together; **se** ~ **la main** to shake hands; **le cœur se serre** one's heart sinks
sertir to set (*of gems*)
serveuse *f.* waitress
service *m.* service; **à votre** ~ glad to help you
servir to serve; ~ **à** to be used for; ~ **de** to be used as, serve as
seul sole, only one, alone, only
seulement only
seyant becoming
si: ~ **non** if not
siècle *m.* century
siège *m.* seat, center; ~ **central** headquarters; ~ **social** head office
sifflement *m.* whistle, whistling
signaler to point out, indicate, refer to
signe *m.* sign, signal; **faire** ~ to signal
signifier to signify, mean
silencieux(-se) silent
sillage *m.* wake
sillonner to furrow
singulièrement strangely, remarkably
sinueux(-se) winding
sirène *f.* siren, whistle
situation *f.* situation, position
situer to situate, locate
skieur *m.* skier
slave *adj.* Slavic
sobre sober, dark
sobrement scantily, soberly
société *f.* society; **Société des nations** League of Nations
soie *f.* silk
soierie *f.* silk goods, silks
soigner to take care of, look after
soirée *f.* evening; **par une belle** ~ on a beautiful evening
soit . . . soit either . . . or
sol *m.* ground, earth, soil
soleil *m.* sun; **au** ~ in the sunlight
solennel(-le) solemn, formal
solidarité *f.* solidarity
solidité *f.* solidity
solitaire deserted, solitary
solliciter to solicit
sombre somber, gloomy, dark
somme *m.* nap
sommet *m.* summit, top
somptueux(-se) sumptuous
son *m.* sound, music (of an accordion etc.)
songer to think, dream
sonner to ring, strike
sonore sonorous, loud, resounding
sorcière *f.* witch
sorte *f.* kind, sort
sortie *f.* going out, leaving, exit; **à la** ~ upon leaving

sortir to leave, go out, come out, take out; ∾ **en trombe** to leave in a rush; **faire** ∾ to drive out
sou *m.* sou, penny
soufflé: pommes soufflées souffléed potatoes
soulier *m.* shoe
souligner to underline, emphasize, accentuate
soupirer to sigh
source *f.* source, spring
sourd *m.* deaf person
sourdine: en ∾ faintly, softly
souriant smiling
sourire *m.* smile
souterrain *m.* underground passage; *adj.* underground
souvenir *m.* remembrance, memory, recollection, souvenir, memento; *v.* **se** ∾ **de** to remember
souverain *m.* ruler, king; *adj.* sovereign
spa *m.* spa, watering place
spécial (*pl.* **-ciaux, -ciales**) special
spécialiser: se ∾ **en** to major in
spécialiste *m.* specialist, major
spécialité *f.* specialty, major
spécimen *m.* specimen, sample
spectacle *m.* show, appearance, play, performance, sight
spirale *f.* spiral; **à double** ∾ double spiral (staircase)
spirituel(-le) witty, spiritual, moody, lively, animated
splendidement magnificently
sport *m.* sport; ∾ **d'hiver** winter sport
sportif *m.* sportsman, athlete
stade *m.* stadium
station *f.* station; ∾ **d'altitude** mountain resort; ∾ **d'hiver** winter resort; ∾ **de vacances** vacation resort
stationner to park, be parked, be stationed
stériliser to make sterile
subjonctif *m.* subjunctive
subsister to exist
succéder (à) to replace, give way (to); **se** ∾ to come one after another, to succeed each other
succès *m.* success, victory
succomber to yield
succulent succulent, juicy
succursale *f.* branch office *or* store
sucre *m.* sugar; ∾ **d'orge** barley sugar
sud *m.* south
sud-est *m.* southeast
sud-ouest *m.* southwest
Suédois(-e) *m.* (*f.*) Swede
suffire to suffice
suffisant sufficient
suffrage *m.* vote
Suisse *m. or f.* Swiss (person)
Suisse *f.* Switzerland
suisse *adj.* Swiss
Suisse-Allemand(-e) *m.* (*f.*) German-speaking Swiss
suisse-allemand *adj.* German-Swiss
Suisse romande *f.* French-speaking Switzerland
suite *f.* succession; **à la** ∾ **de** following; **par la** ∾ afterwards, later, eventually
suivant next, following
suivre to follow; ∾ **un cours** to take a course
sujet *m.* subject
sûr sure; **bien** ∾ of course
suranné old-fashioned
surcharger to overload, overburden
sûrement surely

surmonté topped, surmounted
surplomber to overhang, jut out, project over
surprendre to take by surprise, surprise
surveiller to watch over
suspendre (à) to hang (from)
symboliser to symbolize
symétrie *f.* symmetry
symétrique symmetrical
sympathique pleasant, agreeable
syrien(-ne) Syrian

table *f.* table; **à ~** dinner is ready, please come to dinner
tablette *f.* bar (*of chocolate*)
tache *f.* spot, stain
tâche *f.* task, job
tâcher to try
tailler to cut, carve
taire to say nothing about; **se ~** to be silent
tambour *m.* drum; **~ de ville** town crier
tant (de) so much, so many; **~ bien que mal** as well as possible, after a fashion
tantôt in a little while, a little while ago, this afternoon
tapisserie *f.* tapestry
taquiner to tease; **~ la perche** to fish for perch
taquinerie *f.* prank, teasing
tard *adv.* late
tardif(-ve) late
tarte *f.* tart, pie; **~ aux fraises** strawberry tart
tartine *f.* slice of bread with butter or jam
tartiner (de) to spread (with)
tas *m.* pile; **des ~ de choses** (*fam.*) lots of things
tasse *f.* cup
tasser to pile up; **se ~** to be huddled together
taureau *m.* bull; **course** *f.* **de ~x** bullfight
teinte *f.* color, hue
tel(-le) such; **un ~** such a
téléphérique *m.* cable car
tellement such, so, so much
témoignage *m.* testimony
témoigner to witness, show; **~ de** to give evidence of, be proof of
tempérer to temper, moderate
temps *m.* time, weather; **avoir tout son ~** to have a lot of time; **de ~ en ~** from time to time; **du ~ passé** of days gone by; **en même ~** at the same time, as well; **le bon ~ d'autrefois** the "good old days"; **par ~ clair** in fine weather; **se donner du bon ~** to have a good time
tendance *f.* tendency
tendre tender; **~ enfance** early childhood
tendre to stretch, hold out, drape; **tendu** held out, extended, outstretched
ténèbres *f. pl.* darkness
tenir to hold, maintain, operate; **se ~ bien** to sit up straight, behave oneself; **~ à** to be determined to, be anxious to
tenter to tempt, attempt
tenue *f.* behavior
terminer to terminate, end, finish; **se ~** to come to an end
terminus *m.* (rail *or* bus) terminal
terne dull, colorless
terrain *m.* ground, terrain; **~ de jeux** playground
terrasse *f.* sidewalk in front of a café where tables and chairs are placed for patrons

terre *f.* land, ground; **par** ~ on the ground (*or* floor); ~ **rurale** country area

Tessin (le) *m.* (the) Ticino (*an Italian-speaking canton in southern Switzerland*)

tessinois of the Ticino

Tessinois(-e) *m.* (*f.*) inhabitant of the Ticino

tête *f.* head; ~ **de ligne** home port

thé *m.* tea; ~ **complet** tea with rolls, butter, jam, and (or) pastry

théâtral theatrical

théorique theoretical

ticket *m.* ticket, coupon

tiens! well! look!

tintement *m.* tinkling

tirer to draw, take, shoot, fire; ~ **les Rois** to celebrate Epiphany

toile *f.* canvas, painting

toit *m.* roof; ~ **en aigrette** plumed roof (*arch.*)

tombe *f.* grave

tombeau *m.* tomb, monument over grave *or* vault

tombée *f.* fall; **à la** ~ **du jour** at nightfall; ~ **de la nuit** nightfall

tomber to fall, lose one's life; ~ **sur** to come upon, fall upon

ton *m.* tone, hue

tôt soon, early

tour *m.* turn, trip; **à leur** ~ in their turn

tour *f.* tower

tourangeau(-elle) pertaining to Touraine

Tourangeau(-elle) *m.* (*f.*) a native of Touraine

tourelle *f.* small tower

tourisme *m.* touring, tourist trade

touriste *m.* tourist; **en bon** ~ like a good tourist

tournant *m.* turn, corner; ~ **brusque** sharp curve

tournée *f.* (*theat.*) tour

tourner to turn; ~ **en rond** to go round and round

tournure *f.* expression

Toussaint (la) All Saints' Day (Nov. 1)

tout, toute, tous, toutes all, whole, every, any, very; ~ **le monde** everybody; ~ **les jours** every day

tout *adv.* very, quite, completely; ~ **à fait** quite; ~ **juste** barely; ~ **en** (+ *pres. part.*) while, at the same time as; ~ **en marchant** as we walk along

tout *pron.*: **en** ~ **et pour** ~ all in all

tracé *m.* outline, marking out

tracer to trace, draw up

traduction *f.* translation

trafiquant *m.* trader, trafficker

train *m.* train; ~ **de Paris** train for Paris

traîneau *m.* sled, sleigh

traîner to drag, trail behind

trait *m.* feature

traiter to treat, deal with

trajet *m.* trip, run, ride, way (distance between two points), line of march

tranche *f.* piece, slice

tranquille tranquil, quiet, peaceful

tranquillement peacefully

transformer to transform, change, convert

transport *m.* transportation

travers: à ~ through

traversée *f.* crossing

traverser to cross, come down through

treize thirteen

treizième thirteenth

tricolore tricolored

tricot *m.* sweater
trinquer to touch glasses, toast
triporteur *m.* carrier-tricycle
trois three; ~**-quarts** three quarters
trolleybus *m.* trolley bus, trackless trolley
tromper to deceive; **se** ~ to be mistaken; **se** ~ **de . . .** to get (*or* take) the wrong . . .
trop too, too much
trotter to trot
trottoir *m.* sidewalk
trouver to find, like; **se** ~ to be located, to be
tuer to kill
tue-tête: à ~ loudly
tutoyer: se ~ to use the familiar "tu" to each other
tympan *m.* tympanum (*arch.*)
type *m.* type (model), guy (*slang*)

un, une one, a, an; ~ **sur deux** one out of every two
uniquement solely
unir to unite, join
universitaire *m. or f.* university professor
urbain urban
urbaniste *m.* city planner
usine *f.* factory
utile useful
utiliser to use, utilize

vacances *f. pl.* vacation; **grandes** ~ summer vacation
vache *f.* cow
vague *f.* wave
vaguement vaguely
vain vain; **en** ~ vainly
vaincre to conquer, overcome
valise *f.* suitcase
vallée *f.* valley
valoir to be worth; ~ **beaucoup plus cher** to cost much more; ~ **la peine** to be worth while; ~ **mieux** to be better
vantard *m.* braggart
variable varied, adjustable, variable
varier to vary; **varié** various, varied
vécu *p. part. of* **vivre** to live
véhicule *m.* vehicle
veille *f.* eve, night before
veiller to watch over
veine *f.* (*slang*) luck
vélo *m.* (*slang*) "bike"
velours *m.* velvet
venir to come; ~ **à** to happen; ~ **à l'esprit de quelqu'un** to occur to someone; ~ **de** to have just; **à** ~ following, next
vénitien(-ne): lanterne vénitienne Japanese lantern
vent *m.* wind
vente *f.* sale; **en** ~ on sale
véranda *f.* veranda, porch
verdoyant verdant
véritable true, real
vérité *f.* truth; **en** ~ truly, in truth
vernis *m.* ski grease
vers toward, about, around
version *f.* translation
vert green; ~ **sombre** dark green
vertu *f.* virtue
veste *f.* jacket, coat
vestibule *m.* corridor
vestige *m.* vestige, trace, remains
veston *m.* suit coat
vêtement *m.* article of clothing; *pl.* clothes
vêtir to clothe, dress; **vêtu de** dressed in
viande *f.* meat
vibrant resonant, ringing
victorien(-ne) Victorian

vide empty
vie *f.* life; **de ma ~** in my life; **la ~ chère** the high cost of living
vieillard *m.* old man; **les ~s** old people
vieillot old-fashioned, antiquated
Vierge (la) *f.* (the) Virgin Mary
vieux *m.* old man
vieux, vieil, vieille old
vif(-ve) lively, quick, bright (color)
vigne *f.* vine, vineyard
vignoble *m.* vineyard
villageois *m.* villager
ville *f.* city; **petite ~** town; **~ d'eau** watering place, spa; **~ d'opérette** comic-opera town; **Ville-Lumière** City of Light (Paris)
villégiature *f.* stay in the country; **centre de ~** country resort area
vingtaine (une) *f.* (about) twenty
virage *m.* sharp curve; **~ en épingle à cheveux** hairpin turn
vision *f.* vision; **~ de légende** fantastic *or* legend-like vision
visite *f.* visit, tour
vitrail *m.* (*pl.* **vitraux**) stained-glass window
vitre *m.* window, window pane; *adj.* glassed in
vivacité *f.* vivacity, liveliness
vivant living
vivifiant invigorating, stimulating
vivres *m. pl.* provisions, rations
vœu *m.* wish, vow
voguer to sail
voici here, here is, here are
voie *f.* road; **à ~ étroite** narrow gauge; **~ de passage** highway, through route
voilà there is, there are, that is; **~!** here it is!; **~ bien . . .** that's what . . . are like; **ne ~-t-il pas que . . .** if it isn't . . ., didn't it happen that . . .
voile *f.* sail
voir to see; **~ en rêve** to see in our mind's eye
voisin *m.* neighbor; *adj.* neighboring
voisiner to be nearby, be neighboring
voiture *f.* car, automobile, carriage, cart; **~ à cheval** horse-drawn carriage
voix *f.* voice; **à mi-~** in a low tone, under one's breath
volaille *f.* poultry, fowl
voler to fly
volet *m.* shutter
volonté *f.* will
volontiers willingly, readily
vouloir to wish, want; **autant qu'on veut** as many as are desired; **en ~ à** to be vexed with, be hard on, be annoyed with, be out of patience with; **qui veut que** according to which
voûte *f.* vault, arch
voûter to vault, arch
Vouvray *m.* Vouvray (*a wine made in the region of Vouvray in the Loire valley*)
voyage *m.* trip, voyage; *pl.* travel; **~ circulaire** trip around
voyageur *m.* traveler
vrai true, real
vraiment really, truly, exactly
vue *f.* view; **en ~ de** in order to

wagon *m.* car (*of a train*)

yeux *pl. of* **œil**

zut! the deuce! hang it all! darn!

[The sign ~ means the repetition of the word in black type at the beginning of the paragraph; **à l'~ de** under **abri** means **à l'abri de**.]

acad.	= academic	*neg.*	= negative
adj.	= adjective	*obj.*	= object
adv.	= adverb	*oper.*	= operations
arch.	= architecture	*p.*	= past
archeol.	= archeology	*part.*	= participle
conj.	= conjunction	*pl.*	= plural
educ.	= education	*poss.*	= possessive
f.	= feminine	*prep.*	= preposition
fam.	= familiar	*pres.*	= present
fortif.	= fortification	*pron.*	= pronoun
ind.	= indirect	*qqch.*	= quelque chose
inf.	= infinitive	*qqun.*	= quelqu'un
Ital.	= Italian	*rlwy.*	= railway
m.	= masculine	*sing.*	= singular
med.	= medical	*subj.*	= subjunctive
mil.	= military	*theat.*	= theater
naut.	= nautical	*v.*	= verb

Vocabulaire Anglais—Français

NOTE: This vocabulary includes all but the commonest words and a limited number of idiomatic expressions and difficult constructions, which, because they appear only once, have been given in footnotes.

able: be ~ pouvoir
about au sujet de, à propos de, sur; (*of time*) vers; (*with numeral*) environ; **be ~ to** aller (+ *inf.*), être sur le point de; **talk ~** parler de; **what ~?** que diriez-vous de?
above au-dessus de
abroad à l'étranger
abruptly brusquement
absolutely absolument
abundance abondance *f.*
abundant abondant
academic universitaire, académique
accent accent *m.*
accept accepter
accommodate recevoir
accompany accompagner
accomplish accomplir, achever
according to d'après, selon
accustomed: be ~ to être accoutumé à, avoir l'habitude de
achievement réalisation *f.*, création *f.*
acquaint faire connaître; **become ~ed with** connaître
acquire the habit prendre l'habitude
across à travers; **~ (the street)** de l'autre côté de (la rue)
act: be in the ~ of être en train de
active actif(-ve)
activity activité *f.*, occupation *f.*
actual réel(-le), véritable
actually réellement, véritablement
adapt adapter
add ajouter
addition addition *f.*; **in ~ to** en plus de, en dehors de, outre
additional supplémentaire
adjoining voisin
admirable admirable
admirably admirablement
admiration admiration *f.*

admire admirer
admit avouer, admettre
adult adulte *m.*
advance: in ~ d'avance, à l'avance; *v.* avancer
advanced: ~ language course cours de langue pour étudiants avancés
advantage avantage *m.*; **take ~ of** profiter de
adventurer aventurier *m.*
advisable recommandable
affair affaire *f.*
affect atteindre, attaquer
affectation affectation *f.*
afraid: be ~ avoir peur
afterdeck arrière-pont *m.*
afternoon après-midi *m. or f.*
again de nouveau, encore une fois; **once ~** à nouveau
against contre, sur
age âge, *m.*; **in past ~s** dans les siècles passés
aged vieux (vieille), âgé
agitated agité
ago il y a (*followed by expression of time*)
agree être d'accord, accepter; **~ to** consentir à, tomber d'accord sur
ahead: straight ~ tout droit; **far ~** très loin en avant
ahem! hum!
aid aide *f.*
air air *m.*, atmosphère *f.*; **in the open ~** en plein air, à l'air libre; *adj.* aérien(-ne)
alert: be ~ avoir l'esprit vif
Alexander Alexandre
alike *adv.* également
all tout, tous, tout ce que; **not at ~** (pas) du tout; **~-day** qui dure toute la journée; **~ right** bon, c'est bien, ça va, bien sûr, très bien, parfait; **~ the way** tout le long du chemin; **be ~ with** être de cœur avec, être de l'avis de
allow permettre
All Saints' Day la Toussaint *f.*
almond cake gâteau *m.* aux amandes
almost presque, à peu près, faillir (+ *inf.*)
alone *adj.* seul; **let ~** laisser tranquille; *adv.* seulement, rien que
along le long de, avec soi; **~ with** en même temps que; **all ~** tout le long de; **be ~** être avec nous
Alpine alpin
Alps Alpes *f. pl.*
already déjà
alternative alternative *f.*, autre possibilité *f.*
although quoique, bien que
amateur amateur *m.*
ambassador ambassadeur *m.*
amenity aménité *f.*
American Américain *m.*, Américaine *f.*; *adj.* américain
amid au milieu de
among parmi
amount montant *m.*, quantité *f.*; *v.* **~ to** arriver à
ample ample
amuse amuser, faire rire
amusement amusement *m.*, distraction *f.*, divertissement *m.*
ancient ancien(-ne) (*used after the noun*)
angle angle *m.*
angry: become ~ se fâcher
animal animal *m.*, bête *f.*
animated agité
animation animation *f.*, agitation *f.*
ankle cheville *f.*
announcement annonce *f.*
annoying fâcheux(-se), ennuyeux(-se)

another un(-e) autre; (*meaning one more*) encore un(-e)
answer réponse *f.*; *v.* répondre (à)
ant fourmi *f.*
anticipation attente *f.*, anticipation *f.*
any aucun, n'importe quel, quelques-uns
anyone n'importe qui; (*in a question*) quelqu'un
anything quelque chose, n'importe quoi; (*after neg.*) ne . . . rien; ~ **else** autre chose, quoi que ce soit
anyway de toute manière, quoi qu'il en soit, quand même
anywhere n'importe où
anxious anxieux(-se), désireux(-se); **be ~ to** tenir à
apartment appartement *m.*; ~ **house** immeuble *m.*
apéritif apéritif *m.*
appalling épouvantable, effroyable
apparently apparemment, à ce qu'il paraît
appeal faire appel
appear apparaître, se montrer
appearance aspect *m.*, apparence *f.*; **physical ~** aspect extérieur
appetite appétit *m.*
appetizer hors-d'œuvre *m.*; **assorted ~s** hors-d'œuvre variés
appetizing appétissant
apply poser sa candidature
appreciate goûter, apprécier, faire cas de, être reconnaissant de
approach contact *m.*; *v.* approcher (de), s'approcher de
appropriate convenable, approprié
approximately environ, à peu près, approximativement
April avril *m.*
apse abside *f.*
aqueduct aqueduc *m.*
Arabic arabe
arcade arcade *f.*
arch arc *m.*; ~ **of Triumph** arc de Triomphe
architect architecte *m.*
architecture architecture *f.*
area région *f.*, étendue *f.*; **circular ~** rond-point *m.*
arena arènes *f. pl.*
argue discuter
argument discussion *f.*, dispute *f.*
aristocratic aristocratique
armistice armistice *m.*
army armée *f.*
aroma arôme *f.*, odeur *f.*
around autour de
arrange disposer, arranger, organiser
arrangement disposition *f.*; **to make ~s** prendre des dispositions
arrival arrivée *f.*
art art *m.*; **fine ~s** beaux-arts
articulation articulation *f.*
artillery artillerie *f.*
artisan artisan *m.*
artist artiste *m. or f.*
artistic artistique
as aussi, si, alors, comme, que, pendant que, tel(-le) que, à mesure que; ~ **far** ~ jusqu'à; ~ **long** ~ tant que; ~ **much (many)** ~ autant (de . . .) que; ~ **well** ~ ainsi que, aussi bien que, de même que; **as . . . as** aussi . . . que; **not so . . . as** pas si . . . que
ask demander; ~ **about** se renseigner sur; ~ **oneself** se demander; ~ **permission to** demander la permission de; ~ **a question** poser une question
asleep endormi; **half ~** à moitié endormi
assassinate assassiner

assemble se réunir, s'assembler
assembly chamber salle *f.* du conseil
assignment: class ~ devoir *m.*, préparation *f.*
assimilate (*slang*) absorber
assistance aide *f.*
assorted assorti, varié
assure assurer, affirmer
astound confondre, abasourdir
Atlantic Atlantique *f.*
atmosphere atmosphère *f.*, ambiance *f.*, milieu *m.*
attach attacher
attack attaque *f.*
attempt essai *m.*, effort *m.*, tentative *f.*
attend assister à; **well-~ed** très fréquenté; **~ to customs formalities** régler les formalités douanières
attendance assistance *f.*
attention attention *f.*; **pay ~ to** faire attention à; **claim the ~ of** attirer l'attention de
attire costume *m.*, vêtements *m. pl.*
attract attirer
attraction attraction *f.*, curiosité *f.*
attractive attrayant, attirant; **look ~** avoir l'air engageant
auditor auditeur *m.*, auditrice *f.*
August août *m.*
authority (*scholar*) spécialiste *m.*
automatic automatique
automobile automobile *f.*, auto *f.*; **~ traffic** circulation *f.*
autumn automne *m. or f.*
available disponible; **have ~** disposer de
avalanche avalanche *f.*
avenue avenue *f.*
average: on an ~ en moyenne
aviator aviateur *m.*
avoid éviter
await attendre
awaken éveiller
aware: become ~ of s'apercevoir de
away (from) loin (de); **a mile ~** à un mille de là; **a few steps ~ from** à quelques pas de; **go ~ (from)** s'éloigner (de)
awful terrible
awfully terriblement

baby bébé *m.*
back dos *m.*; (*of a car*) arrière *f.*, fond *m.*; **~drop** fond *m.* de tableau; **~ seat** banquette *f.* arrière; **be ~** être de retour; **take ~** ramener
background arrière-plan *m.*; **cultural ~** culture *f.* générale
backwards en arrière
bad mal, mauvais; **not ~** pas mal; **too ~** dommage (que)
badly fort
baffle confondre
bag (*small*) sac *m.*; (*larger*) sac de voyage
baggage bagage *m.* (*generally pl.*); **hand ~** valises *f. pl.*
bake cuire, faire cuire
bakery boulangerie *f.*
balance équilibre *m.*; *v.* s'harmoniser
Balkans États *m.* balkaniques
ball: colored ~ boule *f.* de verre coloré
ballet ballet *m.*
band: local ~ fanfare *f.* municipale
bank bord *m.*, rive *f.*; **Left Bank** rive gauche
barely à peine
bargain occasion *f.*, marché *m.*, affaire *f.*
barnyard basse-cour *f.*

barrier barrière *f.*
barter échange *m.*, pratique *f.* des échanges; *v.* échanger
base pied *m.*
bas-relief bas-relief *m.*
Bastille Bastille *f.*
bath bain *m.*; **hot-water** ~ un bain à l'eau chaude
bather baigneur *m.*
bathing suit maillot *m.* de bain
bathroom salle *f.* de bains
batter pâte *f.*
battery pile *f.*
battlement rempart *m.* (*generally pl.*)
bay (*arch.*) travée *f.*
be être; se trouver; (*denoting futurity*) devoir; ~ **along** être là; **they were to** ~ ils devaient être; ~ **about** s'agir de; ~ **back** être de retour; ~ **no further along** en être toujours là; ~ **held up** être retardé; ~ **more than . . . years old** avoir plus de . . . ans; ~ **on one's way** être en route; ~ **in time** être à l'heure, arriver à temps; ~ **in the way** boucher la vue
beach plage *f.*, rivage *m.*
beam poutre *f.*
bean fève *f.*, haricot *m.*
bear ours *m.*
bear porter
bearer porteur *m.*
beat battre; **can you** ~ **it** qui dit mieux
beautiful beau, bel, belle, beaux
beauty beauté *f.*
because parce que, à cause de
become devenir; ~ **again** redevenir; **it is becoming common** la coutume se répandit; ~ **widespread** se répandre; ~ **used to** se faire à
bed lit *m.*; ~**chamber** chambre *f.* à coucher
bee abeille *f.*
before *adv.* avant; *prep.* avant de, devant; ~ **that time** d'ici là; *conj.* avant que
begin commencer (à); ~ **all over again** recommencer; ~ **with** commencer par; ~ **to carry on** se mettre à faire
beginner débutant *m.*
beginning commencement *m.*; **from the** ~ dès le début
behave oneself se tenir bien
behind *prep.* derrière; *adv.* en arrière
belfry clocher *m.*
believe croire; ~ **one's eyes** en croire ses yeux
bell: sleigh ~ grelot *m.*; **church** ~ cloche *f.*
belong successively to several passer entre les mains de plusieurs
below en bas, au-dessous (de)
benefit bénéfice *m.*, profit *m.*; **for the** ~ **of** au profit de; *v.* ~ **from** bénéficier de
besides d'ailleurs
best (*adj.*) (le) meilleur; (*adv.*) (le) mieux; **at** ~ au mieux; **at very** ~ en tout état de cause; **as** ~ **we could** de notre mieux; **to do our** ~ **(to)** faire de notre mieux (pour); ~ **known** mieux connu
bet parier
better (*adj.*) meilleur; (*adv.*) mieux; **far** ~ beaucoup mieux; **you'd** ~ tu devrais (+ *inf.*); ~ **still** qui mieux est
between entre; ~ **times** de temps en temps
beverage boisson *f.*
beyond au-delà (de); ~ **their**

reach impossible à trouver, hors de leur portée

bicycle bicyclette *f.*; **by ~** à bicyclette; **~ trail** piste *f.* cyclable; *v.* aller à bicyclette, faire de la bicyclette

Big Clock Grosse Horloge *f.*

bike vélo *m.*, bécane *f.*; **by ~** à vélo, à bicyclette

bit peu *m.*

bitter amer(-ère), sévère

black noir; **~ market** marché *m.* noir; **~ marketeers** trafiquants *m.* du marché noir

blacksmith's shop forge *f.*

blame blâmer

blazing qui flambe, flambant, ardent

block rue *f.*, tronçon *m.* de bois, cale *f.*

blockhouse blockhaus *m.*

blow up faire sauter

blurred confus, brouillé

board bord *m.*; **on ~** à bord (de); **come a~** monter à bord; *v.* être en pension, prendre pension

boast se vanter (de), être fier(-ère) (de)

boat bateau *m.*, navire *m.*; **row~** bateau à rames

boating: go ~ faire du bateau, faire du canotage, aller faire du canot

body corps *m.*, cadavre *m.*; **student ~** ensemble *m.* des étudiants

boiling bouillant

bombing bombardement *m.*

book livre *m.*

bookseller libraire *m.*

bookstall *cf.* **bookstand**

bookstand boîte *f.* des bouquinistes; étalage *m.* des bouquinistes

bookstore librairie *f.*

booth baraque *f.*

border frontière *f.*

boring ennuyeux(-se)

borrow (from) emprunter (à)

both (tous) les deux

bother (se) déranger, gêner, se donner la peine

bottom bas *m.*, fond *m.*; **at the ~** en bas

boudoir boudoir *m.*

boulevard boulevard *m.*

boundary frontière *f.*

bow (*naut.*) avant *m.*, proue *f.*

bowl bol *m.*

box: music ~ boîte *f.* à musique

boy garçon *m.*, jeune homme *m.*; *pl.* jeunes gens

brands: well-known ~ of . . . . . . de marque

Brazilian Brésilien(-ne) *m.* (*f.*); *adj.* brésilien(-ne)

bread pain *m.*

break casser; **~ a leg** se casser une jambe

breakfast petit déjeuner *m.*

breaks: to give the ~ donner toutes sortes d'avantages

breakwater brise-lames *m.*, môle *m.*

breath: out of ~ hors d'haleine, essouflé

breeze brise *f.*

bridge pont *m.*; (*game*) bridge *m.*

brief bref(-ève), court; **a ~ moment** un petit moment

briefly brièvement

bright à vives couleurs, de vive couleur

brilliant lumineux(-se), étincelant, brillant

bring apporter; **~ back** rapporter; **~ good luck** porter bonheur; **~ oneself up to date** se mettre au courant; **~ out**

souligner; ~ **to a halt** arrêter; **be brought together** se rencontrer, se retrouver
brisk rapide
broad large
brood songer sombrement, rêver avec mélancolie, broyer du noir
build bâtir, construire, édifier
building bâtiment *m.*, construction *f.*, édifice *m.*; **official** ~ édifice; **recitation** ~ bâtiment *m.* principal
bullfight course *f.* de taureaux
bulletin bulletin *m.*
Burgundy Bourgogne *f.*
buried: to lie ~ être enterré
burn brûler
bus autobus *m.*, car *m.*
business affaire *f.*; ~ **section** quartier *m.* des affaires, quartier commerçant
bustling animé
busy affairé, occupé; ~ **traffic** circulation *f.* active (*or* animée)
butter beurre *m.*; ~**-colored** couleur *f.* beurre-frais
buy acheter, prendre
by par, en; ~ **boat** en bateau

cable: ~ **car** téléphérique *m.*; ~ **railway** funiculaire *m.*
café café *m.*; **outdoor** ~ café en plein air; **sidewalk** ~ café à terrasse
cake gâteau *m.*; **almond** ~ gâteau aux amandes; **layer** ~ gâteau à plusieurs étages
call appeler; **be** ~**ed** s'appeler; ~ **at** faire escale à, s'arrêter à; ~ **for** venir chercher, exiger, demander; ~ **upon** sommer, conjurer, faire appel à; (*telephone*) téléphoner (à)
camera kodak *m.*, appareil *m.* de photo
camper campeur *m.*
can pouvoir
Canadian Canadien(-ne) *m.* (*f.*)
canal canal *m.*
candle bougie *f.*
candy: piece of ~ bonbon *m.*; ~ **vendor** marchand *m.* de bonbons
canned goods conserves *f. pl.*
canton canton *m.*
capital capitale *f.*
capricious capricieux(-se)
car automobile *f.*, auto *f.*, voiture *f.*; (*of a train*) wagon *m.*; (*of a cable car*) cabine *f.*; **cable** ~ téléphérique *m.*; **dining** ~ wagon-restaurant *m.*
card carte *f.*
care soins *m. pl.*; *v.* ~ **for** (*or* **about**) se soucier de, s'inquiéter de; **I don't** ~ cela m'est égal; **who** ~**?** qu'est-ce que ça peut faire?
carefree insouciant
careful minutieux(-se), soigneux(-se), prudent
carefully soigneusement, attentivement
caretaker gardien *m.*
carriage carrosse *m.*
carry porter, transporter, avoir en dépôt; ~ **on** poursuivre; ~ **out** exécuter
carve sculpter
carving sculpture *f.*
case cas *m.*, caisse *f.*, boîte *f.*; **in** ~ au cas où; **in any** ~ en tout cas, en tout état de cause, dans tous les cas
casino casino *m.*
castle château *m.*
cat chat *m.*, chatte *f.*

catch attraper; ∾ **a cold** s'enrhumer
cathedral cathédrale *f.*
Catholic catholique *m. or f.*
cause amener, produire
cautious prudent
cautiously avec précaution, avec prudence, prudemment
ceiling plafond *m.*
celebrate célébrer
celebrated fameux(-se), célèbre
celebration célébration *f.*
celebrity célébrité *f.*
cellar cave *f.*; ∾ **hole** cave *f.*, trou *m.* de cave
cemetery cimetière *m.*
censure critique *f.*
center centre *m.*; **in the** ∾ au centre
central heating chauffage *m.* central
century siècle *m.*
ceremonial de cérémonie; ∾ **dress** habit *m.* de cérémonie; ∾ **room** salle *f.* d'apparat
ceremonious cérémonieux(-se)
ceremony cérémonie *f.*, manifestation *f.*
certain certain, sûr
cessation cessation *f.*, arrêt *m.*
chain chaîne *f.*
chalet chalet *m.*
chalk mark signe *m.* à la craie
chamber salle *f.*, chambre *f.*
Champagne Champagne *f.*
champion champion *m.*
chance occasion *f.*
chandelier lustre *m.*
change changement *m.*; **for a** ∾ pour changer; *v.* changer, se changer; ∾ **clothing** changer de costume; ∾ **the subject** changer de propos, changer de conversation
Channel: English ∾ Manche *f.*
chaos chaos *m.*
chapel chapelle *f.*
chaperone chaperon *m.*; *v.* chaperonner
character caractère *m.*
characteristic caractéristique
charge: have ∾ **of** diriger
charm charme *m.*
charming charmant, séduisant; **to be** ∾ être séduisant
chart (*of mil. oper.*) plan *m.*
château château *m.*
chauffeur chauffeur *m.*
cheap bon marché; ∾**er** meilleur marché
check chèque *m.*, vérification *f.*; *v.* vérifier
cheek joue *f.*
cheerfully gaiement, de bon cœur
cheese fromage *m.*
chef chef *m.*
chemistry chimie *f.*
chicken poulet *m.*
chicory chicorée *f.*
chief *adj.* principal
chiefly principalement, surtout
child enfant *m. or f.*
chilled refroidi, glacé
chilly frais, un peu froid
chimney cheminée *f.*
chip (*at a casino*) jeton *m.*
chocolate chocolat *m.*
choice choix *m.*
choir chœur *m.*; ∾ **boy** enfant *m.* de chœur
choose choisir; **have too much to** ∾ **from** avoir l'embarras du choix
Christendom chrétienté *f.*
Christmas Noël *m.*; ∾ **Eve** la veille de Noël; ∾ **tree** arbre *m.* de Noël

chum (*slang*) mon vieux, copain *m.*
church église *f.*
circle (*group*) milieu *m.*, cercle *m.*; **go in a ~** tourner en rond
circular circulaire; **~ ramp** rampe *f.* en spirale
city ville, *f.*; **~ dweller** (*person*) citadin *m.*; **~ hall** mairie *f.*, hôtel *m.* de ville
civil civil; **~ marriage** mariage *m.* civil
civilization civilisation *f.*
class classe *f.*, catégorie *f.*
classic(al) classique
cleanliness propreté *f.*, netteté *f.*
clear *adj.* évident, clair; *v.* **~ away** débarrasser
clearly clairement, nettement
clergy clergé *m.*
clerk: hotel ~ employé *m.* de bureau
cliff falaise *f.*
climate climat *m.*
climb monter, grimper, escalader
climbing montée *f.*; **mountain ~** ascensions *f. pl.* de montagne
clipped: ~ accent ton *m.* pincé
cloister cloître *m.*
close *adj.* intime, personnel(-le); *v.* fermer, se fermer
closing fermeture *f.*
clothes vêtements *m. pl.*
clothing vêtements *m. pl.*
club club *m.*; **French ~** cercle *m.* français; **night ~** boîte *f.* de nuit
cluster groupe *m.*
coach: railway ~ wagon *m.*, voiture *f.*
coal charbon *m.*
coast côte *f.*
coffee café *m.*
cold *adj.* froid; **be ~** (*of person*) avoir froid, (*of weather*) faire froid
collapse s'effondrer
collection collection *f.*
college (*American*) université *f.*
colony colonie *f.*
color couleur *f.*
colored colorié, en couleur
colorful pittoresque
colorless sans couleur
combine réunir, combiner; **~d** ensemble
come venir, arriver; **~ aboard** monter à bord; **~ along** arriver, venir, accompagner, être des nôtres; **~ back** revenir; **~ down** descendre; **~ into (to)** arriver dans; **~ into view** apparaître; **~ out** sortir; **~ (turn) out well** (*of photographs*) être réussie(s); **~ over** venir, passer; **~ to know** arriver à connaître; **~ to light again** revenir au jour; **~ to a stop** s'arrêter; **~ together** se réunir, se rejoindre; **~ upon** tomber sur
comfort confort *m.*
comfortable confortable; **be fairly ~** ne pas être trop mal
commemorative commémoratif(-ve)
commencement-day exercises distribution *f.* des prix
comment commentaire *m.*
commodity produit *m.*, denrée *f.*
common commun; **all too ~** trop commun; **become ~** devenir fréquent; **~ to** propre à
commonly ordinairement, pour la plupart
communicate communiquer
communication communication *f.*
compact *adj.* ramassé
company compagnie *f.*

comparative comparé
compare comparer
comparison comparaison *f.*
compartment compartiment *m.*
compass boussole *f.*; **points of the ∾** points (*m. pl.*) cardinaux
compatriot compatriote *m.*
compete lutter; **∾ with** faire concurrence à
complaint réclamation *f.*
complete *adj.* complet(-ète), entier (-ère); *v.* achever, finir, terminer
completely complètement
complicated compliqué
complication complication *f.*
composer compositeur(-trice) *m.* (*f.*)
composition composition *f.*, thème *m.*
comprise comprendre
compromise compromis *m.*
concentrate porter toute son attention
conception conception *f.*
concern inquiétude *f.*
concerned: get ∾ s'inquiéter
concert concert *m.*
concession allocation *f.*
conclude conclure, estimer
condition condition *f.*
conduct (a class) faire (une classe)
conductor contrôleur *m.*
conference conférence *f.*, entretien *m.*
confession confession *f.*
confide confier
confidence confiance *f.*
confused confus
confusion désordre *m.*
connect rattacher, relier, associer
consider considérer, estimer, croire; **∾ strange** trouver bizarre
considerable considérable
considerate prévenant, gentil(-le)
consist of consister en, comprendre
constantly constamment, continuellement
construct construire
construction construction *f.*, style *m.*
consulate consulat *m.*
consult consulter
contact contact *m.*; **make ∾** établir le contact
contain contenir
content satisfait; **be ∾ to (with)** se contenter de
contingent contingent *m.*
continually continuellement, sans cesse
continue continuer, poursuivre
contrary: on the ∾ au contraire
contrast contraste *m.*
contribute to contribuer à, souscrire pour
control contrôler, diriger
convalescent convalescent
convention convention *f.*, convenances *f. pl.*
conventional conventionnel(-le), formel(-le)
converge se rencontrer, se réunir
conversation conversation *f.*; **dinner ∾** conversation à table
convey: ∾ an idea donner une idée
convocation (*university*) séance *f.* d'ouverture
cook cuisinier(-ière) *m.* (*f.*)
cookie petit gâteau *m.*, gâteau *m.* sec
cooking cuisine *f.*; **∾ fat** graisse *f.* alimentaire
co-operate coopérer, collaborer
copious copieux(-se)
copy (*of newspaper*) numéro *m.*; (*of book*) exemplaire *m.*
cordial cordial(-aux)
corner coin *m.*; **on the ∾** au coin

Corniche Road (route *f.* de) la Corniche
correct *v.* corriger; *adj.* correct, exact
correspond être conforme, correspondre
corridor couloir *m.*
cosmopolitan cosmopolite
cost coût *m.*, prix *m.*; *v.* coûter
costly cher(-ère), coûteux(-se)
costume costume *m.*
council chamber chambre *f.* (*or* salle *f.*) de conseil
count compter; ∾ **on** compter sur, prévoir
countless sans nombre, innombrable
country pays *m.*, campagne *f.*; **mother** ∾ patrie *f.*; **in** (*or* **to**) **the** ∾ à la campagne; ∾ **style** de campagne, (*on menus*) fermier (-ière)
countryside campagne *f.*
coupon coupon *m.*
course cours *m.*; **art** ∾ cours de l'histoire de l'art; **conversation** ∾ cours de conversation; **in the** ∾ **of** au cours de; **in the** ∾ **of the year** dans le courant de l'année; **of** ∾ bien entendu, naturellement; ∾ **work** travail *m.* de classe(s)
courtyard cour *f.*
cover (*of furniture*) housse *f.*, (*of dish, box, etc.*) couvercle *m.*; *v.* couvrir; (*a distance*) faire; (*to deal with*) traiter; ∾ **a lot of ground** traiter beaucoup de choses, faire beaucoup de chemin
crack (*slang*) astuce *f.*, plaisanterie *f.*
craft bateaux *m. pl.*; **small** ∾ canots *m. pl.*, petits bateaux
craftsman artisan *m.*, ouvrier *m.*
cream crème *f.*
create créer
creation création *f.*
credit crédit; **receive** ∾ tenir compte; **to take** ∾ **for** s'attribuer le mérite de
crenelated crénelé
crêpes suzette crêpes *f. pl.* suzette
criticism critique *f.*
cross traverser
crossing traversée *f.*
crossroad carrefour *m.*
croupier croupier *m.*
crowd foule *f.*
crowded très chargé, plein de monde; **over**∾ bondé; ∾ **with** envahi par
crown couronne *f.*; ∾ **jewels** les joyaux *m. pl.* de la couronne
crude brut
cruelly cruellement
crumble s'écrouler
crypt crypte *f.*
culinary culinaire
cultivate cultiver
cultural culturel(-le)
cultured cultivé
cup tasse *f.*
cupola coupole *f.*
curate vicaire *m.*
curb réprimer, refréner
curious curieux(-se)
curling curling *m.*
curve virage *m.*, tournant *m.*
custom coutume *f.*, mœurs *m. pl.*
customary habituel(-le), ordinaire
customs douane *f.*; **clear** ∾ passer la douane, passer par la douane; **get through** ∾ passer par la douane; ∾ **duties** droits *m. pl.*

de douane; ~ **hall** douane *f.*; ~ **officer** douanier *m.*

cut couper; ~ **out (of)** découper (dans)

daily (*paper*) quotidien *m.*; *adv.* par jour, tous les jours

damage dégâts *m. pl.*; *v.* endommager, abîmer

dampen se refroidir; ~ **someone's spirits** décourager qqun., abattre le courage de qqun., déprimer qqun.

dance danse *f.*; **dancing party** bal *m.*; *v.* danser

dark sombre, obscur, noir; (*of color*) foncé; **after** ~ après la tombée de la nuit; **get** ~ faire noir

darkness obscurité *f.*

date date *f.*; **of later** ~ postérieur (à); **up to** ~ à jour

daughter fille *f.*

dawn: at ~ à l'aube

day jour *m.*, journée *f.*; **in the** ~**s of** au temps de; ~**s and** ~**s** des jours et des jours; ~ **after** lendemain *m.*; **good old** ~**s** bon vieux temps; **next** ~ lendemain *m.*

daybreak: at ~ au point du jour

daydream rêver, rêvasser

daylight jour *m.*

dazzle éblouir

dazzling étincelant, éblouissant

dead mort *m.*

deal: a great ~ beaucoup

deal with traiter de

dear chéri *m.*, chérie *f.*, vieux *m.*, vieille *f.*

death mort *f.*

debris débris *m.*, ruines *f. pl.*

December décembre *m.*

decent gentil(-le), décent

decide décider (de), se décider (à)

deck pont *m.*; **lower** ~ pont inférieur; **top** ~ pont promenade, premier pont; **upper** ~ pont supérieur; ~ **tennis** deck tennis *m.*; *v.* ~ **(with)** orner (de), pavoiser (de)

declare déclarer

decorate décorer, orner, embellir

decoration décor *m.*, embellissement *m.*, ornementation *f.*

decrease diminuer

dedicate dédier; (*a church*) consacrer

deep profond; (*of color*) foncé

deeply profondément

defender défenseur *m.*

defense défense *f.*

definite bien arrêté

definitely définitivement, décidément

degree degré *m.*; ~ **of education** niveau *m.* de culture; **to such a** ~ à un tel point

delay retarder

delegation délégation *f.*

deliberate *adj.* voulu, mesuré

deliberation délibération *f.*

delicacy friandise *f.*, spécialité *f.*

delicate délicat

delighted content, heureux(-se), ravi

delightful charmant

deliver libérer

demolished démoli

deny nier

department store grand magasin *m.*

departure départ *m.*

depend on compter sur, dépendre de

depict dépeindre, représenter

depressing déprimant

depression crise *f.*

deprived: to be ~ **of** être privé de

descent descente *f.*

design dessin *m.*
desire désir *m.*
desolation dévastation *f.*
despite en dépit de, malgré
dessert dessert *m.*
destination destination *f.*
destroy détruire
destruction destruction *f.*
detail détail *m.*
detailed détaillé
deteriorate se détériorer
determine déterminer; **be ~d to** être résolu à
detour détour *m.*, crochet *m.*
devastated dévasté
devastation dévastation *f.*
develop développer
development développement *m.*
device appareil *m.*, mécanisme *m.*
devote consacrer
devout pieux(-se), fidèle
dictate dicter, commander
diction diction *f.*
die mourir
difference différence *f.*; **it makes little ~** peu importe; **present sharp ~s** se distinguer nettement
different différent; **~ language areas** régions *f. pl.* de langue différente
difficulty difficulté *f.*; **have ~ in** avoir de la peine à; **have great ~ in** avoir beaucoup de mal à
dignity dignité *f.*
dimension dimension *f.*
dimness obscurité *f.*
dine dîner
dinner dîner *m.*; **~ conversation** conversation *f.* à table; **~ engagement** invitation *f.* à dîner, rendez-vous *m.* pour dîner; **have ~** dîner; **have an early ~** dîner de bonne heure
dip tremper
diploma diplôme *m.*
direct présider, conduire, indiquer la route
direct hit coup *m.* direct
direction direction *f.*, indication *f.*; **in all ~s** en tous sens, de tous côtés; **in the ~ of** du côté de
directly directement; **~ ahead** tout droit
director directeur *m.*
directress directrice *f.*
dirty sale, malpropre
disagree with être en désaccord avec
disappear disparaître
disappoint décevoir, désappointer
discipline discipliner
discouraging décourageant
discover découvrir, trouver
discovery découverte *f.*
discuss discuter
discussion discussion *f.*
dish plat *m.*
dislike détester, déplaire à (*used impersonally*)
display étalage *m.*; **on ~** à l'étalage; *v.* étaler
disposal: at our ~ à notre disposition *f.*
distance distance *f.*; **from a ~** de loin; **in the ~** au loin
distant lointain; **~ from** distant de, loin de
distinctive distinctif (-ve)
distinguish distinguer, discerner
distinguished distingué
distraction distraction *f.*, divertissement *m.*
distribution distribution *f.*
district district *m.*, région *f.*, quartier, *m.*
disturbing troublant, choquant

divide diviser, répartir; ~ **into** diviser en
division section *f.*, division *f.*
dizzy: make someone ~ étourdir qqun., donner le vertige à qqun.; **feel** ~ avoir le vertige
do faire; ~ **fine** bien réussir; ~ **a fine job** réussir bien
docility docilité *f.*, bonne volonté *f.*
dock quai *m.*; *v.* entrer (passer) au bassin (aux docks), arriver au quai; **leave the** ~ sortir du bassin
doctor médecin *m.*
document document *m.*
doll bébé *m.*, poupée *f.*
dollar dollar *m.*
dome dôme *m.*
dominate dominer
dormitory maison *f.* d'étudiants; **girls'** ~ maison d'étudiantes
double double
doubt doute *m.*; **no** ~ sans doute; *v.* douter
down there là-bas
dozen douzaine (de) *f.*; **a** ~ **or so** environ une douzaine; **a** ~ **of us** une douzaine d'entre nous
dramatic dramatique
draw (from) tirer (à); ~ **exclamations** arracher des cris
drawl ton *m.* traînant, accent *m.* traînant
dream rêve *m.*
dress robe *f.*, tenue *f.*, costume *m.*, habillement *m.*; *v.* s'habiller
dressed habillé; ~ **in their Sunday best** endimanchés
drill exercice *m.*
drink boire
drive promenade *f.*, course *f.*, trajet *m.*; *v.* conduire, emmener, marcher, rouler, aller en auto; ~ **back** reconduire; ~ **every one indoors** forcer tout le monde de rentrer
driver chauffeur *m.*, conducteur *m.*
drop down descendre
drum tambour *m.*, caisse *f.*
dry sec (sèche)
duck canard *m.*
dull terne, morne, monotone
dungeon cachot *m.*, donjon *m.*
during pendant
dusk: at ~ à la brune *f.*, à la nuit tombante *f.*

each chaque; ~ **one** chacun(-e)
eager (for, to) désireux(-se) (de), passionné (de); **to be** ~ **to** tenir à
eagle aigle *m.*
early matinal, de bonne heure; **in the** ~ **fall** au début de l'automne *m.*; **in the** ~ **Middle Ages** au début du Moyen Age; **the** ~ **years** les premières années; **very** ~ de très bonne heure
easel chevalet *m.*
east est *m.*; ~ **of** à l'est de; **the Near** ~ le proche Orient
Easter Pâques *f. pl.*
eastern oriental
eastward vers l'est
east-west de l'est à l'ouest
eat manger
eating place café *m.*, restaurant *m.*
éclair éclair *m.*; **chocolate** ~ éclair au chocolat
economics sciences *f. pl.* économiques, économique *f.*, économie *f.* politique
edge bord *m.*
edition édition *f.*
educated cultivé
education éducation *f.*, culture *f.*; **degree of** ~ niveau *m.* de culture

effect effet *m.*; **the whole** ~ l'effet d'ensemble
effective efficace; **be** ~ avoir de l'effet; **be quite** ~ faire beaucoup d'effet
efficient efficient, efficace
effort effort *m.*
egg œuf *m.*
Egypt Égypte *f.*
Eiffel Tower tour *f.* Eiffel
either . . . or soit . . . soit; **on** ~ **side** de chaque côté
elaborate compliqué, très orné
electric électrique
electricity électricité *f.*
elegance élégance *f.*
elegant élégant
element élément *m.*
elevation altitude *f.*
elevator ascenseur *m.*
elsewhere ailleurs, autre part
embassy ambassade *f.*
embellish embellir
emotions: mingled ~**s** sentiments *m. pl.* divers
emperor empereur *m.*
emphasize mettre en valeur, insister sur
empire empire *m.*
emplacement emplacement *m.*
encourage encourager
encouraging encourageant
encyclopedic encyclopédique
end bout *m.*, extrémité *f.*, fin *f.*; fond *m.*; **be at an** ~ être fini, être achevé, être accompli; ~ **to** ~ en ligne; **come to an** ~ se terminer; *v.* prendre fin, se terminer
enemy ennemi *m.*
energy énergie *f.*
engage in conversation entrer en conversation *f.* avec
England Angleterre *f.*
English anglais; **an** ~ **girl** une jeune Anglaise
engraving gravure *f.*
enhance rehausser
enjoy jouir de, aimer, apprécier
enjoyment plaisir *m.*
enormous énorme
enrollment nombre *m.* des inscriptions
ensemble ensemble *m.*
enter entrer (dans); ~ **a station** entrer en gare
entertainment amusement *m.*, divertissement *m.*
enthusiasm enthousiasme *m.*
entire entier(-ère), tout
entirely entièrement
entitle permettre, donner droit; **be** ~**d to** avoir droit à
entrance entrée *f.*
envy envier, jalouser
Epiphany Épiphanie *f.*
equip (with) munir (de)
equipment équipement *m.*, matériel *m.*; **farm** ~ matériel agricole
equivalent: be ~ **to** équivaloir à
er heu!
escape éviter (de), manquer (de), échapper (à)
especially surtout, particulièrement
essence essence *f.*
essential essentiel(-le)
establish établir; ~ **oneself** s'établir, s'installer
establishment établissement *m.*
estate propriété *f.*, domaine *m.*
etching eau-forte *f.*
Europe Europe *f.*
European Européen(-ne) *m.* (*f.*); *adj.* européen(-ne)
evacuation évacuation *f.*
evaluate faire la critique de

eve veille *f.*
even même, encore
evening soir *m.*, soirée *f.*; ~ **party** soirée *f.*; **in the** ~ le soir
event événement *m.*
eventually éventuellement
ever jamais; ~ **since** depuis (que)
every tout, chaque, tous les; ~ **day** (de) tous les jours; ~ **third shop** une boutique sur trois
everybody tout le monde
everyone tout le monde
everything tout
everywhere partout
evidence évidence *f.*; **give** ~ **of** porter les marques de, témoigner de
evoke évoquer
evolution évolution *f.*
ex (*former*) ancien(-ne)
exactly exactement, précisément
exam examen *m.*; **take an** ~ passer un examen
examination examen *m.*
example exemple *m.*; **for** ~ par exemple
excavations fouilles *f. pl.*
excellent excellent
except sauf
excessive excessif(-ve)
exchange change *m.*; **in** ~ en échange; *v.* échanger; ~ **punches** se donner des coups de poing
excite surexciter, exciter; ~**d** **(about)** emballé (par) (*fam.*)
exciting passionnant
exclusive unique, seul
exclusively exclusivement
excursion excursion *f.*
excuse *v.* excuser
excuse prétexte *m.*
exercise exercice *m.*; **commencement-day** ~**s** distribution *f.* des prix; **practical** ~**s** travaux *m. pl.* pratiques; *v.* ~ **one's wits** se débrouiller
exhausted épuisé
exhibition exposition *f.*
exist exister
existence existence *f.*
existentialist existentialiste *m.*
exotic exotique
expanse étendue *f.*
expansion expansion *f.*, développement *m.*
expect s'attendre à
expense dépense *f.*, frais *m. pl.*, prix *m.*
expensive cher(-ère), coûteux(-se)
experience expérience *f.*
experienced expérimenté
expert expert *m.*; *adj.* expert
explain expliquer
explanation explication *f.*; **make** ~**s** fournir des explications
explore aller à la découverte de, explorer
express: ~ **train** rapide *m.*, express *m.*; *v.* ~ **(oneself)** (s')exprimer
extend s'allonger, s'étendre
extensive étendu, important
extensively largement, extensivement, très
extent étendue *f.*, montant *m.*; **in** ~ en étendue; **to such an** ~ à un tel point; **to which** ~ ? jusqu'à quel point?
extra supplémentaire, en plus
extraordinary extraordinaire
extravagant dépensier, prodigue
extremely extrêmement
eye œil *m.* (*pl.* yeux); **to keep an** ~ **on** surveiller, avoir l'œil sur

fabulous légendaire
facade façade *f.*

face visage *m.*, figure *f.*; **make (many) ∼s** faire (force) grimaces; *v.* faire face à
facing (*arch.*) parement *m.*
fact fait *m.*; **in ∼** en effet, en vérité
factory usine *f.*, fabrique *f.*
fail manquer (de), faire défaut (à)
fair beau, bel, belle
fairly assez; **∼ early** d'assez bonne heure
fall automne *f.*, fin *f.* de l'année; chute *f.*; *v.* tomber; **∼ in line** se mettre en queue
familiar familier(-ère), bien connu; **be ∼ with** être familiarisé avec, se familiariser avec
family famille *f.*; *adj.* de famille
famous célèbre, connu, renommé, fameux, illustre; **world-∼** célèbre (réputé) dans le monde entier
far loin; **∼ above** loin au-dessus; **∼ removed** éloigné (de); **as ∼ as** jusqu'à, aussi loin que; **as ∼ as . . . is concerned** pour ce qui est de . . .; **as ∼ as we could see** à perte de vue; **by ∼** de beaucoup; **how ∼** quelle distance; **so ∼** jusqu'ici; **∼ (= very)** beaucoup, bien, fort
farm ferme *f.*; **∼ equipment** matériel *m.* agricole; **∼house** maison *f.* de ferme; **∼ land** terres *f. pl.* cultivées
farmer fermier *m.*; **∼'s wife** fermière *f.*
farther plus loin, davantage
fascinated séduit, charmé, enchanté
fascinating séduisant, charmant, très intéressant, passionnant
fashion mode *f.*
fast vite
fat graisse *f.*, corps *m.* gras, matière *f.* grasse
fatigue fatigue *f.*
fatigued (by) fatigué (de)
fatiguing fatigant
favor favoriser
favorable: be ∼ to se prêter à
favorite favori *m.*, favorite *f.*
feat exploit *m.*, prouesse *f.*
feast fête *f.*, régal *m.*
feature trait *m.*
feed donner à manger à
feeble faible, timide
feel sentir, éprouver, avoir l'impression; **∼ like** avoir envie de (+ *inf.*); **∼ the same way** être entièrement d'accord; **be felt** se faire sentir
feeling sentiment *m.* impression *f.*; **mingled ∼s** sentiments contradictoires
fellow type *m.*, monsieur *m.*
fellowship bourse *f.*
festival fête *f.*, festival *m.*
festivity fête *f.*, festivité *f.*, réjouissance *f.*
few peu de; **a ∼** quelques, quelques uns; **a ∼ of them** quelques uns d'entre eux
fewer moins (de)
fiancé(-e) fiancé *m.* (fiancèe *f.*)
field champ *m.*; **∼** (*of study*) domaine *m.*
fighting lutte *f.*, combat *m.*
figure personnage *m.*, chiffre *m.*; **sculptured ∼** sculpture *f.*
fill remplir; *noun* **have one's ∼** en avoir assez
finally enfin, à la fin
find trouver, constater; **∼ one's way** trouver son chemin; **∼ oneself** se trouver; **∼ out** découvrir, constater, savoir, apprendre

fine amende *f.*; *adj.* fin, pur, raffiné, beau, excellent; *adv.* bien! à la bonne heure! **very ∼** excellent; **it is ∼ weather** il fait (très) beau; **do ∼** réussir

fine-looking beau, bel, belle

finish (by) finir (par), terminer (par)

fir sapin *m.*

fire feu *m.*; **∼ department** sapeurs-pompiers *m. pl.*

fireman pompier *m.*

fireplace cheminée *f.*

first *adj.* premier(-ière); **∼-class tickets** billets *m. pl.* de première classe; *adv.* d'abord, pour la première fois; **∼ of all** tout d'abord

fish poisson *m.*; **∼ chowder** bouillabaisse *f.*, soupe *f.* aux poissons; *v.* **∼ (for perch)** taquiner (la perche)

fit convenable; **be ∼ to** être bon à

fitting approprié, à propos

fix attacher, fixer, situer; **be ∼ed** être installé

flag drapeau *m.*

flame flamme *f.*

flank flanc *m.*

flannels vêtements *m. pl.* de flanelle *f.*

flattering flatteur(-se)

flavor goût *m.*

flexible élastique

floor parquet *m.*, plancher *m.*, étage *m.*; **on the first ∼** au rez-de-chaussée

flourish fleurir, prospérer

flourishing florissant, prospère

flow (into) se jeter (dans)

flower fleur *f.*

flowering en fleurs

flush (*a radiator*) détartrer

fly a flag (*naut.*) battre pavillon

follow suivre; **∼ the course of** emprunter; **∼ each other** se succéder

following *adj.* suivant; *prep.* à la suite de

fondue fondue *f.*

food nourriture *f.*, vivres *m. pl.*; **good ∼** bien-manger *m.*, bonne table; **what ∼!** quel repas!; **∼ card** carte *f.* d'alimentation

foot pied *m.*

for pour, car, pendant; **as ∼** quant à; **∼ a profit** avec profit; **∼ sale** à vendre, en vente

force forcer

foreign étranger(-ère); **∼ country** pays *m.* étranger; **∼ countries** l'étranger *m.*, **for ∼ countries** pour l'étranger; **∼-study program** projet *m.* d'études à l'étranger

foreigner étranger *m.*, étrangère *f.*

forest forêt *f.*; *adj.* forestier(-ère)

forget oublier; **∼ the test** ne pense plus à l'examen, ne t'en fais pas pour l'examen

fork fourchette *f.*

form forme *f.*; **in the ∼ of** sous la forme de

formality formalité *f.*

former *adj.* ancien(-ne) (*used before the noun*); **of ∼ days** d'autrefois, de jadis; *pron.* celui-là, celle-là, ceux-là, celles-là

formerly jadis, de jadis, autrefois

fortification fortification *f.*

fortify fortifier

fortress forteresse *f.*

fortunate heureux(-se); **be ∼** avoir de la chance

fortunately heureusement

fortune fortune *f.*; **be one's good ∼ to** avoir la chance de

found fonder

fountain fontaine *f.*
fragrance parfum *m.*
framed encadré
franc franc *m.*
France France *f.*
Francis I François Ier
free libre, exempt
freeze geler; ~ **hard** geler à pierre fendre
freezing *adj.* glacé, glacial
French *adj.* français; ~ **gardens** jardins *m. pl.* à la française; ~-**speaking** de langue française
Frenchman Français
Frenchwoman Française
frequently fréquemment, souvent
fresco fresque *f.*
fresh frais (fraîche)
freshly made fraîchement fait
freshman *adj.* de première année
friend ami *m.*; **become ~s again with** se réconcilier avec; **make ~s** se faire des amis
friendliness amitié *f.*
friendly amical, accueillant
frog grenouille *f.*; **~'s legs** cuisses *f. pl.* de grenouille
from de, depuis, à partir de; ~ . . . **to** depuis . . . jusqu'à
front devant *m.*; **in ~ of** en face de
frontier frontière *f.*; ~ **of religion** frontière religieuse
frosty day jour *m.* glacial
frozen gelé
frugal frugal
fruit fruit *m.*
fry frire; **French-fried potatoes** (pommes *f. pl.*) frites
fuel combustible *m.*
full entier(-ère), plein; ~-**course dinner** grand dîner *m.*
fully complètement, entièrement
fun: be ~ être passionnant
function fonction *f.*; *v.* marcher
fundamental principe *m.*; *adj.* essentiel
funny drôle, amusant; **what a ~** quel drôle de; **look ~** sembler bizarre
furiously furieusement
furnished meublé
furnishings ameublement *m. sing.*
furniture meubles *m. pl.*, ameublement *m.*, mobilier *m.*
further nouveau, supplémentaire, additionnel
fur-trimmed doublé de fourrure

gaiety gaieté *f.*
gal (*slang*) fille *f.*
gallery galerie *f.*
gallon quatre litres *m. pl.* (*approx.*)
gallows gibet *m.*, potence *f.*
game match *m.*, jeu *m.*; ~ **of bridge** partie *f.* de bridge; ~ **of skill** jeu d'adresse
gaming room salle *f.* de jeu
gang groupe *m.*, troupe *f.*, bande *f.*
gangplank passerelle *f.*
garden jardin *m.*; ~ **spot** jardin *m.*
gargoyle gargouille *f.*
garret mansarde *f.*
gas essence *f.*
gate portillon *m.*, porte *f.*
gateway porte *f.*
gather se réunir
gathering réunion *f.*
gay gai
gaze at contempler
gem bijou *m.*
general général *m.*; *adj.* général; ~ **education** culture *f.* générale; **in ~** en général
generally généralement
generation génération *f.*
generosity générosité *f.*

generous généreux(-se)
Geneva Genève *f.*
Genevan genevois
gentle doux(-ce)
gentleman monsieur *m.*
geometrical géométrique
Georgia Georgie *f.*
German Allemand *m.*; **~-Swiss** Suisse-Allemand *m.*; **~ (language)** allemand *m.*; **~-speaking** de langue allemande; *adj.* allemand
Germanic germanique
gesture geste *m.*
get obtenir, procurer, aller chercher, avoir, aller prendre, trouver, saisir, comprendre (*slang*); **~ across** traverser; **~ along** se débrouiller, se tirer d'affaire; **~ away** se sauver; **~ away from** se débarrasser de; **~ back** rentrer, être de retour, revenir; **~ back in place** remettre en place; **~ back to** regagner; **~ one's bearings** s'orienter; **~ concerned** commencer à s'inquiéter; **~ dark** faire noir; **~ down to earth** descendre des nues, retomber des nues; **~ enough of** manger assez de; **~ gas** faire le plein d'essence; **~ going** se lancer; **~ here** arriver; **~ home** rentrer chez soi; **~ an idea** se faire une idée; **~ in** rentrer; **~ in an argument** avoir une discussion; **~ in a course** ajouter à son programme d'études; **~ into** entrer dans, (*a car*) monter dans; **~ killed** se faire tuer; **~ to know** apprendre, connaître, arriver à apprendre; **~ late** se faire tard; **~ off** descendre; **~ off the boat** débarquer; **~ on** monter; **~ something out** sortir qqch. (*with auxiliary* avoir); **~ out of** sortir de, descendre de; **~ outside of** aller au delà de; **~ permission** obtenir la permission; **~ rid of** se débarrasser de; **~ started again** se remettre en route; **~ (go) through** passer; **~ through with** en finir avec; **~ a ticket** prendre un billet; **~ to** arriver à; **~ under way** se mettre en route; **~ up** se lever; **~ up speed** prendre de la vitesse; **~ used to** se faire à, s'habituer à; **~ a view** avoir un aperçu
G.I. soldat *m.* américain
gift cadeau *m.*, don *m.*
girl fille *f.*, jeune fille *f.*
give donner, offrir; **~ a course** faire un cours; **~ the creeps** donner la chair de poule; **~ a lecture** faire une conférence; **give proof (of)** faire preuve (de); **~ up** renoncer à; **~ way to** céder la place à
glad heureux(-se), content; **be ~ to** être bien aise de, être heureux de; **~ to help you** à votre service
glance jeter un coup d'œil
glass verre *m.*
glassed-in vitré
glide past us nous doubler en glissant
glimpse coup *m.* d'œil, vision *f.* momentanée; **catch (get) a ~ of** entrevoir
gnarled noueux(-se)
go aller, partir; **~ along** accompagner, suivre, longer, rouler; **~ about** se prendre à; **~ around** faire le tour de; **~ back** rentrer, retourner; **~ to bed** (aller) se coucher; **~ boating** faire du

canotage; ~ **down** descendre; ~ **home** rentrer chez soi; ~ **in** entrer (dans); ~ **on** continuer; ~ **out** sortir; ~ **sailing** faire de la voile; ~ **through** passer par; ~ **to** se rendre à; ~ **toward** se diriger vers; ~ **up** monter; ~ **walking** aller se promener; ~ **with** accompagner; **that goes for the boys here** il en va de même pour les types qui sont ici
goal but *m.*, destination *f.*
Gobelins Gobelins *m. pl.*
good bon(-ne), (*of a ticket*) valable
good-by au revoir; **say ~ to** prendre congé de
good-natured bénin, pas méchant
goodness: for ~' sake pour l'amour de Dieu
good night bonsoir
goods étoffe *f.*
gooseflesh chair *f.* de poule
gossip commérages *m. pl.*, cancans *m. pl.*
Gothard Saint-Gothard *m.*
gothic gothique
government gouvernement *m.*
governmental gouvernemental
graceful gracieux(-se), élégant
grade (*slope*) côte *f.*, pente *f.*
gradually peu à peu
Graduate Institute of International Studies Institut *m.* universitaire de hautes études internationales
grammar grammaire *f.*
granary grenier *m.*
grand grand
grandiose grandiose
granite-paved pavé en granit
grant accorder
granted: take for ~ aller sans dire
grasp saisir
grass herbe *f.*
gratitude gratitude *f.*, reconnaissance *f.*
grave tombe *f.*
graze paître
great grand; **a ~ deal** beaucoup
greatly beaucoup, très
Greek Grec *m.*, Grecque *f.*; *adj.* grec (grecque)
green vert, verdoyant
greet accueillir
grey gris
greyhound lévrier *m.*
grill (*slang*) cuisiner
grilled grillé
grim sinistre, menaçant
grip saisir, prendre
grocer épicier *m.*
grocery store épicerie *f.*
grotesque grotesque
ground: cover a lot of ~ parcourir un champ très vaste, abattre de la besogne; **~s** terrain *m.*, terres *f. pl.*, parc *m.*; **play~** terrain de jeu
group groupe *m.*; **~ meeting** réunion *f.* du groupe; **~ ticket** billet *m.* collectif
grow pousser
grownup adulte *m.*, grande personne
grudge: hold a ~ against en vouloir à
gruesome horrible, macabre
guardrail garde-corps *m. inv.*, garde-fou *m.*
guess deviner, croire; **I ~ so** sans doute
guest invité(-e) *m.* (*f.*); **~ of honor** invité(-e) d'honneur; **luncheon ~** invité(-e) à déjeuner
guidance conseils *m. pl.*, direction *f.*
guide guide *m.*; **~book** guide *m.*; **~ mark** point *m.* de repère

guillotine guillotine *f.*
guttural tones gutturales *f. pl.*

habit coutume *f.*
habitation habitation *f.*
half moitié *f.*; ~ **the time** la moitié du temps; *adj. or adv.* à demi, à moitié; ~**-awake** à moitié éveillé; ~ **hour** demi-heure *f.*; ~ **price** à moitié prix; ~**-sunken** à moitié coulé; ~**way** à moitié chemin; ~**way across** à mi-chemin
hall salle *f.*, hall *m.*; **Hall of Mirrors** galerie *f.* des Glaces
halting hésitant
ham jambon *m.*
hand (*at bridge*) jeu *m.*; **on one** ~ ... **on the other** ~ d'une part ... d'autre part; *v.* ~ **over** remettre, donner, céder
handicapped handicapé
handle oneself contrôler ses mouvements *m. pl.*
handshaking poignées *f. pl.* de main
hang pendre, être suspendu
hanging draperie *f.*
happen arriver, se passer
happily heureusement
happiness bonheur *m.*
happy heureux(-se), content
harassed harrassé
harbor port *m.*, rade *f.*, embarcadère *m.* (*of a lake*); **outer** ~ avant-port
hard dur, difficile; **work** ~ travailler ferme
hardened to rompu à
hardly à peine, pas tout à fait; ~ **any** très peu (de), guère (de)
hardship difficulté *f.*
harness harnais *m.*
harsh rude
harvest moisson *f.*
hate haïr, ne pas aimer, détester
have avoir; (*food*) prendre; ~ **just** venir de (*with infinitive*); ~ **left** rester à; ~ **to** devoir, être obligé de, être forcé de, avoir à, falloir; ~ **to be** devoir être; ~ **to go** avoir à aller
head tête *f.*
headquarters siège *m.*, siège *m.* social, centre *m.*; **military** ~ quartier *m.* général
health santé *f.*
hear entendre; ~ **about** entendre parler de; ~ **said** entendre dire; ~ **spoken** entendre parler; ~ **that** entendre dire que
heart cœur *m.*; **in the** ~ **of** au cœur de
heartily de bon cœur
heat chauffer
heating chauffage *m.*
heavy lourd, chargé
hedge haie *f.*
height hauteur *f.*, élévation *f.*
help aide *f.*; *v.* aider, donner un coup de main à; **doesn't** ~ **much** n'arrange pas les choses; **it** ~**s to be** ça vaut la peine d'être; **I cannot** ~ je ne peux (puis) m'empêcher (de)
helpful utile
hem! heu!
here ici; ~ **we are** nous voici, nous y voilà; ~ **come** voici; ~ **is,** ~ **are** voici; **over** ~ ici
hereafter à l'avenir
hero héros *m.*
hesitation hésitation *f.*
hew tailler
hey! dites donc (dis donc)!
hi! salut!

hide cacher, dissimuler
high haut, élevé; *adv.* de hauteur, de haut; ~ **above** bien au-dessus; ~ **school** lycée *m.*
highly très, hautement; ~ **educated** très cultivé
highway route *f.*; **on the** ~ **back** au chemin de retour
hill colline *f.*
hillside pente *f.*
himself lui-même
hinder gêner, empêcher
historic historique
history histoire *f.*
hit frapper
hockey hockey *m.*; **ice** ~ hockey sur glace
hold tenir; ~ **off** retenir, contenir; ~ **one's own** se défendre, se maintenir; **be held** (*take place*) avoir lieu; ~ **up** (*delay*) retarder
holiday (jour de) fête *f.*
home maison *f.*; ~ **port** port *m.* d'attache; **from** ~ de chez nous; **from your** ~ de chez vous; **to be** ~ être chez soi, être à la maison
homesickness mal *m.* du pays, cafard *m.*, nostalgie *f.*
homogeneous homogène
honor honneur *m.*; **in** ~ **of** à l'honneur de
hope espoir *m.*; **in the** ~ **of** dans l'espoir de; *v.* espérer
horizon horizon *m.*; **on the** ~ à l'horizon
horror: to our ~ avec horreur *f.*
hors-d'oeuvre hors d'œuvre *m. pl.*
horseman cavalier *m.*
hospice hospice *m.*
hospitably avec hospitalité
hospitality hospitalité *f.*
host hôte *m.*
hostess hôtesse *f.*
hostilities hostilités *f. pl.*, état *m.* de guerre
hot chaud
hotel hôtel *m.*
hour heure *f.*; **at all** ~**s** à toute heure
house maison *f.*; **at Mme. D.'s** ~ chez Mme D.; *v.* abriter
household maison *f.*, ménage *m.*
housewife ménagère *f.*
housing accommodation logement *m.*, habitation *f.*
how comme, combien, comment (*interrogative*); ~ **long** pendant combien de temps; ~ **many** combien (de); ~ **much** combien (de); ~**'s that** comment ça se fait-il
however cependant, pourtant
huge énorme
human humain
hundred cent; ~**s** (des) centaines
hung with tendu de
Hungarian Hongrois *m.*
hungry: be ~ avoir faim; **make one** ~ donner de l'appétit à qqun.
hurry se dépêcher (de); **be hurried** être pressé; **be in a** ~ être pressé; **be in no** ~ ne pas être pressé
husband mari *m.*
hut cabane *f.*
hydro-electric hydroélectrique
hymn cantique *m.*

ice cream glace *f.*
idea idée *f.*; **get an** ~ se faire une ideé; **I had no** ~ **that** je n'avais pas idée que
ideal idéal
identical identique
idiom idiotisme *m.*, langue *f.*
illustrate représenter, faire voir
imagine imaginer, s'imaginer, concevoir

immediately immédiatement, tout de suite
immense immense
imperfection imperfection *f.*, défectuosité *f.*
import importation *f.*
impose (on) imposer (à)
impress frapper, faire impression sur, impressionner
impression impression *f.*
impressive impressionnant; **be very ~** faire beaucoup d'effet
imprison emprisonner
improve améliorer; **~ on being viewed** gagner à être vu; **~ one's French** se perfectionner en français
improvement amélioration *f.*
incident incident *m.*
include comprendre, inclure
including y compris
incredible incroyable
indeed en vérité, en effet
indefinitely indéfiniment
indicate indiquer, témoigner
indication indice *m.*
individual *adj.* particulier(-ère), individuel(-le)
individually individuellement
indoors à l'intérieur
industrial industriel(-le)
infinite infini
inflict infliger
influence influence *f.*
inform: be ~ed être renseigné
informal sans façon
information renseignements *m. pl.*
ingenious ingénieux(-se)
ingeniously ingénieusement
inhabitant habitant *m.*
initiative initiative *f.*
inland à l'intérieur
inn auberge *f.*
innumerable innombrable
inside à l'intérieur
insignia insignes *m. pl.*
insist on tenir à
inspection inspection *f.*; **(customs)** visite *f.* (de douane)
install installer
installations: port ~ installations *f. pl.* portuaires
instead of au lieu de
institute institut *m.*
instruction enseignement *m.*, instruction *f.*, indication *f.*
instructor professeur *m.*
intact intact
intellectual *adj.* intellectuel(-le)
intend (to) avoir l'intention (de); **~ed (for)** à l'intention (de)
intense intense
intensive intensif(-ve)
intent absorbé
interest intérêt *m.*; *v.* intéresser; **be ~ed in** s'intéresser à
interior intérieur *m.*
international international
interrupt interrompre
interval intervalle *f.*, temps *m.*
interview entretien *m.*, entrevue *f.*, interview *m.*
intimately intimement
introduce présenter, introduire
introductory: ~ course cours *m.* élémentaire; **~ work** travail *m.* préparatoire
invader envahisseur *m.*
invariably invariablement
invitation invitation *f.*
invite inviter (à)
Iowa Iowa *m.*
Iowans gens *m. pl.* de l'Iowa
iron fer *m.*
island île *f.*
issue émettre

it ça (*fam.*)
Italian Italien(-ne) *m.* (*f.*); *adj.* italien(-ne); ~**-speaking** de langue italienne; ~**-style** à l'italienne
Italy Italie *f.*
item (*of a museum*) objet *m.*
itinerary itinéraire *m.*
itself même

jaded blasé
Japanese japonais
Jean Jeanne *f.*
job travail *m.*, occupation *f.*
join rejoindre, retrouver
joke plaisanterie *f.*; *v.* plaisanter
journey voyage *m.*; **make the ~ back** faire le chemin de retour
joy joie *f.*
jump sauter, faire un saut
June juin *m.*; **in ~** au mois de juin
junior élève *m. or f.* de troisième année; (*slang*) mon petit
just juste, uniquement, seulement, justement, exactement, rien que; ~ **as** au moment où; ~ **like** tout comme; ~ **look at** on n'a qu'à regarder; ~ **right** juste comme il faut; ~ **up** tout en haut de, en remontant; ~ **in time** juste à l'heure; **have ~** venir de; ~ **before** immédiatement avant

keep garder, entretenir; ~ **an engagement** aller à un rendez-vous; ~ **an eye on** surveiller; ~ **from** s'empêcher de; ~ **going** maintenir, soutenir; ~ **informed** rester au courant; ~ **up to date (with)** se tenir au courant (de), tenir à jour; **in ~ing with** conforme à; **well-kept** bien entretenu
keg tonneau *m.*
kid gosse *m. or f.*, gamin *m.*, gamine *f.*
kill tuer; **get ~ed** se faire tuer
kilometer kilomètre *m.*
kind sorte *f.*, espèce *f.*; **in ~** en nature; *adj.* gentil(-le); **be ~ enough to** avoir la gentillesse de
king roi *m.*
kiss baiser *m.*
knitted tricoté
know (*a fact*) savoir, (*be acquainted with*) connaître; ~ **about** connaître; ~ **one's way around** savoir s'orienter; **let ~** faire savoir; **not ~ which way to turn** ne plus savoir où donner de la tête
knowledge savoir *m.*; (*acquaintance with*) connaissance *f.*

lack manquer
lake lac *m.*
land terre *f.*, pays *m.*; **Holy ~** Terre Sainte
landmark point *m.* de repère
landscape paysage *m.*
lane allée *f.*
language langue *f.*; *adj.* linguistique
languish languir
lantern lanterne *f.*; **colored ~** lanterne vénitienne; **Japanese ~** lanterne vénitienne
lap genoux *m. pl.*
large grand, gros(-se)
largely en grande partie
Larousse Larousse *m.*
last *adj.* dernier(-ère); **at ~** enfin; *v.* durer; ~ **me** me suffire
late tard
later: ~ **in the year** plus tard dans l'année; *adj.* postérieur; ~ **additions** d'autres additions *f. pl.*; **of ~ date** d'une époque postérieure

lateral latéral
latest news dernières nouvelles
Latin Quarter quartier *m.* latin
latter celui-ci, celle-ci, ceux-ci, celles-ci
laugh: burst out ∾ing éclater de rire
launch canot *m.* (à moteur)
lavishly somptueusement
layman profane *m.*
lead conduire, emmener, mener
leading important, en tête, principal(-aux)
League of Nations Société *f.* des Nations
learn apprendre
least moins; **at ∾** au (du) moins
leather cuir *m.*; **∾-bound** relié de cuir
leave (*in months*) congé *m.*; (*in days*) permission *f.*; **be on ∾** être en congé; **take ∾ of** prendre congé de; *v.* laisser, partir (de), sortir (de), quitter; **∾ behind** laisser, quitter, abandonner; **∾ to be desired** laisser à désirer; **be left** (*remain*) rester
lecture conférence *f.*; *v.* faire une (des) conférence(s)
left gauche *f.*; **to (on) the ∾** à gauche; **the first ∾** le premier tournant à gauche; *adj.* gauche; **on the ∾ side** de la main gauche
legal légal(e)
legend légende *f.*
leisure loisir *m.*; **at one's ∾** à loisir; **at greater ∾** plus à loisir
leisurely mesuré, modéré; **in a more ∾ fashion** plus à loisir
less moins
lesson leçon *f.*
let laisser, permettre; **∾ someone down** (*slang*) décevoir quelqu'un
letter lettre *f.*
level niveau *m.*
liberation libération *f.*
library bibliothèque *f.*
life vie *f.*; **in my ∾** de ma vie; **take one's ∾ in one's hands** risquer la vie (la mort); **the rest of my ∾** le reste de mes jours
light lumière *f.*; **traffic ∾s** feux *m. pl.* de circulation; *v.* **be ∾ed up** être illuminé, être éclairé; *adj.* léger(-ère), (*of color*) clair
like aimer
like comme; **be ∾ this** être comme ça, ressembler à cela; **∾ that** comme celui-là
likely probable
liking goût *m.*; **to their ∾** à leur gré *m.*
limestone pierre *f.* de taille
limit limite *f.*; *v.* limiter
line ligne *f.*, rangée *f.*, file *f.*; **in the ∾ of** en matière de, comme; **language ∾** frontière *f.* linguistique; **fall in ∾** se mettre en queue; **stand in ∾** faire la queue; **direct ∾** ligne directe; *v.* border
linger s'attarder à
list *v.* dresser une liste de, indiquer
listen écouter
"lit" course cours *m.* de littérature
literally littéralement
literary littéraire
literature littérature *f.*
litre litre *m.*
little petit; *adv.* peu (de); **∾ by ∾** peu à peu; **a ∾ over** un peu plus de; *n.* peu de chose
Little Women *Les Quatre Filles du Docteur March*
live vivre, survivre, demeurer, habiter; **∾ through** faire l'expérience de

lively vif (vive), animé
living room salon *m.*
lobby foyer *m.*, couloir *m.*, vestibule *f.*
local local, régional
locality localité *f.*
locate situer; **be ~d** être situé; **be ~d at** se trouver à
location situation *f.*
lodge chalet *m.*
lofty élevé
London Londres *f.*
long long(-ue) (de); **~ time** longtemps; **for a ~ time** depuis longtemps; **for so ~** pendant si longtemps; **all summer ~** pendant tout l'été; **be ~ in** tarder à; **it was not ~ before** en peu de temps; **no ~er** ne . . . plus
look regard *m.*; *v.* **~ (at)** regarder; **~ about** jeter un coup d'œil à; **~ across** regarder au-delà de; **~ after** surveiller, veiller à; (*appear*) paraître, avoir l'air; **it ~s to me** il me semble; **~ around** flâner, jeter un coup d'œil; **~ backward** jeter un regard en arrière; **~ for** chercher; **~ forward to** attendre avec plaisir, attendre avec impatience, attendre d'avoir le plaisir de; **~ Italian** avoir l'air italien; **~ like** ressembler à; **~ out on** donner sur; **~ up** (*in a book*) chercher; **it ~s as though** il me semble que, on dirait que
looking: prosperous-~ à l'air prospère
loom up se dresser
lore science *f.*, savoir *m.*
lose perdre; **~ control** ne plus maîtriser; **~ one's mind** devenir fou, perdre la tête
loss perte *f.*
lot: a ~ beaucoup (de); **~s of** beaucoup de; **what a ~ of** que de
loud haut, fort, élevé
lounge foyer *m.*
Louvre Louvre *m.*
love aimer
lovely beau, charmant, ravissant
lover amateur *m.*
low bas(-se)
luck chance *f.*
lucky heureux(-se); **~ that** quelle chance que; **be ~** avoir de la chance
lunch déjeuner *m.*; **at ~** au déjeuner; **have ~** déjeuner
luncheon déjeuner *m.*
luxurious de luxe, luxueux(-se)
luxury item objet *m.* de luxe, article *m.* de luxe
Lyons Lyon *m.*

macabre macabre
machine tool machine-outil *f.*
magazine magazine *m.*, revue *f.*
magnificence magnificence *f.*
magnificent magnifique
maid bonne *f.*, servante *f.*
main principal(-aux)
maintain entretenir
major spécialité *f.*; *v.* se spécialiser (en)
majority majorité *f.*, le plus grand nombre
make faire, constituer, rendre; **~ friends** se faire des amis; **~ a grand slam** faire (le) grand schlem; **not ~ head or tail of it** s'y perdre, n'y comprendre rien; **~ one's way** faire son chemin, poursuivre son chemin; **~ one's way through a crowd** se frayer (s'ouvrir) un chemin à travers

une foule; ~ **out** distinguer; ~ **payment** payer; ~ **progress** faire des progrès; ~ **someone do something** faire faire quelque chose à quelqu'un; ~ **little difference** importer peu; **it** ~**s little difference if** peu importe que (+ *subj.*); ~ **arrangements** prendre des dispositions, s'arranger; ~ **sore** (*slang*) froisser, contrarier; ~ **sure** s'assurer; ~ **oneself understood** se faire comprendre; ~ **up for** ratrapper, compenser; ~ **us wish** nous donner l'envie de; **made up of** composé de; **(we) made it** on y a réussi, on y est arrivé

makeshift expédient *m.*; *adj.* ~ **shelter** abri *m.* de fortune, installation *f.* de fortune

manage réussir à, parvenir à, arriver à, venir à bout de

manager gérant *m.*

manipulate manier

manner manière *f.*, façon *f.*; **in this** ~ de cette manière

many beaucoup (de), nombreux; **as** ~ **as** autant que; **how** ~ combien; ~ **of us** beaucoup d'entre nous; ~ **times** beaucoup de fois, bien des fois; **so** ~ tant; **to be** ~ être nombreux; **too** ~ trop

map carte *f.*; (*of a city*) plan *m.*

marble marbre *m.*

March mars *m.*

mariner marin *m.*, matelot *m.*

maritime maritime

mark marque *f.*, empreinte *f.*, traces *f. pl.*; **leave its** ~ laisser ses traces; *v.* marquer, indiquer

market marché *m.*; **black** ~ marché noir; **open-air** ~ marché en plein vent

Marne Marne *f.*

marriage mariage *m.*

marshal maréchal *m.*

martial martial

marvel at s'émerveiller de, s'étonner de

Mary: St. ~ **of the Angels** Sainte-Marie-des-Anges

mask masque *m.*; **The Man in the Iron Mask** l'homme au masque de fer

masonry maçonnerie *f.*, maçonnage *m.*

mass masse *f.*, amas *m.*, tas *m.*; (*relig.*) messe *f.*; **the** ~**es** les masses *f. pl.*

massive massif(-ve)

masterpiece chef-d'œuvre *m.*

match (*game*) match *m.*; *v.* égaler

matchless sans pareil, incomparable

matter: what's the ~ **with her?** qu'est-ce qu'elle a?

maturity (*Swiss academic degree*): **take one's** ~ passer sa maturité

may pouvoir

maybe peut-être (que)

mayor maire *m.*

meal repas *m.*; ~**time** heure *f.* des repas

mean pas chic; ~ **trick** mauvais tour *m.*

mean vouloir dire, signifier; **does this** ~ **that** est-ce à dire que

means moyen *m. sing.*; **by** ~ **of** par le moyen de; **by no** ~ en aucune façon, aucunement

meantime: in the ~ en attendant, pendant ce temps

meat viande *f.*

Medical School faculté *f.* de Médecine

medieval médiéval, moyenâgeux(-se)

meditate se recueillir
Mediterranean Méditerranée *f.*
meet rencontrer, se réunir, faire la connaissance de
meeting réunion *f.*
melt fondre
member membre *m.*
memorable mémorable
memorial *adj.* commémoratif(-ve)
memorize apprendre par cœur
mention mentionner, parler de; **make ~ of** mentionner; **not to ~** pour ne pas parler de
menu menu *m.*, carte *f.*
merchant *m. or adj.* marchand
mere simple, pur
merry-go-round chevaux *m. pl.* de bois
mess désordre *m.*
metal *adj.* métallique, de métal
meter mètre *m.*
method méthode *f.*
methodical méthodique
metropolis métropole *f.*
metropolitan métropolitain
mid-afternoon: in ~ au milieu de l'après-midi
middle *adj.* du milieu; **~-sized** moyen(-ne)
midnight minuit *m.*
midst: in the ~ of en plein, au milieu de
might *cond. tense of* pouvoir
mighty vaste, grandiose
mild doux(-ce), modéré
mile mille *m.*
military militaire *m.*
milk lait *m.*
million million *m.*
mimosa mimosa *m.*
mind esprit *m.*; *v.* **I don't ~** cela ne me fait rien (de), cela m'est égal (de)
mineral water eau *f.* minérale
mingled with mêlé à
minimum minimum *m.*
ministry ministère *m.*
minor *adj.* peu grave, minime
minute minute *f.*, moment *m.*; **the ~ when** le moment où
miracle miracle *m.*
miraculous miraculeux(-se)
miraculously miraculeusement
miscellaneous varié, mêlé, mélangé
miserable misérable, sordide
misery misère *f.*
mishap mésaventure *f.*, contretemps *m.*, accident *m.*
miss manquer (de); **you can't ~** on ne saurait manquer
misstatement exposé *m.* inexact, rapport *m.* inexact
mist brume *f.*
mistake faute *f.*, erreur *f.*; **no ~ about it** pas d'erreur
mistletoe gui *m.*
mixed with mélangé à
mixture mélange *m.*; **boiling ~** mélange bouillant
model modèle *m.* en réduction; *adj.*: **~ boat** bateau *m.* en miniature
modern moderne
modernization modernisation *f.*
modest modéré, modeste
moment moment *m.*
momentous important, capital
monastery monastère *m.*
Monday lundi *m.*
money argent *m.*; **in ~** en espèces *f. pl.*; **have plenty of ~** avoir la bourse bien garnie
monk moine *m.*
month mois *m.*
monthly mensuel(-le), par mois
monument monument *m.*

morbid morbide
more plus (de), davantage, de plus; **all the ~ because** d'autant plus que; **~ and ~** de plus en plus; **the ~ . . . the ~** plus . . . plus; **one ~** encore un; **once ~** encore une fois; **some ~** d'autres, encore de; **one hour ~** une heure de plus
morning matin *m.*, matinée *f.*; **all ~** toute la matinée; **the next ~** le lendemain matin; **a ~** par matin; *adj.* matinal
mosaic mosaïque *f.*, ouvrage *m.* en mosaïque
most (le) plus, la plupart; très; **~ of us** la plupart d'entre nous
motor aller en auto
motor launch canot *m.* à moteur
motorist automobiliste *m.*
molding moulure *f.*
mountain montagne *f.*; **~ house** chalet *m.* de montagne; **~ side** flanc *m.* de la montagne; *adj.* montagnard
mourning deuil *m.*
mouth bouche *f.*; **make one's ~ water** mettre l'eau à la bouche de quelqu'un
move marcher, aller, se déplacer, rouler, envoyer, transporter; **~ about** se déplacer, se remuer; **~ out** s'en aller, s'éloigner; **~ away from** s'éloigner de
movement mouvement *m.*
movie: ~ house cinéma *m.*; **~ star** étoile *f.* du cinéma; **~s** cinéma *m. sing.*
moving émouvant
much beaucoup (de); **as ~ as possible** le plus possible; **I can't say ~** je ne puis dire grand'chose; **as ~ as** autant que; **how ~?** combien?; **so ~** tant, autant; **very ~** beaucoup
municipal municipal
muse on méditer sur
museum musée *m.*
mushroom champignon *m.*; **with ~s** aux champignons
music musique *f.*; **~ box** boîte *f.* à musique; **~ hall** music-hall *m.*
musical-comedy town ville *f.* d'opérette
must falloir, devoir; **~ have been** a dû être
muted en sourdine, sourd; **~ strains** accords *m. pl.* en sourdine
myself moi-même

nap petit somme *m.*; **take a ~** faire un petit somme
narrow étroit; **~-gauge** à voie étroite
nation nation *f.*, pays *m.*
nationality nationalité *f.*
native indigène *m.*, habitant *m.*
natural naturel(-le)
nature genre *m.*, type *m.*, ordre *m.*, nature *f.*
nave nef *f.*
near *adv.* près; *prep.* près de; *adj.* proche
nearby voisin, avoisinant; *adv.* tout près
neat coquet(-te), propre, bien tenu
necessary nécessaire
necessities produits nécessaires *m. pl.*
need besoin *m.*; **in ~** nécessiteux(-se), qui a besoin *f.*; *v.* avoir besoin de
neglect négliger
negotiate (*slang*) **a curve** prendre un virage, prendre un tournant
neighbor voisin *m.*

neighboring voisin, avoisinant
neither aucun(-e); ~ . . . **nor** ni . . . ni
nerve (*slang*) toupet *m.*
nervously nerveusement
never jamais, ne . . . jamais
nevertheless néanmoins
new nouveau(-elle), neuf(-ve); **what's** ~ qu'y a-t-il de nouveau
New England la Nouvelle-Angleterre
news: the latest ~ les dernières nouvelles
newspaper journal(-aux) *m.*; **local** ~ feuille *f.* de chou locale (*slang*)
newsreel *f.* actualité *f.*
next prochain; **(the)** ~ **day** le lendemain; **(the)** ~ **morning** le lendemain matin
nice gentil(-le)
night nuit *f.*; **at** ~ la nuit, le soir; **last** ~ hier soir; ~**fall** tombée *f.* du jour; ~ **club** boîte *f.* de nuit
no pas de
nobody personne *m.*
nondescript hétéroclite, indéfinissable
none aucun(-e); ~ **of** pas de; ~ **of us** aucun d'entre nous
non-skier celui qui ne pratique pas le ski
noon midi *m.*; **at** ~ à midi; **on the stroke of** ~ à midi tapant
no one personne *m.*
nor ni
normal normal
normally normalement
north nord *m.*; ~ **of** au nord de; *adj.* du nord
northern du nord, nord
note note *f.*; *v.* remarquer
noted fameux(-se), connu, célèbre
nothing much pas grand'chose
notice annonce *f.*; *v.* remarquer, apercevoir
nourishing nourrissant
novel roman *m.*
novice débutant *m.*
now maintenant; ~ **and then** de temps à autre; ~**adays**. maintenant, de nos jours; **from** ~ **on** à partir de maintenant
nowhere nulle part
number nombre *m.*, numéro *m.*; **a** ~ **of** plusieurs; **a** ~ **of us** plusieurs d'entre nous
numerous nombreux(-se)

obelisk obélisque *m.*
object of criticism objet *m.* des critiques
objective but *m.*
obliged: be ~ **to** devoir, être obligé de
observation observation *f.*
observe observer, regarder, examiner, se conformer à
obtain obtenir
obtainable délivrable, disponible
occasion occasion *f.*, cause *f.*; **on this** ~ à cette occasion; **on unusual** ~**s** exceptionnellement
occupation occupation *f.*
occupy occuper
occur avoir lieu, se passer; ~ **to someone** venir à l'esprit de quelqu'un
o'clock heure *f.*
odd (*after a numeral*) et quelques
odor odeur *f.*
offer offre *f.*; *v.* offrir, présenter
offering (*theat.*) présentation *f.*; **course** ~ choix *m.* de cours
offhand impromptu, improvisé
office bureau *m.*
officer officier *m.*
official officiel(-le)

officially officiellement
offshore au large
O.K. très bien! parfait! bon! d'accord!
old vieux, vieil, vieille; **~ City** Vieille Ville; **~-fashioned** démodé, à l'ancienne mode; **. . . years ~** âgé de . . . ans, vieux de . . . ans; **the ~ man** (*slang for* father) le vieux (*vulg.*); **~ man** vieillard *m.*
older people les gens d'un certain âge
omelet omelette *f.*
omit omettre, supprimer, laisser de côté
on sur, par; **~ time** à l'heure
once une fois; **at ~** tout de suite, immédiatement; **for ~** pour une fois; **~ again** une fois de plus; **~ more** une fois de plus, encore une fois
one un; **the (this) ~** celui; **~ third** un tiers
onlooker assistant *m.*
only *adj.* seul; *adv.* seulement, ne . . . que
open ouvrir; *adj.* ouvert; **in the ~ air** en plein air
opening (*of a university*) rentrée *f.*
opera opéra *m.*
operate faire marcher
operation opération *f.*, affaire *f.*
operator: telephone ~ standardiste *f.*, demoiselle *f.* du téléphone; **black-market ~** trafiquant *m.* du marché noir
opinion opinion *f.*; **give one's ~** porter un jugement; **in my ~** à mon avis
opportunity occasion *f.*
opposite en face de; **~ side** autre côté
opposition opposition *f.*
orange tree oranger *m.*
orchestra orchestre *m.*
order ordre *m.*; *conj.* **in ~ to** en vue de, afin de, pour; *v.* ordonner, régler; (*food*) commander
ordinarily d'ordinaire, ordinairement
organization organisation *f.*
organize organiser
original original(-e), originel(-le), primitif(-ive)
ornamented (with) orné (de)
ornate orné
otherwise autrement
ought devoir
our notre; **~s** le nôtre
out (of) hors de; **(one) ~ of every (two)** (un) sur (deux); **~ of date** démodé
outburst of temper moment *m.* d'humeur
outdo oneself se surpasser
outdoor en plein air, extérieur
outfit équipement *m.*
outlast durer plus longtemps que
outline profil *m.*, silhouette *f.*; *v.* exposer (les lignes générales de), esquisser
outside extérieur *m.*, dehors *m.*; **on the ~** à l'extérieur; *adj.* extérieur
outskirts: on the ~ of à la lisière de, aux environs de
outstanding extraordinaire, prééminent, principal(-aux)
over sur, par-dessus, pendant (*time*); (*more than*) plus de; (*ended*) fini, terminé; **~ here** ici; **~ there** là-bas; **all ~ again** de nouveau
overcrowded bondé
overgrown with couvert de, envahi par
overhanging en surplomb, surplombant

overhear surprendre
overlook dominer, surplomber
overshadowed écrasé
overtake rattraper, (*a car*) doubler
overwhelmed accablé, ébloui
owe devoir; ~ **it to oneself to** se devoir de
own propre; **of my** ~ de ma propre initiative; **be on one's** ~ **on this** faire ceci de son propre chef (de sa propre initiative)
owner propriétaire *m.*

pace allure *f.*; **at any** ~ quelle que soit notre allure; **at a leisurely** ~ à une allure modérée; **at a rapid** ~ à vive allure
pack (*fill*) bourrer; ~ **one's trunk** faire sa malle; **be packed with** être bondé de
package paquet *m.*
painter peintre *m.*
painting peinture *f.*
pair paire *f.*
palace palais *m.*; **pleasure** ~ château *m.* d'agrément
palm palmier *m.*
panorama panorama *m.*
pants pantalon *m. sing.*
Papacy Papauté *f.*
paper *n.* papier *m.*, thème *m.*, devoir *m.*; **seminar** ~ exposé *m.* (de travaux pratiques); *adj.* de papier
parapet parapet *m.*
pardon pardonner, excuser
parent parent *m.*
Parisian Parisien(-ne) *m.* (*f.*); *adj.* parisien(-ne)
park parc *m.*, jardin *m.*
Parsenn Run Parsenn *m.*
part partie *f.*, région *f.*, rôle *m.*; **a large** ~ **of** une grande partie de; **back** ~ derrière *m.*; **be** ~ **of** faire partie de
participate (in) participer (à), collaborer (à)
particular particulier(-ère), spécial; **in** ~ en particulier, entre autres
particularly particulièrement, spécialement
party fête *f.*, groupe *m.*; **evening** ~ soirée *f.*
pass: mountain ~ col *m.*; *v.* passer, (*overtake*) doubler; ~ **in front of** passer devant; **as we** ~ **by** au passage; ~ **beyond** aller plus loin que; ~ **on** communiquer; ~ **through** traverser
passage morceau *m.*, texte *m.*
pass card sauf-conduit *m.*, laissez-passer *m.*
past passé *m.*; *adj.* dernier(-ère), passé; *prep.* au delà de
pastry pâtisserie *f.*, gâteau *m.*
pathetic pathétique, émouvant, touchant
patience patience *f.*
patron client *m.*; ~ **saint** patron(-ne) *m.* (*f*).
patronize accorder sa clientèle à
pattern modèle *m.*
pause arrêt *m.*, repos *m.*; **a few minutes'** ~ un arrêt de quelques minutes; *v.* s'arrêter
paved pavé, goudronné
pavilion pavillon *m.*
pay payer; ~ **attention to** faire attention à
payment paiement *m.*
peak pic *m.*, sommet *m.*, cime *f.*
pedal pédaler
pedestrian piéton *m.*
people gens *m. pl.*, habitants *m. pl.*, monde *m.*, on

per par
per cent pour cent
percentage pourcentage *m.*
perfect parfait
perform accomplir, faire; **∼ a marriage** célébrer un mariage
performance exploit *m.*; (*theat.*) représentation *f.*; **repeat the ∼** renouveler l'exploit
perfume parfum *m.*
period période *f.*, époque *f.*; **forty-five-minute class ∼** classe *f.* de quarante-cinq minutes
permission permission *f.*
permit permettre (à)
perpendicularly à pic
person personne *f.*
personally personnellement, quant à moi
philosopher philosophe *m.*
philosophy philosophie *f.*
phone téléphoner
phonetics phonétique *f. sing.*
photo photo *f.*, photographie *f.*
photograph photographie *f.*; *v.* prendre une photographie
pick: ∼ out trouver, remarquer; **∼ over** trier; **∼ up** (*slang*) procurer
picture image *f.*, tableau *m.*, gravure *f.*
picture book livre *m.* d'images
picturesque pittoresque
piece morceau *m.*, part *f.*, pièce *f.*, tranche *f.*; **∼ of goods** pièce d'étoffe
pier quai *m.*
pile entasser
pill pilule *f.*
pillar pilier *m.*
pilot pilote *m.*; **harbor ∼** pilote du port; *v.* conduire, emmener
pine pin *m.*
pity pitié *f.*, apitoiement *m.*; **what a ∼!** quel dommage!
place place *f.*, endroit *m.*, lieu *m.*; **our ∼** (*fam.*) chez nous; **∼ of business** maison *f.* de commerce; **∼ of interest** curiosité *f.*; (*at table*) place *f.*; (*at theater*) place *f.*; **take the ∼ of** remplacer; *v.* placer, déposer
placement test examen *m.* d'orientation (de classification)
plain plaine *f.*
plan plan *m.*, disposition *f.*, projet *m.*; **make ∼s** faire des projets; *v.* organiser, arranger, projeter (de), concevoir, compter sur, créer
plane avion *m.*
plant plante *f.*
plaque plaque *f.*
plate assiette *f.*
platform plate-forme *f.*, terrasse *f.*, estrade *f.*; (*of a station*) quai *m.*, trottoir *m.*
play jeu *m.*, (*theat.*) pièce *f.*; *v.* jouer; (*game*) jouer à; (*musical instrument*) jouer de; **∼ a part** jouer un rôle; **∼ baccarat** jouer au baccara *m.*; **∼ bridge** jouer au bridge *m.*; **∼ cards** faire une partie de cartes
player joueur(-se) *m.* (*f.*)
playground terrain *m.* de jeu
pleasant agréable; **be ∼ (weather)** faire beau
please plaire à, faire plaisir à; (*imperative*) prière de; **if you ∼** s'il vous plaît; **be pleased** être content
pleasure plaisir *m.*; **take ∼ in** avoir plaisir à; **∼-loving** friand de plaisir; **∼ resort** séjour *m.* d'agrément; **∼ seeker** personne qui cherche à s'amuser

plenty abondance *f.*; ~ **of** beaucoup de
plumpness embonpoint *m.*
poetry poésie *f.*
poilu poilu *m.*
point pointe *f.*, détail *m.*, point *m.*, endroit *m.*; **at the ~ where** à l'endroit où; **anchor ~** (*fortif.*) point d'appui; ~ **of the compass** point cardinal; ~ **of interest** curiosité *f.*; ~ **of view** point de vue, opinion; ~ **of vantage** point de vue; *v.* indiquer du doigt; ~ **out** signaler
polish polir, frotter
political politique; ~ **science** sciences politiques *f. pl.*
politics politique *f. sing.*
pond étang *m.*
poorly pauvrement
Pope pape *m.*
poplar peuplier *m.*; **~-lined** bordé de peupliers
popular populaire, goûté; ~ **song** chanson *f.* en vogue
population population *f.*
porch porche *m.*, portique *m.*
pork porc *m.*
port port *m.*
portal portail *m.*
porter porteur *m.*, facteur *m.*; **luggage ~** porteur de bagages
portrait portrait *m.*; **small-sized ~** portrait en petit, portrait en miniature
position position *f.*, situation *f.*
positively décidément, absolument
possible possible; **it is ~ that** il se peut que; **make it ~** permettre (de)
post card carte postale *f.*; **picture ~** carte postale illustrée
posted: be ~ être au courant
postman facteur *m.*
postmaster receveur *m.* des postes
post office bureau *m.* de poste
postage stamp timbre-poste *m.*
postpone remettre
post-war d'après-guerre
poultry volaille *f.*
pound livre *f.*
poverty-stricken miséreux(-se), indigent
power énergie *f.*, force *f.*
practical pratique
practically à peu près, presque
practice pratique *f.* entraînement *m.*, exercice *m.*; *v.* pratiquer, répéter, s'exercer
precedent précédent *m.*
precious précieux(-se)
predecessor prédécesseur *m.*
pre-fabricated préfabriqué
prefer préférer, aimer mieux
preferable: be ~ valoir mieux
preferred: be ~ by avoir les faveurs de
prehistoric préhistorique
premium: insurance ~ prime *f.* d'assurance
preparation préparation *f.*
prepare (for) préparer, se préparer (à)
prescribe (*med.*) ordonner
presence: in the ~ of devant
present présent *m.*, cadeau *m.*; *adj.* présent, actuel(-le); **~-day** d'aujourd'hui, actuel(-le); **at the ~ time** en ce moment, actuellement; **be ~ at** assister à; **those ~** l'assistance *f.*; *v.* présenter
presentation présentation
preserve conserver, préserver
preside (at) présider
press presse *f.*, les journaux *m. pl.*

pressure: there is very little ~ on the student to on n'insiste guère que l'étudiant
presumably probablement
pretty joli, assez
prevent empêcher
pre-war d'avant-guerre
price prix *m.*; **half-~** à moitié prix; *v.* s'informer du prix de, demander le prix de
primitive grossier(-ère), rudimentaire
principal directeur *m.* (*school, primary school*); proviseur *m.* (*lycée*); *adj.* principal(-aux)
principality principauté *f.*
principally principalement, surtout
principle principe *m.*
print estampe *f.*; *v.* imprimer
prison prison *f.*
prisoners' base jeu *m.* de barres
private privé, particulier(-ère)
privation privation *f.*
privilege privilège *m.*
probably probablement
problem problème *m.*
proceed continuer, se diriger, aller, se rendre
process apprêter
prodigious prodigieux(-se)
producer producteur *m.*
product produit *m.*
"prof" *cf.* **professor**
professional professionnel(-le)
professions: the ~ les carrières *f. pl.* libérales
professor professeur *m.*; **college ~** professeur d'université
profile profil *m.*
profit bénéfice *m.*
program programme *m.*, emploi *m.* du temps; **course ~** programme d'études
progress progrès *m. pl.*, avancement *m.*, marche *f.*; **to make ~** faire des progrès
promenade promenade *f.*; **~ deck** pont-promenade *m.*
promise promettre (de)
promptly promptement
pronounce prononcer
pronounced marqué
proper convenable, proprement dit; **the town ~** la ville proprement dite
property propriété *f.*
proportion proportion *f.*; **in ~ as** au fur et à mesure que
proprietor propriétaire *m.*, gérant *m.*
prose-writer prosateur *m.*
prospect client *m.* possible; idée *f.*, espoir *m.*, perspective *f.*
prosperity prospérité *f.*
prosperous prospère, florissant; **~ look** air *m.* de prospérité
proud fier(-ère), orgueilleux(-se)
prove prouver, établir la vérité de; **~ to be** se montrer
Provence Provence *f.*
provided that pourvu que
provision provision *f.*
public public(-que)
publicity publicité *f.*
published: be ~ paraître
pudding pudding *m.*
pull in (*of a train*) entrer en gare; **~ us out of** nous sortir (tirer) de, nous retirer de
punch coup *m.* de poing
punctuate ponctuer
punishment punition *f.*
purpose but *m.*; **for this ~** à cet effet, dans ce but
put mettre, placer, poser; **~ in safe keeping** mettre à l'abri; **~ on**

(*clothing*) mettre; ~ **on sale** mettre en vente; ~ **up** installer, (*at a hotel*) descendre (à); ~ **up with** se contenter de, supporter

quaint étrange, bizarre
quality qualité *f.*
quarter quartier *m.*; **living** ~**s** partie *f.* habitée
quartered: be ~ être logé, être cantonné
quay quai *m.*
question question *f.*; **be a** ~ **of** être question de, s'agir de
quickly rapidement, vite
quiet tranquillité *f.*; *adj.* tranquille, silencieux(-se); *adv.* silence! attention!
quite tout à fait, assez, très; ~ **a** un véritable, tout un
quits: call it ~ y renoncer

race race *f.*
racial de race, racial
racket raquette *f.*; **tennis** ~ raquette de tennis
radiator radiateur *m.*
radio radio *f.*
ragged en haillons
rags: in ~ en haillons
raid raid *m.*
rail: by ~ par chemin de fer
railroad chemin de fer *m.*; ~ **station** gare *f.* de chemin de fer
rainy pluvieux(-se)
rake râteau *m.*
rambling allongé
ramp rampe *f.*
rampart rempart *m.*
range: mountain ~ chaîne *f.* de montagnes
rank after venir après
rapidly rapidement
rare wood bois *m.* précieux
rate tarif *m.*
rather assez, un peu, plutôt; ~ **than** plutôt que; **you would** ~ vous aimeriez mieux
ration ration *f.*
rationed rationné
rationing rationnement *m.*
ravage ravage *m.*; *v.* ravager, dévaster
reach atteindre, arriver à
read lire
reader livre *m.* de lecture
ready prêt; ~ **for rest** prêt à se reposer
real vrai, véritable, réel(-le)
realize se rendre compte de, s'apercevoir de; ~ **that** se rendre compte que
really vraiment, véritablement, réellement
rear arrière *m.*; ~ **door** porte *f.* arrière; **in the** ~ à l'arrière
reason raison *f.*
reasonable raisonnable, modéré; ~ **price** prix *m.* abordable
reassert réaffirmer
rebuild reconstruire
recall rappeler
receive recevoir
recently récemment
recess vacances *f. pl.*
recitation récitation *f.*
recognize (by) reconnaître (à)
reconstruction reconstruction *f.*
recourse recours *m.*
recover se remettre, se redresser
reduce réduire
reduction réduction *f.*
re-establish rétablir
refer to mentionner
refine raffiner
refinement raffinement *m.*

reflect réfléchir
reflection (*verbal*) commentaire *m.*, observation *f.*
refreshments rafraîchissements *m. pl.*
regain recouvrer, regagner, reprendre
regard: in ∾ to en ce qui concerne
region région *f.*; **farming ∾** région agricole
regret regret *m.*; *v.* regretter
regretfully à regret
regular régulier(-ère), ordinaire
regularly régulièrement
regulation règlement *m.*
rehearsal répétition *f.*
reign règne *m.*
Reims Reims
relate raconter
relation: in ∾ to par rapport à; **international ∾s** (*acad.*) études *f. pl.* internationales, questions *f. pl.* internationales
relative *adj.* relatif(-ve)
relatively relativement
relax se détendre, se reposer
relaxation repos *m.*, délassement *m.*
relaxing reposant
relic souvenir *m.*, relique *f.* (*ecclesiastical*)
relief soulagement *m.*; **be something of a ∾** être un certain soulagement; **high ∾** haut-relief *m.*
relieve soulager
religious religieux(-se)
reluctantly à contre-cœur
remain rester; **∾ to be seen** rester à voir
remarkable remarquable
remarkably remarquablement
remember se souvenir de, se rappeler
remind (someone of something) rappeler (qqch. à qqun.)
remove enlever, ôter; **∾d from** éloigné de
Renaissance Renaissance *f.*
renege (*slang*) laisser tomber
rent louer
reopen rouvrir
repair réparer; **have ∾ed** faire réparer
repairs réparations *f. pl.*
repeat répéter; **∾ the performance of** faire comme
repetitious fastidieux(-se)
replace remplacer, remettre en place
replacement pièce *f.* de rechange
replica reproduction *f.*, copie *f.*
report rapport *m.*, nouvelle *f.*, exposé *m.*; **hear the ∾ that** entendre dire que; *v.* faire un compte-rendu
reporter journaliste *m.*
represent représenter
representative représentant *m.*, délégué *m.*
reputation réputation *f.*, renommée *f.*
request demande *f.*
require exiger; **be ∾d to** être obligé de, devoir
required *adj.* exigé, de rigueur, obligatoire
rescue sauvetage *m.*
research recherche *f.*
resemble ressembler à; **∾ somewhat** faire figure de
reservations: make ∾ retenir des places, des chambres, etc.
reserve réserver, retenir; **∾d for** (*something*) réservé à; **∾d for** (*somebody*) loué pour

residence maison *f.*, demeure *f.*, résidence *f.*
resident habitant *m.*
residential résidentiel(-le)
resigned résigné, soumis
resolve se résoudre (à)
resort: ~ **area** centre *m.* de villégiature; ~ **city** centre de vacances; **mountain** ~ station *f.* d'altitude; **winter** ~ station d'hiver; **pleasure** ~ séjour *m.* d'agrément
resounding sonore, retentissant
resource ressource *f.*
respect respect *m.*; **in several** ~**s** à plusieurs égards
respectful respectueux(-se)
respite répit *m.*
resplendent (with) resplendissant (de)
responsible (for) responsable (de)
rest repos *m.*; **at** ~ au repos; **to get** ~ se reposer; (*remainder*) reste *m.*; **the** ~ **of us** nous autres; **the** ~ **of you** vous autres
restaurant restaurant *m.*; ~ **owner** restaurateur *m.*
restoration restauration *f.*
restore restaurer, remettre
restrained sévère, simple
restriction restriction *f.*
result résultat *m.*; **as the** ~ **of** par suite de; *v.* résulter
resume recommencer
return rentrée *f.*, retour *m.*; **in** ~ **for** contre; *v.* rentrer, revenir, retourner
revelation révélation *f.*
review révue *f.*, révision *f.*; *v.* repasser, revoir
revive ressusciter, faire revivre
revival (*cinema*) reprise *f.*
revolution révolution *f.*
Rhone Rhône *m.*
rice riz *m.*
rich riche
ride trajet *m.*, promenade *f.*, montée *f.*; ~ **back** voyage *m.* de retour; *v.* voyager, aller; ~ **in a taxi** aller en taxi; ~ **through** rouler à travers
right droit *m.*, droite *f.*; **to the** ~ à droite; **on our** ~ à notre droite; *adj.* droit, exact, correct, juste; **on the** ~ **hand, on the** ~ **-hand side** à droite; **be** ~ avoir raison; ~**!** d'accord!; **all** ~ d'accord, c'est exact, c'est vrai; *adv.* directement; ~ **after** tout de suite après; ~ **away** tout de suite
rise: ~ **of ground** éminence *f.*, élévation *f.*; **give** ~ **to** faire naître; *v.* se lever, se dresser, monter, s'élever
ritualistic rituel(-le)
river fleuve *m.*; **small** ~ rivière *f.*
Riviera Côte *f.* d'Azur
road route *f.*, chemin *m.*
roadside *adj.* situé au bord de la route
roadway chaussée *f.*
roast rôti *m.*
rock rocher *m.*
roll petit pain *m.*; *v.* rouler
rolling onduleux(-se), ondulant, accidenté
Roman Romain *m.*, Romaine *f.*; *adj.* romain
romanesque roman
roof toit *m.*; **plumed** ~ (*arch.*) toit en aigrette
room pièce *f.*, chambre *f.*, salle *f.*, **class**~ salle de classe; **conference** ~ salle de conférence; **game** ~ salle de jeu; **waiting** ~ salle d'attente

route route *f.*
routine routine *f.*
row rangée *f.*
rowing: go ~ faire une partie de canot
royal royal
rubble décombres *m. pl.*
rugged hérissé
ruin ruine *f.*
ruined en ruines; **half-**~ à moitié en ruines
rule règle *f.*
run courir; (*operate*) marcher, faire marcher; ~ **off** se sauver
run-down *adj.* misérable
rural rural
rush ruée *f.*, bousculade *f.*, affluence *f.*, presse *f.*; *v.* ~ **out** sortir en trombe; ~ **down** se précipiter
Russia Russie *f.*

sad triste; ~**-faced** au visage triste
safely sans accident
sail for prendre le bateau pour
sailboat bateau *m.* à voiles; **go out in a** ~ faire une promenade en bateau à voiles, faire de la voile
sailing départ *m.* en bateau; **go** ~ faire une promenade en bateau
sailor matelot *m.*, marin *m.*
sake: for goodness' ~ pour l'amour de Dieu
salad salade *f.*
sale vente *f.*; **on** ~ en vente *f.*
Salève Salève *m.*
salon salon *m.*
sandwich sandwich *m.* (*pl.* sandwichs)
satisfaction satisfaction *f.*
satisfactory satisfaisant, acceptable
satisfied: be ~ **(with, to)** être content (de), se contenter (de)
satisfy satisfaire à
Saturday samedi *m.*
sauce sauce *f.*; **wine** ~ sauce au vin
save sauver, épargner, économiser, réserver; ~ **expense,** ~ **money** faire des économies
Savoy Savoie *f.*
say dire; ~**!** dis donc! (dites donc!); ~ **much** dire grand'chose (*used only in negative*); **you can** ~ **that again!** tu l'as dit!
scale escalader, grimper
scar défigurer
scarce peu abondant
scarcely à peine
scattered éparpillé
scene scène *f.*, lieu *m.*; **present a** ~ offrir un spectacle
scent odeur *f.*, parfum *m.*
schedule horaire *m.*, programme *m.*, emploi *m.* du temps; *v.* arrêter
scholar savant *m.*, professeur *m.*
school école *f.*; **high** ~ école secondaire; **grade** ~ école primaire; **summer** ~ cours *m. pl.* de vacances; ~ **children** écoliers *m. pl.*; ~**girl** écolière *f.*, élève *f.*; ~**room** salle *f.* de classe; **School of Political Science** École des sciences politiques; *adj.* scolaire; ~ **year** année *f.* scolaire
scientist savant *m.*, homme de science
score: a ~ **of** une vingtaine de
scrape racler
screen (*cinema*) écran *m.*
scrubbing nettoyage *m.*, lavage *m.*
sculptor sculpteur *m.*
sculpture sculpture *f.*
sculptured *adj.* sculpté
sea mer *f.*; **at** ~ en mer; ~ **food** coquillages *m. pl.*; ~ **level** niveau *m.* de la mer

seaport port *m.* de mer, port maritime
search chercher
searches (*archeol.*) fouilles *f. pl.*
seasickness mal *m.* de mer
season saison *f.*
seat place *f.*, siège *m.*; **front** ~ siège avant
seated assis
second second, deuxième
secretary secrétaire *m.*; ~ **general** secrétaire-général *m.*
section section *f.*, région *f.*, partie *f.*, (*of a city*) quartier *m.*; **business** ~ quartier commerçant; (*of a class*) classe *f.*; (*of a road*) partie *f.*
secure se procurer
see voir, visiter; ~ **about** s'occuper de; ~ **again** revoir
seem sembler, avoir l'air (de), paraître, ressembler; **it ~s (that)** il (me) semble que
Seine Seine *f.*
select choisir
sell vendre
semester semestre *m.*
seminar reports travaux dirigés *m. pl.*
send envoyer; ~ **for** envoyer chercher
sense sentir
sentence phrase *f.*
sentimental sentimental
September septembre *m.*
sergeant sergent *m.*
series série *f.*
serious sérieux(-se)
seriously sérieusement, gravement, blague à part
servant domestique *m. or f.*
serve servir; ~ **as** servir de
service service *m.*
serving wagon chariot *m.*
session: be in ~ siéger
set: ~ **about** se prendre à; ~ **forth** mettre en évidence; ~ **out** se mettre en route; ~ **up** installer, monter
set of books édition *f.* des œuvres complètes
setting mise *f.* en scène, cadre *m.*
settle s'établir, décider; ~ **down** se mettre
seventeenth-century *adj.* du dix-septième siècle
seventy soixante-dix
several plusieurs; ~ **more days** plusieurs journées de plus
severe sévère
severity sévérité *f.*
shake secouer, agiter; ~ **hands (with)** se serrer la main, donner une poignée de main (à), échanger des poignées de main
shame: it's a ~ c'est dommage
shape forme *f.*; **with strange ~s** aux formes bizarres
sharp brusque, aiguisé; ~ **contrast** contraste *m.* marqué
sharply brusquement, nettement
shed hangar *m.*; **train** ~ dépôt *m.*
sheer pur, à pic, escarpé
sheet feuille *f.*; ~ **iron** tôle *f.*; ~ **of instructions** feuille de renseignements
shell coquille *f.*; ~ (*of a building*) extérieur *m.*; **speaking** ~ abat-son *m.*
shellfish coquillages *m. pl.*
shelter abri *m.*
shine (*slang*) faire des prouesses
ship navire *m.*, bateau *m.*; **merchant** ~ cargo *m.*; *v.* expédier, exporter
shipping navigation *f.*, navires *f. pl.*, marine *f.*

shipwrecked naufragé
shock choc *m.*, spectacle *m.* choquant
shocked choqué, étonné, scandalisé
shocking frappant, choquant
shoe soulier *m.*, chaussure *f.*; **wooden** ~ sabot *m.*
shoot down (*mil.*) abattre
shop boutique *f.*, magasin *m.*, atelier *m.*
shore bord *m.*, rive *f.*, rivage *m.*; *adj.* côtier, de la côte
short court; **within a** ~ **time** dans très peu de temps
shortage disette *f.*, pénurie *f.*
shortly after peu de temps après
"**shot**" (*slang*) photo *f.*
show montrer, indiquer; ~ **a film** présenter un film
shower with accabler de
showing: make a good ~ bien réussir
shut fermer, se fermer
side côté *m.*; **from one** ~ **to another** d'un côté à l'autre; **on all** ~**s** de toute part; **on both** ~**s** de part et d'autre, des deux côtés; **on the other** ~ de l'autre côté; **on the right** ~ du côté droit; ~**-rail** garde-fou *m.*; ~**-wheeler** bateau *m.* à roues; *adj.* latéral, de côté
sidewalk trottoir *m.*; ~ **café** terrasse de café, terrasse *f.*
sight vue *f.*; ~**s** monuments *m. pl.*, curiosités *f. pl.*
sight-seeing tourisme *m.*; **go** ~ visiter les curiosités
sign affiche *f.*, écriteau *m.*, avis *m.*, enseigne *f.*, plaque *f.*; **warning** ~ écriteau *m.* d'avertissement; signal *m.* de route; **road** ~ poteau *m.* indicateur; ~**post** poteau indicateur; *v.* signer
signing signature *f.*
silence silence *m.*
silhouette silhouette *f.*
silk soie *f.*
similar semblable
similarity ressemblance *f.*
simple simple
since comme, puisque; (*of time*) depuis, depuis que; **ever** ~ depuis ce temps-là
sing chanter
singing chants *m. pl.*
single seul
singly séparément
sink couler
sip siroter, déguster, boire à petits coups
sister sœur *f.*; (*slang*) ma vieille *f.*
sit s'asseoir, être assis; ~ **down** s'asseoir; ~ **down at the table** se mettre à table; **to be sitting** être assis
situated situé
situation situation *f.*
sixty soixante
sizable assez grand, considérable
size taille *f.*, pointure *f.*, grandeur *f.*, importance *f.*; **small-**~**d** petit, de petite taille, en petit; **of any** ~ de n'importe quelle taille
ski ski *m.*; ~ **instruction** leçon *f.* de ski; ~**-lift** monte-pente *m.*, ski-lift *m.*; ~ **pants** pantalon *m.* de ski; ~ **suit** costume *m.* de ski; *v.* faire du ski
skier skieur(-se) *m.* (*f.*)
skiing ski *m.*
skill adresse *f.*
sky ciel *m.*
skyscraper gratte-ciel *m.*
slam (*bridge*) schlem *m.*; **grand** ~ grand schlem
Slavic slave

sled traîneau *m.*
sleep sommeil *m.*; *v.* ∾ **late** faire la grasse matinée
sleepy: be ∾ avoir sommeil
sleigh traîneau *m.*; **horse-drawn** ∾ traîneau
slender mince
slight léger(-ère)
slippery glissant
slope pente *f.*; **practice** ∾ pente d'essai, pente d'apprentissage
sloping en pente, incliné; **steeply** ∾ à pic
slow lent; *v.* ∾ **down** ralentir
slowly lentement
small petit; ∾**-town** (*adj.*) de petite ville
smart élégant, beau, chic; **be** ∾ être habile, être adroit, être malin
smell odeur *f.*, arôme *m.*
smiling souriant
smoky enfumé, fumeux(-se)
smooth: be ∾**-running** avoir la marche très douce
snack: take a ∾ goûter, déjeuner sur le pouce
snail escargot *m.*
snapshot photo *f.*
snow neige *f.*; ∾**bank** banc *m.* de neige; ∾**-covered** couvert de neige; ∾ **train** train *m.* de ski
so si, tellement, donc; ∾ **as to** de manière à; ∾ **much (many)** tant (de); ∾ **that** pour que, de sorte que; **if that is** ∾ si c'est vrai; **and** ∾ **on** et cætera; **I think** ∾ je le pense
soap savon *m.*; **toilet** ∾ savon de toilette
social group société *f.*
sofa sofa *m.*
softly doucement
sold: be ∾ **on** (*slang*) être entiché de, être fou de
soldier soldat *m.*
sole seul, unique
solely uniquement, seulement
solemn solennel(-le)
solemnly solennellement
solid solide, entier(-ère)
solve résoudre
some *adj.* quelque, certain, de; *pron.* ∾ **more** encore quelques uns, d'autres; ∾**one** quelqu'un; ∾ **of us** quelques uns d'entre nous; *adv.* ∾ **twenty miles** une vingtaine de milles
somehow quelque peu
something quelque chose; ∾ **(new)** quelque chose de (nouveau); ∾ **of a** une sorte de
sometimes quelquefois, parfois
somewhat un peu, assez, quelque peu
somewhere quelque part
song chanson *f.*, chant *m.*
soon bientôt, tôt; **as** ∾ **as** dès que, aussitôt que; **as** ∾ **as possible** le plus tôt possible; **too** ∾ trop tôt; **very** ∾ bientôt; ∾**er** plus tôt
sophomore étudiant(e) *m.* (*f.*) de deuxième année; ∾ **year** deuxième année *f.*
Sorbonne Sorbonne *f.*
sorority cercle *m.* d'étudiantes
sorry: be ∾ **for** regretter
sort sorte *f.*, espèce *f.*
sound son *m.*
soup potage *m.*, soupe *f.*
source source *f.*
south sud *m.*; **to the** ∾ **(of)** au sud (de)
South America l'Amérique *f.* du Sud
southeasterly du sud-est

southern méridional, du sud
southwest sud-ouest *m.*
souvenir souvenir *m.*
spa ville *f.* d'eau, spa *m.*
space place *f.*, espace *m.*
Spain Espagne *f.*
spare épargner, échapper; *adj.* ∼ **part** pièce *f.* détachée, pièce de rechange
sparkle éclat *m.*, vivacité *f.*
speak parler; ∼**ing of** à propos de
special spécial, particulier(-ère)
specially spécialement
specialty spécialité *f.*
spectator assistant *m.*
speech discours *m.*, harangue *f.*
speed vitesse *f.*, rapidité *f.*
spend (*time*) passer (à)
spill (*slang*) chute *f.*
spiral en spirale
spire flèche *f.*
spirit humeur *f.*, esprit *m.*, entrain *m.*
spite: in ∼ **of** malgré
splendor splendeur *f.*
sport jeu *m.*, sport *m.*; **winter** ∼**s** sports d'hiver
spot endroit *m.*
spotlight (feu *m.* de) projecteur *m.*
sprawling qui s'étale(nt) de tous côtés
spring printemps *m.*; **in the** ∼ au printemps; ∼**like** printanier(-ère)
square place *f.*; *adj.* carré
squeaky éraillé
stability stabilité *f.*, solidité *f.*
staccato (sound) son *m.* saccadé
stadium stade *m.*
staff personnel *m.*
staircase escalier *m.*; **double-spiral** ∼ escalier à double spirale; **horseshoe** ∼ escalier en fer à cheval
stairway escalier *m.*
stand baraque *f.*, stand *m.*, étalage *m.*; *v.* se tenir (debout), se dresser, se trouver; (*endure*) supporter, souffrir, sentir; ∼ **at attention** se tenir au garde-à-vous; ∼ **out against** se détacher sur; ∼ **at** se dresser à
standard niveau *m.*, moyenne *f.*; ∼ **of living** niveau de vie
staple aliment *m.* essentiel, denrée *f.* principale
star étoile *f.*
stare at regarder fixement, fixer des yeux
stark raide
start départ *m.*; *v.* commencer (à), se mettre à, mettre en mouvement; ∼ **down** commencer à descendre; ∼ **to work** se mettre au travail; ∼ **out** se mettre en route
startle étonner, surprendre
starvation famine *f.*, privation *f.*
starve affamer
state état *m.*; ∼ **visit** visite *f.* officielle; ∼ **of affairs** état de choses
"States": the ∼ (*fam.*) les États-Unis *m. pl.*
station gare *f.*, station *f.*; *v.* stationner, placer; **be** ∼**ed at** (*mil.*) être en garnison à
statue statue *f.*
status situation *f.*, position *f.*
stay séjour *m.*; *v.* rester, séjourner, (*at hotel*) descendre
steak bifteck *m.*; **grilled** ∼ châteaubriant *m.*
steamer vapeur *m.*, paquebot *m.*
steaming fumant

steamship line compagnie *f.* de navigation
steep escarpé, raide, à pic, en forte pente
steeple beffroi *m.*, clocher *m.*
step pas *m.*, marche *f.*; **be a few ~s away from** être à quelques pas de; **climb the ~s** monter l'escalier
stern arrière *m.*; **at the ~** à l'arrière
steward steward *m.*, garçon *m.* de cabine
stick around (*slang*) traîner
still encore, toujours
stimulate stimuler
stimulating vivifiant
stimulation stimulation *f.*
stirring émouvant, mouvementé, remuant
stock provision *f.*, stock *m.*; (*cattle*) bétail *m.*
stone pierre *f.*; *adj.* en pierre, de pierre
stop arrêt *m.*, escale *f.*; *v.* arrêter (de), s'arrêter (de), stopper, faire une halte, cesser (de); **~ off** faire un arrêt; (*at a hotel*) descendre
store magasin *m.*; *v.* emmagasiner, faire une réserve de
storekeeper marchand *m.*, commerçant *m.*
story histoire *f.*; (*of a house*) étage *m.*
stove poêle *m.*, fourneau *m.*
straight droit; **~ ahead** tout droit
strains (*of music*) accents *m. pl.*, accords *m. pl.*
strange étrange, bizarre
strawberry fraise *f.*
streaming qui jaillit, qui coule
street rue *f.*; **~ vendor** marchand *m.* ambulant, marchand des quatre saisons
stress souligner
strew (with) joncher (de)
strike grève *f.*; *v.* frapper
strip bande *f.*
stroll (through) errer (à travers), flâner (dans)
strong fort; **~ in history** fort en histoire
strongly fortement
structure édifice *m.*, construction *f.*, bâtiment *m.*
student étudiant(-e) *m.* (*f.*); **~ body** ensemble *m.* des étudiants; **graduate ~** étudiant avancé
study étude *f.*; *v.* étudier, faire des études; **~ law** faire son droit; **~ medicine** faire sa médecine
style manière *f.*, style *m.*; **in country ~** à la paysanne, à la campagnarde, de campagne; **in the French ~** à la française; **in the Italian ~** à l'italienne
subdivision (*of a university*) école *f.*, institut *m.*, faculté *f.*
subject to sujet à
subscription abonnement *m.*
substantial fort, substantiel(-le), copieux(-se)
suburbs environs *m. pl.*, banlieue *f.*, faubourgs *m. pl.*
subway Métro *m.*
succeed (in) réussir (à), arriver (à)
successful couronné de succès; **be ~** réussir
successor successeur *m.*
such tel(-le), pareil(-le), semblable; **~ a** un tel; **~ as** tel que, comme; **~ good seats** de si bonnes places
suddenly soudain, soudainement, brusquement, tout à coup, subitement
suffer souffrir

suffering souffrance *f.*
sufficient assez, suffisant
sugar sucre *m.*; ~ **beet** betterave *f.* à sucre
suggest suggérer, proposer
suitcase valise *f.*
sum somme *f.*
summary sommaire *m.*
summer été *m.*
summit sommet *m.*, cime *f.*
sumptuous somptueux(-se)
sun soleil *m.*; ~**-drenched** inondé par le soleil, baigné de soleil; ~ **oneself** prendre un bain de soleil, se mettre au soleil
Sunday dimanche *m.*; **on** ~**s** le dimanche
sunlight rayons *m. pl.* du soleil
superficial superficiel(-le)
supervise surveiller
supper souper *m.*
supplement supplément *m.*; *v.* supplémenter (de), compléter (par)
supplementary supplémentaire
supply approvisionnement *m.*, fourniture *f.*
support (*arch.*) soutenir
suppose supposer, croire; ~ **we go** si nous allions; ~**d to be** censé être; **to be** ~**d to study** être censé étudier
supposedly censément
sure sûr; **be** ~ **of** être sûr de; **make** ~ s'assurer
surface surface *f.*
surprise surprendre, étonner
surrounded (by) entouré (de)
surrounding environnant
surroundings environs *m. pl.*
survey contempler, promener ses regards sur; ~ **course** cours général *m.*

swallow (up) avaler, engloutir
swarm essaim *m.*
sway balancement *m.*
swear jurer
sweater chandail *m.*, sweater *m.*
Swede Suédois(-e) *m.* (*f.*)
sweeping view of vue *f.* circulaire de
sweet bonbon *m.*
swell guy (*slang*) chic type
swim nager
swimmer nageur(-se) *m.* (*f.*)
Swiss: the ~ **people** les Suisses *m. or f. pl.*; *adj.* suisse
Swiss-German *adj.* suisse-allemand
Switzerland Suisse *f.*; **French-speaking** ~ la Suisse romande
symbol symbole *m.*, emblème *m.*
symmetrical symétrique
symphony symphonie *f.*; **Geneva Symphony Orchestra** Orchestre *m.* de la Suisse romande
system système *m.*, organisation *f.*

table table *f.*; **turn**~ plaque *f.* tournante
tablet plaque *f.* commémorative
tactfully avec tact, délicatement
take prendre, porter, falloir; emporter (*of things*); mener, amener, emmener, conduire (*of persons and animals*); consommer (*of gasoline*); ~ **advantage of** profiter de; ~ **a few steps** faire quelques pas; ~ **a course** suivre un cours; ~ **a slope** descendre une pente; ~ **a tour** faire un tour; ~ **a walk** faire une promenade; ~ **across** faire traverser; ~ **in** (*slang*) voir; ~ **back** ramener; ~ **it easy** (*slang*) se la couler douce; ~ **part in** participer à; ~ **past** faire passer; ~ **place** se passer, avoir lieu; ~

time out (*slang*) prendre sur son temps, prendre du temps (pour); ~ **to lunch** inviter à déjeuner; ~ **up** (*of time, space*) prendre
talent talent *m.*
talk conversation *f.*; *v.* parler, causer
talkative: be ~ avoir la langue bien pendue, être bavard
tangled embrouillé
tapestry tapisserie *f.*
tart tarte *f.*; **strawberry** ~ tarte aux fraises; **fruit** ~ tarte aux fruits
taste goût *m.*, essai *m.*; *v.* goûter (de)
tax impôt *m.*
taxi taxi *m.*
tea thé *m.*
teach enseigner, apprendre
team équipe *f.*
tear oneself away from s'arracher à
teeming grouillant
telephone téléphone *m.*; ~ **exchange** central *m.* téléphonique
tell dire; (*a story*) raconter; ~ **about** parler de; **you're** ~**ing me** (*slang*) à qui le dites-vous
temper réprimer, retenir
temperature température *f.*
temple temple *m.*
temporary provisoire
tempt tenter
tendency tendance *f.*
tennis tennis *m.*
term semestre *m.*, trimestre *m.*
terminus terminus *m.*
terms: in American ~**s** pour parler américain
terrace terrasse *f.*
terribly terriblement
terrific terrible, épouvantable
territory territoire *m.*
Tessin Tessin *m.*
test épreuve *f.*, examen *m.*; **placement** ~ examen d'orientation, examen de classification
than que, de, que de
thank remercier; ~ **you** merci; ~**s to** grâce à
that que, ce, celui, celui-là, cela, ça, qui
that is c'est-à-dire
theatre théâtre *m.*
themselves eux-mêmes
then alors, puis, en ce moment-là, ensuite; (*therefore*) donc
theoretical théorique
there là, là-bas, y; ~ **is (are)** il y a, voilà; **over** ~ là-bas; **up** ~ là-haut
thesis thèse *f.*
thing chose *f.*, machin *m.* (*slang*); **a few** ~**s** quelques détails; **lots of** ~**s** des tas de choses (*fam.*)
think penser, croire; ~ **about** penser à; ~ **of** (*opinion*) penser de
third troisième *m. or f.*, tiers *m.*
thirty: ten-~ **(o'clock)** dix heures et demie
thirty-odd une trentaine de
this ce, celui-ci, ceci; **it was not like** ~ les choses se sont passées bien autrement
thorough minutieux(-se), consciencieux(-se), approfondi
thoroughfare rue *f.* (route *f.*) principale
those ces, ceux, ceux-là
though quoique, bien que; **as** ~ comme si; **it looks as** ~ il semble que
thought pensée *f.*
thousand mille (*invariable*); *in dates* mil (*invariable*); ~**s** des milliers *m. pl.*
threat menace *f.*

three trois; ∾**-day** de trois jours; ∾**-week** de trois semaines; ∾ **fourths** trois-quarts
thrilled enthousiasmé, très ému, emballé (*slang*)
thrive prospérer, bien marcher
throne trône *m.*; ∾ **room** salle *f.* du trône
through à travers
thus ainsi, de cette façon
Ticino Tessin *m.*
ticket billet *m.*, ticket *m.*
tidal wave raz *m.* de marée, vague *f.* de fond
tied à l'attache
tiers: rise in ∾ s'étager
till jusqu'à ce que, jusque
timber poutre *f.* de bois; **with visible** ∾**s** à poutres de bois apparentes
timbered house maison *f.* à poutres apparentes
time temps *m.*, fois *f.*, moment *m.*, heure *f.*, époque *f.*; **all the** ∾ tout le temps; **at a** ∾ **when** au moment où; **at all** ∾**s** en toute occasion; **at the right** ∾ au bon moment; **at the same** ∾ en même temps, à la fois; **at the** ∾ **of** lors de, au moment de; **by the** ∾ **(that)** quand; **by this** ∾ à l'heure qu'il est; **half the** ∾ la moitié du temps; **in** ∾ à temps; **have a very good** ∾ s'amuser bien; **for a long** ∾ depuis longtemps; **in a very short** ∾ dans très peu de temps; **just in** ∾ juste à l'heure; **on** ∾ à l'heure; ∾ **of the year** moment *m.* de l'année
timid timide
tinkle tinter
tinsel clinquant *m.*
tiny minuscule
tip bout *m.*, extrémité *f.*
tire lasser; **get** ∾**d** se fatiguer
tired fatigué, las(-se)
tiring fatigant
to à, jusque, jusqu'à
together ensemble
tomb tombe *f.*, (*monumental*) tombeau *m.*
tonight ce soir
too aussi, trop; ∾ **little** trop peu (de); ∾ **many** trop (de); ∾ **bad** dommage (que)
top haut *m.*, sommet *m.*, plateforme *f.*; *adj.* du haut, du sommet
topic sujet *m.*
tops: be ∾ (*slang*) être au-dessus de tout
torture torture *f.*
toss lancer, jeter
total total(-aux)
touching touchant, émouvant
tough rude, difficile
tour tour *m.*; **take a bus** ∾ faire un tour en car; **take a little** ∾ faire un petit tour
Touraine Touraine *f.*
touring *adj.* de voyages
tourist touriste *m.*; **like good** ∾**s** en bons touristes; *adj.* touristique, de tourisme
toward vers, en direction de
tower tour *f.*; *v.* ∾ **over** dominer
towering très haut, très élevé, imposant, dominant
town ville *f.*, petite ville *f.*; **small market** ∾ bourg *m.*; **storybook** ∾ ville de livre d'images; **upper** ∾ haute ville; ∾ **crier** tambour *m.* de ville; ∾ **hall** mairie *f.*; ∾ **official** notable *m.*, personnage *m.* officiel, notabilité *m.*
townspeople gens *m. pl.* de la ville

trace trace *f.*; *v.* retracer, tracer
tradition tradition *f.*
traditional traditionnel(-le)
traffic circulation *f.*, trafic *m.*
trail piste *f.*, sentier *m.*; **bicycle ~** piste cyclable
train train *m.*; **on the ~** dans le train
train shed dépôt *m.*
trait trait *m.*, caractère *m.*
traitor traître *m.*
transept transept *m.*
transfer (*subway*) correspondance *f.*
transform transformer
transformation (into) transformation *f.* (en)
translation traduction *f.*
transportation transport *m.*
travel voyages *m. pl.*; *v.* voyager
traveler voyageur *m.*
treasure trésor *m.*
tree arbre *m.*
tremendous formidable
trend tendance *f.*; **political ~** orientation *f.* de la politique
Trianon Trianon *m.*
trip voyage *m.*, excursion *f.*; **round ~** voyage d'aller et retour; **round-~ ticket** billet *m.* d'aller et retour; **eight-day ~** voyage de huit jours
trolley tramway *m.*
tropical tropical(-aux)
trouble difficulté *f.*
troupe troupe *f.*, compagnie *f.*
truck camion *m.*
true vrai
trunk malle *f.*
try essayer (de), s'efforcer (de), tâcher (de); **~ one's best** faire tout son possible; **~ hard** s'efforcer (de); **~ for** essayer d'obtenir; **~ the water** tâter l'eau
turmoil agitation *f.*
turn virage *m.*, courbe *f.*, tournant *m.*, tour *m.*; **at every ~** à tout bout de champ; **await one's ~** attendre son tour; **hairpin ~** virage en épingle à cheveux; **take a sudden ~** faire un crochet; *v.* tourner, se retourner, obliquer; **~ away from** quitter, tourner le dos à; **~ in** (*fam.*) se coucher; **~ out to be** résulter, se révéler, se trouver être; **~ out well** se terminer pour le mieux; **~ sharply towards** obliquer vers
tweeds complet *m.* de cheviote
twenty vingt; **some ~** une vingtaine (de)
twinkle étinceler
type type *m.*, genre *m.*, modèle *m.*, sorte *f.*, caractère *m.*
typical typique

U.N.O. Organisation *f.* des Nations-Unies
ubiquitous éternel(-le), qu'on voit partout
ugly laid, vilain
ultramodern ultra-moderne
unanimous unanime
unaware: be ~ of ne pas remarquer, ne pas être conscient de
unconcerned insouciant, indifférent
under sous, au-dessous de
undergraduate étudiant(e) *m.* (*f.*)
underground sous-sol *m.*; *adj.* au sous-sol; *adv.* sous terre
underneath sous, au-dessous de, en dessous de
undernourished mal nourri, sous-alimenté

understand comprendre; **make oneself understood** se faire comprendre
undisturbed sans être dérangé
undoubtedly sans doute
unearth mettre à jour
unending interminable, sans fin
unfinished inachevé
unforgettable inoubliable
uniform uniforme *m.*
unique unique
unit bloc *m.*, agglomération *f.*
United States États-Unis *m. pl.*
university université *f.*; *adj.* universitaire
unknown inconnu
unless à moins de (*with inf.*), à moins que (*with subj.*)
unload décharger
unmistakably nettement, à ne pas s'y méprendre
unsurpassed sans pareil(-le), sans égal
until jusque, jusqu'à (ce que)
untouched intact; **leave ∼** laisser intact
unusual extraordinaire
unusually extraordinairement
unwillingly à contre-cœur
up: be ∼ être debout; **∼ there** là-haut; **just ∼** en remontant, tout en haut de
upbringing éducation *f.*
upon (our arrival) à (notre arrivée), en (arrivant)
upper supérieur, privilégié
upright perpendiculaire
urban urbain
urge inciter
use utiliser, se servir de, employer; **be ∼d as** servir de; **become (get) ∼d to** s'habituer à, se faire à, s'accoutumer à; **∼d to (something)** habitué à (quelque chose)
usual ordinaire; **as ∼** comme d'habitude
usually d'ordinaire, ordinairement

vacation vacances *f. pl.*; **∼ spot** lieu *m.* de villégiature, station *f.* de villégiature, séjour *m.* de vacances; **∼ time** temps *m.* des vacances
Valais Valais *m.* (*French-speaking canton in south-central Switzerland*)
valley vallée *f.*
vantage point point *m.* de vue
varied varié
variety variété *f.*, diversité *f.*
various varié, divers, différent
vase vase *m.*
vast grand, vaste, immense
Vatican Vatican *m.*
vault voûte *f.*
vendor marchand *m.*
venerable respectable, vénérable
Venice Venise *f.*
venture oser, se risquer, s'enhardir
veranda véranda *f.*
verger bedeau *m.*
vertically verticalement
very très, même des plus; **at the ∼ top** tout au sommet, tout en haut; **at ∼ best** tout au plus
vessel navire *m.*, vaisseau *m.*
veteran ancien soldat *m.*, **ancien** combattant *m.*; *adj.* vétéran, vieux, expérimenté
vicinity voisinage *m.*; **in the ∼ of** du côté de, dans les environs de; **in the immediate ∼ of** à proximité immédiate de
victory victoire *f.*
view vue *f.*, point *m.* de vue, pano-

rama *m.*; **get a good ~ (of)** voir bien; *v.* regarder, contempler, voir
viewing examen *m.*, inspection *f.*
villa villa *f.*
village village *m.*
vine-covered couvert de vignes
vineyard vigne *f.*
vintner vigneron *m.*
visa visa *m.*; **transit ~** visa de transit
visible visible, apparent
visit visite *f.*; **pay a ~** faire une visite; **pleasure ~** séjour *m.* d'agrément; **state ~** visite royale, visite officielle; *v.* visiter, faire visite à, rendre visite à, faire le tour de; **~ a grave** se recueillir sur une tombe
visitor visiteur(-euse) *m.* (*f.*)
vivacity vivacité *f.*
vocabulary vocabulaire *m.*
voice voix *f.*; **at the top of their ~s** à tue-tête
volume volume *m.*
vow faire vœu, jurer, se permettre

wad pelote *f.*, boulette *f.*
waffle gaufre *f.*
wait (for) attendre
waiter garçon *m.*; **head ~** maître *m.* d'hôtel
waitress servante *f.*
wake sillage *m.*
wake *v.* s'éveiller
waken éveiller
walk promenade *f.*, allée *f.*; **a five minutes' ~** cinq minutes à pied; *v.* marcher, se promener, aller à pied; **~ around** faire le tour (de); **~ down** descendre; **~ up** monter; **~ up and down** marcher de long en large; **go ~ing** faire une promenade
wall mur *m.*, muraille *f.*
waltz valse *f.*
wander errer, se promener au hasard
want vouloir, désirer
war guerre *f.*; **at ~** en guerre; **world ~** guerre mondiale; **World ~ I** la première Guerre mondiale; **~-torn** ravagé par la guerre; **~ dead** les morts *m. pl.* de la guerre
wardrobe ensemble *m.* de vêtements; garde-robe *f.*
wares marchandise(s) *f.*
warehouse entrepôt *m.*, dépôt *m.* de marchandises
warm chaud; **be ~** (*of a person*) avoir chaud; **be ~** (*of weather*) faire chaud
warmth chaleur *f.*
warning whistle signal *m.* du départ
waste gaspiller, perdre (*of time*)
watch montre *f.*
watch *v.* regarder, guetter
watch factory horlogerie *f.*
water eau *f.*; **running ~** eau courante
waterfront quai *m.*
watering place ville *f.* d'eau
waterproof imperméable
wave vague *f.*
wave: ~ good-by agiter la main en signe d'adieu; **~ to someone** faire signe à qqun.
wax cirer
way chemin *m.*, route *f.*, façon *f.*, manière *f.*, sens *m.*; **by ~ of** par; **on one's ~** chemin faisant; **on the ~ back** sur le chemin de retour; **on our ~ to** en route pour; **be in the ~** boucher la vue; **this ~** par ici, de ce côté;

find one's ∼ around s'orienter; make one's ∼ se diriger; continue on our ∼ continuer, poursuivre notre chemin; in this ∼ de cette façon; by the ∼ à propos; have it your ∼ faites comme vous l'entendrez; in their own ∼ à leur manière; that ∼ comme ça; ∼s habitudes *f. pl.*, coutumes *f. pl.*; ∼s of life mœurs *f. pl.* et coutumes *f. pl.*

weaken défaillir, s'affaiblir

wealthy riche

we Americans nous autres Américains

wear porter

weather temps *m.*; **in fair ∼** par temps clair; **the ∼ is fine** le temps est beau; **∼-beaten** battu des vents, dégradé par le temps, battu des intempéries

wedding reception réception *f.* après le mariage

week semaine *f.*; **a ∼** par semaine; **on ∼days** en semaine; **once a ∼** une fois par semaine; **two ∼s** quinze jours; **∼ end** week-end *m.*, fin *f.* de semaine

weekly hebdomadaire, par semaine

weigh peser

weight poids *m.*

Weissflujoch Weissflujoch *m.*

welcome bien accueilli, bienvenu; *v.* accueillir

well bien, eh bien; **∼ after** bien après; **as ∼ as** aussi bien que, de même que, ainsi que; **∼ over** bien plus de (*with numeral*)

well-being bien-être *m.*

well-informed bien renseigné, instruit

well-kept bien entretenu

well-known célèbre, renommé, bien connu

well-ordered bien ordonné

well-planned bien conçu

well-proportioned bien proportionné

west *adj.* d'ouest, occidental

western occidental, de l'ouest

wharf quai *m.*, appontement *m.*

what quel, comment; *pron.* que, quoi, ce qui (*subject*), ce que (*object*); **∼ about a movie** si nous allions au cinéma; **∼ is . . .** qu'est-ce que c'est que . . ., qu'est-ce que . . .; **so ∼** et alors; **∼ a . . .** quel (quelle, quels, quelles) . . .

wheat blé *m.*

wheel roue *f.*

when quand, où

whence d'où

whenever chaque fois que, n'importe quand

whereas tandis que

wherever: from ∼ d'où que (*with subj.*)

whether si

which (one) lequel; **about ∼** dont

while moment *m.*; **all the ∼** tout le temps; *conj.* pendant que

white blanc(-che)

whole tout *m.*, ensemble *m.*; *adj.* entier(-ère), tout; **on the ∼** en général, en somme

whose dont, de qui, duquel

why pourquoi; **∼ not?** pourquoi pas?; (*interjection*) mais, tiens

wide large, étendu

widen élargir

widespread étendu, répandu

will volonté *f.*

willing: be ∼ vouloir bien; **will you?** hein?

willingly volontiers, avec plaisir
winding sinueux(-se)
window fenêtre *f.*; **stained-glass ∼** vitrail(-aux) *m.*
windy: be ∼ faire du vent
wine vin *m.*
wing aile *f.*
winter hiver *m.*
wipe out anéantir
wise prudent
wish désirer, vouloir, souhaiter
wit: be at his ∼'s end ne plus savoir que faire
witch sorcière *f.*
with avec, chez
within dans; **∼ a mile of** à un mille de
without sans, à l'extérieur, au dehors; **∼ method or plan** à bâtons rompus
witness témoigner, être temoin de, assister à
woman femme *f.*
wonder: no ∼ ce n'est pas étonnant; *v.* se demander
wonderful merveilleux(-se), admirable
wood bois *m.*
wooden en bois
woolen de laine
word mot *m.*, parole *f.*
work travail *m.*, œuvre *f.*, ouvrage *m.*; **the ∼s** (*slang*) le tout; *v.* travailler; **∼ hard** travailler dur
workman ouvrier *m.*
world monde *m.*; **the ∼ over** dans le monde entier; **what in the ∼** que diable; *adj.* mondial
worn usé, râpé
worry souci *m.*; *v.*, inquiéter; s'inquiéter, se tourmenter
worrying inquiétude *f.*
worse pire
worth while: be ∼ valoir la peine (de)
wreath couronne *f.*
wreck naufrage *m.*
wreckage: tangled ∼ débris *m. pl.* informes
write écrire
writer écrivain *m.*
wrong: be ∼ avoir tort; **take the ∼ road** se tromper de route

yard (*approx.*) mètre *m.* (= 1.1 yards)
year an *m.*, année *f.*; **all ∼ round** toute l'année; **for ∼s** pendant des années; **in a ∼ or so** dans un an ou deux; **∼ after next** en deux ans
yet encore
Yugoslavia Yougoslavie *f.*

CDEFGHIJK 069876543
PRINTED IN THE UNITED STATES OF AMERICA

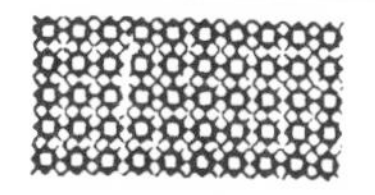